RON RASH

Serena

Uit het Engels vertaald door
Anneke Bok en Nan Lenders

DE GEUS

De vertalers ontvingen voor deze vertaling een werkbeurs van de Stichting Fonds voor de Letteren

Oorspronkelijke titel *Serena*, verschenen bij HarperCollinsPublishers

Omslagontwerp Berry van Gerwen

ISBN 978 90 445 1332 5
NUR 302

Een hand, die met zijn greep de wereld kan omvatten.

Christopher Marlowe

DEEL I

Een

Toen Pemberton terugkeerde naar de bergen van North Carolina, na een verblijf van drie maanden in Boston waar hij de nalatenschap van zijn vader had afgehandeld, bevond zich onder de wachtenden op het perron een jonge vrouw die zwanger van hem was. Ze was in gezelschap van haar vader, die onder zijn sjofele overjas een lang jachtmes droeg dat hij eerder die ochtend uiterst secuur had geslepen opdat het zo diep mogelijk in Pembertons hart zou binnendringen.

De conducteur riep 'Waynesville' toen de trein sidderend tot stilstand kwam. Pemberton keek uit het raam en zag zijn compagnons op het perron staan, beiden in pak gestoken om de vrouw te verwelkomen die sinds twee dagen zijn bruid was, een onverwacht extraatje van zijn tijd in Boston. Buchanan, altijd de dandy, had zijn snor opgedraaid met was en pommade in zijn haar gedaan. Zijn enkellaarzen waren glimmend gepoetst, zijn witkatoenen overhemd was pasgestreken. Wilkie droeg zoals dikwijls een grijze gleufhoed om zijn kale hoofd te beschermen tegen de zon. Op het horlogezakje van de oudere man blonk een Phi Beta Kappasleuteltje van Princeton en uit zijn borstzakje stak een blauwzijden pochet.

Pemberton opende het gouden deksel van zijn zakhorloge en zag dat de trein stipt op tijd was. Hij draaide zich om naar zijn bruid, die was weggedoezeld. De afgelopen nacht had ze vreselijke dromen gehad. Hij was twee keer wakker geworden van haar gewoel, van de heftige manier waarop ze zich aan hem had vastgeklampt voordat ze weer in slaap was gevallen. Hij wekte haar met een zachte kus op de lippen.

'Niet zo'n leuke bestemming voor een huwelijksreis.'

'Het voldoet prima voor ons', zei Serena en ze vlijde zich tegen zijn schouder. 'We zijn hier samen, en dat is het enige wat telt.'

Pemberton kreeg de prikkelende geur van Tre Jur-talkpoeder in zijn neus en herinnerde zich dat hij dat pikante aroma eerder die ochtend niet alleen had geroken, maar ook op haar huid had geproefd. Er slenterde een kruier door het gangpad die een voor Pemberton onbekend wijsje floot. Zijn blik ging terug naar het raam.

Naast het loket op het perron wachtten Harmon en zijn dochter hem op, Harmon onderuitgezakt tegen de kastanjehouten wand. Opvallend, dacht Pemberton, dat de mannen hier in de bergen zelden rechtop stonden. In plaats daarvan leunden ze wanneer het maar enigszins mogelijk was tegen een boom of een muur. En anders zaten ze wel gehurkt, met hun billen op hun hielen. Harmon had een groot bierglas in zijn hand, waar nauwelijks nog een bodempje in zat. De dochter zat kaarsrecht op het bankje om haar toestand zo goed mogelijk te laten uitkomen. Pemberton kon zich haar voornaam niet meer herinneren. Het verbaasde hem niet hen te zien, noch dat het meisje zwanger was. *Van hem*, had Pemberton gehoord de avond voordat Serena en hij uit Boston vertrokken. Abe Harmon is hier en zegt dat hij een kwestie met je wil regelen, een kwestie die zijn dochter betreft, had Buchanan gezegd toen hij opbelde. Het kan gewoon dronkemanspraat zijn, maar ik vond toch dat je het moest weten.

'Er zitten ook een paar dorpelingen in ons welkomstcomité', zei Pemberton tegen zijn bruid.

'Maar dat hadden we al verwacht', zei Serena.

Ze legde haar rechterhand even op zijn pols, en Pemberton voelde de eeltplekken in haar handpalm en de gladde gouden trouwring die ze droeg in plaats van een ring met een diamant. Afgezien van de grootte verschilde haar ring in geen enkel opzicht van de zijne. Pemberton stond op en tilde twee valiezen uit het bagagerek. Hij gaf ze aan de kruier, die een stapje terug deed en achter Pemberton aan liep toen die zijn bruid door het gangpad naar het portier leidde. Er gaapte een ruimte van meer dan een halve meter tussen het staal en het houten plankier. Serena pakte zijn hand niet vast toen ze uitstapte.

Buchanan was de eerste die Pembertons blik opving en hij knikte waarschuwend in de richting van Harmon en zijn dochter voordat hij Serena met een stramme, vormelijke buiging begroette. Wilkie nam zijn gleufhoed af. Met haar één meter zevenenzeventig was Serena langer dan beide mannen, maar Pemberton wist dat andere aspecten van Serena's verschijning bijdroegen aan de verbazing die zich op het gezicht van Buchanan en Wilkie aftekende: een broek en laarzen in plaats van een jurk en een clochehoed, een door de zon gebruinde huid die in tegenspraak was met Serena's maatschappelijke klasse, de lippen en wangen niet aangezet met rouge, het haar blond en dik, maar in een kort bobkapsel, onmiskenbaar vrouwelijk, maar ook streng.

Serena liep op de oudste man af en stak hem haar hand toe. Hoewel Wilkie met zijn zeventig jaar ruim twee keer zo oud was als zij, staarde hij Serena aan als een verliefde schooljongen, de gleufhoed tegen zijn borst gedrukt als om een hart te verbergen dat al veroverd was.

'Wilkie, neem ik aan?'

'Ja, ja, ik ben Wilkie', stamelde Wilkie.

'Serena Pemberton', zei ze, nog steeds met uitgestoken hand.

Wilkie stuntelde even met zijn hoed voordat hij zijn rechterhand bevrijd had en die van Serena kon schudden.

'En Buchanan', zei Serena tegen de andere compagnon. 'Klopt dat?'

'Ja.'

Buchanan nam de hand die ze hem voorhield onbeholpen in de zijne.

Serena moest erom glimlachen. 'Weet u niet hoe je elkaar fatsoenlijk een hand geeft, meneer Buchanan?'

Pemberton keek geamuseerd toe hoe Buchanan zijn greep corrigeerde en zijn hand toen schielijk terugtrok. In het jaar dat het Houtbedrijf Boston nu operationeel was in deze bergen, was de echtgenote van Buchanan slechts één keer op bezoek geweest; ze was gearriveerd in een roze tafzijden jurk, die al smoezelig was geworden voordat ze de enige straat die Waynesville telde was overgestoken en het huis van haar man was binnengegaan. Daar had ze één nacht doorgebracht en ze was meteen weer met de ochtendtrein vertrokken. Tegenwoordig troffen Buchanan en zijn vrouw elkaar eens per maand voor een weekend in Richmond, want zuidelijker wilde mevrouw Buchanan niet reizen. Wilkies vrouw zette geen voet buiten Boston.

De compagnons van Pemberton leken verder geen woord te kunnen uitbrengen. Hun ogen gingen van de rijbroek die Serena droeg naar de beige overhemdblouse en de zwarte laarzen. Uit Serena's nette manier van spreken en haar kaarsrechte houding bleek duidelijk dat ze een etiquetteschool in New England had bezocht, net als hun echtgenotes. Serena was echter geboren in Colorado, waar ze tot haar zestiende had gewoond; haar vader was houthandelaar geweest en had zijn dochter, naast paardrijden en schieten, ook geleerd om een stevige hand te geven en mannen recht aan te kijken. Ze was pas na de dood van haar ouders naar het oosten gekomen.

De kruier zette de valiezen op het perron en liep terug naar de bagagewagen om Serena's grote hutkoffer en Pembertons kleinere hutkoffer op te halen.

'Ik neem aan dat Campbell de arabier naar het kamp heeft gebracht', zei Pemberton.

'Ja,' zei Buchanan, 'maar dat heeft de jonge Vaughn wel bijna met de dood moeten bekopen. Dat paard is niet alleen groot, maar ook behoorlijk pittig, "vurig" zoals ze dat noemen.'

'Is er nieuws uit het kamp?' vroeg Pemberton.

'Geen ernstige problemen', zei Buchanan. 'Een van de arbeiders heeft bij Laurel Creek sporen van een rode lynx gevonden, maar dacht dat ze van een poema waren. Een paar ploegen weigerden weer naar boven te gaan voordat Galloway een kijkje had genomen.'

'Poema's,' zei Serena, 'komen die hier veel voor?'

'Absoluut niet, mevrouw Pemberton', zei Wilkie geruststellend. 'Het doet me deugd te kunnen zeggen dat er in 1920 voor het laatst eentje is gedood in deze staat.'

'Toch blijft de plaatselijke bevolking hardnekkig geloven dat er nog eentje is', zei Buchanan. 'Er doen allerlei wilde verhalen de ronde die de arbeiders allemaal kennen, niet alleen over hoe groot hij wel niet was, maar ook over zijn kleur, die zou variëren van geelbruin tot pikzwart. Wat mij betreft is het allemaal beuzelpraat, maar uw echtgenoot denkt er anders over. Hij hoopt dat het beest zich vertoont, zodat hij er jacht op kan maken.'

'Dat was voordat hij trouwde', merkte Wilkie op. 'Nu Pemberton een getrouwd man is zal hij de poemajacht ongetwijfeld verruilen voor minder gevaarlijke verzetjes.'

'Ik hoop dat hij jacht blijft maken op zijn poema en zou teleurgesteld zijn als hij anders zou besluiten', zei Serena, die zich omdraaide om zich niet alleen tot de compagnons, maar ook tot Pemberton te richten. 'Pemberton is een man die een uitdaging niet uit de weg gaat, daarom ben ik met hem getrouwd.'

Serena zweeg even en haar gezicht plooide zich tot een lachje.

'En hij met mij.'

De kruier zette de tweede hutkoffer op het perron. Pemberton gaf de man wat kleingeld en stuurde hem weg. Serena richtte haar blik op de vader en zijn dochter, die nu samen op het bankje zaten, oplettend en zwijgend, als acteurs die op hun claus wachtten.

'U ken ik niet', zei Serena.

De dochter bleef Serena stuurs aankijken. De vader was degene die met een enigszins dikke tong het woord nam.

'Waar ik hier voor ben, heeft niks met u te maken. Ik ben hier voor de man die naast u staat.'

'Zijn zaken zijn mijn zaken', zei Serena. 'En andersom.'

Harmon knikte naar de buik van zijn dochter en zei toen

tegen Serena: 'Deze zaak niet. Dit was al gebeurd voordat u hier kwam.'

'U beweert dus dat zij het kind van mijn man draagt.'

'Dat is niet alleen een bewering', zei Harmon.

'Dan mag u zich een gelukkig man prijzen', zei Serena tegen Harmon. 'Beter zaad om een kind bij haar te verwekken zult u niet vinden. Dat blijkt wel uit de omvang van haar buik.'

Serena keek de dochter aan.

'Maar meer zul je er niet van hem krijgen. Ik ben er nu. Alle andere kinderen die hij krijgt zullen van mij zijn.'

Harmon ging rechtop zitten en Pemberton ving een glimp op van het parelmoeren handvat van een jachtmes voordat de jas eroverheen viel. Hij vroeg zich af hoe een man als Harmon aan zo'n fraai wapen kwam. Misschien gewonnen bij een pokerwedstrijd of geërfd van een rijkere voorvader. Achter de glazen ruit dook het gezicht van de stationschef op, bleef daar even zichtbaar en verdween toen. Een groepje slungelige jongens uit de omgeving, allemaal in dienst van Houtbedrijf Boston, stond bij een aangrenzende veeschuur uitdrukkingsloos toe te kijken.

Onder hen bevond zich een voorman, Campbell geheten, tot wiens talrijke taken het behoorde om als bemiddelaar tussen de arbeiders en de eigenaren op te treden. Campbell droeg in het kamp altijd een overhemd van grijze chambray en een ribfluwelen broek, maar deze middag had hij net als de andere mannen een overall aan. *Het is zondag*, besefte Pemberton, en heel even bracht hem dat in verwarring. Hij kon zich niet herinneren wanneer hij voor het laatst op een kalender had gekeken. In Boston, met Serena, had het geleken of de tijd gevangenzat in de onafwendbare rondgang van de wijzers op horloges en klokken: verstrijkende uren en minuten die niet bij machte waren om verstrijkende dagen te worden. Maar de dagen en maanden waren wel degelijk verstreken, zoals duidelijk bleek uit de opgezwollen buik van Harmons dochter.

Harmons grote, sproetige handen omklemden de rand van het

bankje en hij zat enigszins naar voren gebogen. Hij keek Pemberton strak aan met een dreigende blik in zijn blauwe ogen.

'Laten we naar huis gaan, pappa', zei Harmons dochter en ze legde haar hand op de zijne.

Hij sloeg haar hand weg alsof het een hinderlijke vlieg was, stond op en wankelde even.

'Vervloekt, jullie allebei', zei Harmon en hij deed een stap in de richting van de Pembertons.

Hij sloeg zijn jas open en trok het jachtmes uit zijn leren schede. De namiddagzon viel op het lemmet en heel even leek het alsof Harmon een laaiende vlam in zijn hand hield. Pemberton keek naar Harmons dochter, die haar handen om haar buik legde als om het ongeboren kind te beschermen tegen wat er gebeurde.

'Neem je vader mee naar huis', zei Pemberton tegen haar.

'Pappa, alstublieft', zei de dochter.

'Ga sheriff McDowell halen', riep Buchanan naar de mannen die stonden toe te kijken bij de veeschuur.

Een ploegbaas, die Snipes heette, gaf gehoor aan het bevel en haastte zich niet naar het gerechtsgebouw, maar naar het pension waar de sheriff woonde. De overige mannen bleven waar ze waren. Buchanan wilde tussenbeide komen, maar Harmon verjoeg hem met een zwaai van het mes.

'We gaan dit nu beslechten', riep Harmon.

'Hij heeft gelijk', zei Serena. 'Pak je mes en beslecht het nu, Pemberton.'

Harmon stapte naar voren, licht wankelend toen hij de afstand tussen hen verkleinde.

'Je kunt maar beter naar haar luisteren,' zei Harmon terwijl hij nog een stap naar voren deed, 'want een van ons tweeën kunnen ze straks dood wegdragen.'

Pemberton bukte zich, opende zijn kalfsleren valies en tastte tussen de spullen naar het huwelijkscadeau dat hij van Serena had gekregen. Hij trok het jachtmes uit de schede en pakte het elandbenen heft, dat hem door zijn ruwe oppervlak een betere greep verschafte, stevig vast. Heel even stond Pemberton zichzelf toe te genieten van hoe prettig dit wapen in de hand lag, van de balans en de degelijkheid van het mes, waarvan het lemmet en het heft even secuur op elkaar waren afgestemd als die van de degens waarmee hij op Harvard had geschermd. Hij trok zijn jas uit en legde die over het valies.

Harmon deed nog een stap naar voren, en nu stonden ze minder dan een meter uit elkaar. Hij hield de punt van het mes hoog en naar boven gericht, en Pemberton besefte dat Harmon, dronken of nuchter, zelden met een mes had gevochten. Harmon kliefde de lucht die hen scheidde. De man klemde zijn door tabak vergeelde kiezen op elkaar en de aderen in zijn nek stonden strak als stormlijnen. Pemberton hield zijn mes laag en dicht bij zijn lichaam. Harmons adem rook naar sterkedrank, een scherpe, vettige geur, als petroleum.

Harmon deed een uitval, maar Pemberton hief zijn linkerarm. De zwaai van het jachtmes werd gebroken door Pembertons onderarm. Harmon stootte het jachtmes omlaag en het schampte Pembertons huid. Pemberton deed een laatste stap en hield het lemmet van zijn mes horizontaal toen hij het onder Harmons jas liet glijden en het staal door de stof van het werkhemd in het zachte vlees boven het rechterheupbeen van de oudere man stootte. Met zijn vrije hand greep hij Harmon bij de schouder om kracht te kunnen zetten en met een snelle haal trok hij een dunne glimlach over de buik van de man. Er sprong een cederhouten knoop van Harmons smoezelige witte overhemd, die op het houten plankier viel, even rondtolde en toen bleef liggen. Gevolgd door een zacht zuigend geluid toen Pemberton het lemmet terugtrok. Een paar tellen bleef het bloeden uit.

Harmons jachtmes viel kletterend op het perron. Als iemand die probeert de stappen te herroepen die tot dit resultaat hadden geleid legde de man beide handen tegen zijn buik, liep langzaam achteruit en zakte toen neer op het bankje. Hij tilde zijn handen op om de schade in ogenschouw te nemen, en zijn darmen puilden in losse, grijze strengen op zijn schoot. Harmon keek aandachtig naar het inwendige van zijn lichaam als zocht hij een nadere bevestiging van zijn lot. Nog een laatste keer hief hij het hoofd op en liet het achterover tegen de houten stationswand rusten. Pemberton wendde zijn blik af toen Harmons blauwe ogen uitdoofden.

Nu stond Serena naast hem.

'Je arm', zei ze.

Pemberton zag dat zijn popeline overhemd onder de elleboog was opengereten en dat er donkere bloedvlekken in de blauwe stof zaten. Serena maakte een zilveren manchetknoop los en schoof de mouw omhoog om de snee op zijn onderarm te bekijken.

'Die hoeft niet gehecht te worden,' zei ze, 'er moet alleen wat jodium op en een verband.'

Pemberton knikte. De adrenaline bruiste door zijn lichaam, en toen Buchanans bezorgde gezicht voor hem opdoemde, leken de gelaatstrekken van zijn compagnon – de kortgeknipte zwarte borstelsnor tussen de puntige smalle neus en de kleine mond, de ronde lichtgroene ogen die altijd lichtelijk verbaasd keken – tegelijkertijd zowel haarscherp als ver weg. Pemberton haalde een paar keer diep en beheerst adem, om tot zichzelf te komen voordat hij iets tegen iemand zei.

Serena raapte het jachtmes op en liep ermee naar Harmons dochter, die zich over haar vader had gebogen, haar handen om het uitdrukkingsloze gezicht had gelegd en het vlak bij het hare bracht alsof ze hem nog iets duidelijk zou kunnen maken. De jonge vrouw zat stilletjes te huilen.

'Hier', zei Serena, die het mes bij het lemmet vasthield. 'Eigenlijk heeft mijn man er nu recht op. Het is een prachtig mes, en als je het handig aanpakt, kun je er een goede prijs voor krijgen. En dat zou ik doen', voegde ze eraan toe. 'Het verkopen, bedoel ik. Dat geld zul je goed kunnen gebruiken wanneer het kind er is. Het is alles wat je ooit van mijn man en mij zult krijgen.'

Harmons dochter staarde Serena nu aan, maar ze maakte geen aanstalten om het mes aan te nemen. Serena legde het jachtmes op het bankje, stak het perron over en ging naast Pemberton staan. Afgezien van Campbell, die naar het perron kwam lopen, hadden de mannen die tegen het hek van de veeschuur geleund stonden zich niet verroerd. Pemberton was blij dat ze er waren, want dan kon er tenminste nog iets goeds voortkomen uit wat er was voorgevallen. De arbeiders hadden al begrepen dat Pemberton zich wat fysieke kracht betreft met hen kon meten, dat hadden ze gezien toen ze het afgelopen voorjaar de spoorweg hadden aangelegd. Nu hadden ze met eigen ogen gezien dat hij een mens kon doden. Ze zouden nog meer respect voor hem hebben, en voor Serena. Hij draaide zich om en keek in Serena's grijze ogen.

'Laten we naar het kamp gaan', zei Pemberton.

Hij legde zijn hand om Serena's elleboog en voerde haar mee naar het trapje dat Campbell zojuist op was gelopen. Campbells lange, hoekige gezicht stond even ondoorgrondelijk als altijd, en hij wijzigde zijn koers zodat hij niet vlak langs de Pembertons heen liep – zo achteloos dat een toeschouwer niet zou denken dat het doelbewust was.

Pemberton en Serena daalden het trapje af en volgden het pad naar de plek waar Wilkie en Buchanan stonden te wachten. De sintels knerpten onder hun voeten en er stegen grijze pluimpjes uit op, als bij een uitgeblazen lucifer. Pemberton wierp een blik achterom en zag Campbell over Harmons dochter gebogen staan, met zijn hand op haar schouder terwijl hij tegen haar sprak. De op zijn zondags geklede sheriff McDowell stond ook bij het bankje. Campbell en hij hielpen het meisje overeind en liepen met haar het stationsgebouw binnen.

'Is mijn Packard er?' vroeg Pemberton aan Buchanan.

Buchanan knikte en Pemberton sprak de jonge kruier aan, die nog op het perron stond.

'Zet de valiezen op de achterbank en bind de kleine hutkoffer op het bagagerek. De grote kan met de trein nakomen.'

'Vind je niet dat je beter even met de sheriff kunt gaan praten?' vroeg Buchanan nadat hij Pemberton het sleuteltje van de Packard had gegeven.

'Waarom zou ik die hufter iets moeten uitleggen?' zei Pemberton. 'Je hebt gezien wat er gebeurd is.'

Serena en hij wilden juist in de Packard stappen toen achter hen McDowell kordaat aan kwam lopen. Toen Pemberton zich omdraaide, zag hij dat de sheriff ondanks zijn zondagse pak een holster droeg. Zoals bij veel mensen uit deze bergachtige contreien was de leeftijd van de sheriff moeilijk te schatten. Pemberton nam aan dat hij een jaar of vijftig was, hoewel het gitzwarte haar en het strakke lichaam van de sheriff een jongere man niet zouden misstaan.

'We gaan naar mijn bureau', zei McDowell.

'Waarom?' vroeg Pemberton. 'Het was zelfverdediging. Er zijn tien mannen die dat zullen bevestigen.'

'Ik leg u verstoring van de openbare orde ten laste. Daar staat een boete van tien dollar op of een week hechtenis.'

Pemberton trok zijn portefeuille en gaf McDowell twee vijfdollarbiljetten.

'Toch gaan we naar het bureau', zei McDowell. 'U mag Waynesville niet verlaten voordat u een schriftelijke verklaring hebt afgelegd dat u uit zelfverdediging hebt gehandeld.'

Ze stonden amper een meter uit elkaar en geen van beide mannen deed een stap terug. Pemberton besloot dat het geen vechtpartij waard was.

'Hebt u van mij ook een verklaring nodig?' vroeg Serena.

McDowell keek Serena aan alsof hij haar nu pas opmerkte.

'Nee.'

'Ik zou u best een hand willen geven, sheriff,' zei Serena, 'maar afgaand op wat mijn man me over u heeft verteld zou u hem vermoedelijk niet aannemen.'

'Daar heeft hij gelijk in', antwoordde McDowell.

'Ik wacht in de auto op je', zei Serena tegen Pemberton.

Toen Pemberton terugkwam, stapte hij in de Packard en draaide het contactsleuteltje om. Hij drukte op de starter, haalde de auto van de handrem, en toen begonnen ze aan de tien kilometer lange rit naar het kamp. Buiten Waynesville minderde Pemberton vaart toen ze het twee hectare grote houtmeer van de zagerij naderden, waarvan het oppervlak schuilging onder boomstammen die als aanmaakhoutjes kriskras over elkaar lagen. Pemberton remde en zette de Packard in z'n vrij, maar liet de motor lopen.

'Wilkie wilde de zagerij dicht bij de stad hebben', zei Pemberton. 'Het zou mijn keus niet geweest zijn, maar het is goed uitgepakt.'

Ze keken uit over de vastgelopen vloot boomstammen in het houtmeer die lag te wachten op de dageraad, wanneer de stammen zouden worden vlot getrokken en op de boomezel geladen om daarna te worden verzaagd. Serena wierp een vluchtige blik op de houtzagerij en op het tentvormige houten gebouwtje dat Wilkie en Buchanan als kantoor gebruikten. Pemberton wees op een reusachtige boom die oprees uit het bos achter de houtzagerij. De schors was bedekt met een oranjekleurige laag en de bovenste takken waren verschrompeld en bladerloos.

'Kastanjekanker.'

'Maar goed dat het jaren duurt voordat ze helemaal doodgaan', zei Serena. 'Dat geeft ons alle tijd die we nodig hebben, en bovendien een reden om de voorkeur aan mahoniehout te geven.'

Pemberton legde zijn hand op de harde rubberbal van de versnellingspook, schakelde en reed verder.

'Ik kijk ervan op dat de wegen verhard zijn', zei Serena.

'Dat zijn er niet veel. Deze wel, in elk geval een paar kilometer. De weg naar Asheville ook. Met de trein zouden we sneller bij het kamp zijn, zelfs met twintig kilometer per uur, maar op deze manier kan ik je ons terrein laten zien.'

Algauw hadden ze Waynesville achter zich gelaten en werd het terrein steeds bergachtiger en schaarser bevolkt, met hier en daar een helling met wat weidegrond, als groen vilt verweven met een grovere stof. Bijna hoogzomer inmiddels, besefte Pemberton, de witte bloemetjes van de kornoelje verdord op de grond, de takken van de loofbomen vol in het groen. Ze kwamen langs een houten hutje, waarnaast een vrouw water uit een bron aan het putten was. Ze droeg geen schoenen, en de vlaskop naast haar had een broek aan die met een stuk touw werd opgehouden.

'Die mensen hier in de bergen', zei Serena uit het raampje kijkend. 'Ik heb gelezen dat ze zo geïsoleerd leven dat hun spraak aan Elizabethaanse tijden herinnert.'

'Daar is Buchanan van overtuigd', zei Pemberton. 'Hij houdt een boekje bij met dergelijke woorden en uitdrukkingen.'

Het land werd snel steiler, en algauw stonden er geen boerderijen meer. Pemberton had last van druk op zijn oren en moest slikken. Vanaf de verharde weg sloeg hij een zandpad in dat een anderhalve kilometer lange bocht beschreef voordat het een laatste keer steil omhoogliep. Pemberton zette de auto stil en ze stapten uit. Aan de rechterkant van het pad rees een overhellende granieten rotswand op, waar water langssijpelde. Aan de linkerkant was slechts een diepe afgrond – dat, en een bleke ronde maan die ongeduldig op de nacht wachtte.

Pemberton pakte Serena's hand en ze liepen naar de rand van de steile afgrond. Daarbeneden werden de bergen teruggedrongen door Cove Creek Valley en opende zich een vlakte van tweehonderdzestig hectare. In het midden van het dal lag het kamp, omgeven door een woestenij van boomstronken en takken. Links ervan was Half Acre Ridge ook helemaal kaalgekapt. Rechts het ontboste onderste kwartgedeelte van Noland Mountain. De spoorweg die door het dal liep, leek als met steken op het laagland genaaid.

'Negen maanden werk', zei Pemberton.

'In het westen zouden we die klus in zes maanden hebben geklaard', reageerde Serena.

'Er valt hier vier keer zoveel regen. Bovendien moesten we de spoorlijn doortrekken tot in het dal.'

'Dat scheelt', gaf Serena toe. 'Tot waar strekt ons gebied zich uit?'

Pemberton wees naar het noorden. 'Tot aan de berg achter de helling waar we nu aan het kappen zijn.'

'En naar het westen?'

'Tot aan Balsam Mountain', zei Pemberton, en hij wees ook die aan. 'En tot aan Horse Pen Ridge in het zuiden, en in het oosten kun je zien waar we zijn opgehouden met kappen.'

'Dertieneneenhalf duizend hectare.'

'Er was nog achtentwintighonderd hectare ten oosten van Waynesville die we al hebben gekapt.'

'En in westelijke richting, is dat eigendom van Papierfabriek Champion?'

'Helemaal tot aan de grens met Tennessee', zei Pemberton.

'Is dat het land dat ze voor het park willen hebben?'

Pemberton knikte. 'En als Champion tot verkoop overgaat, zullen ze vervolgens op ons land uit zijn.'

'Maar dat krijgen ze niet', zei Serena.

'Nee, in elk geval niet voordat wij er klaar mee zijn. Harris, onze plaatselijke koper- en kaolienmagnaat, was op de bijeenkomst waar ik je over vertelde, en hij stak niet onder stoelen of banken dat hij net zo veel bezwaar heeft tegen het plan voor een nationaal park als wij. Geen slechte zaak om de rijkste man van het district aan onze kant te hebben.'

'Of als toekomstige compagnon', voegde Serena eraan toe.

'Je zult hem wel mogen', zei Pemberton. 'Hij is uitgekookt en stommelingen kan hij niet uitstaan.'

Serena raakte zijn schouder aan, boven de wond.

'Je arm moet verbonden worden.'

'Eerst een kus', zei Pemberton terwijl hij hun verstrengelde handen tegen Serena's onderrug legde en haar dichter naar zich toe trok.

Serena hief haar lippen naar die van Pemberton en drukte ze er stevig tegenaan. Ze legde haar vrije hand tegen zijn achterhoofd om hem dichter naar zich toe te trekken en ademde zacht uit in zijn mond toen ze haar lippen opende om Pemberton hartstochtelijker te kussen; haar tanden en tong raakten de zijne. Serena drukte haar lichaam helemaal tegen hem aan. Zoals gewoonlijk niet in staat tot ingetogenheid, zelfs niet de eerste keer dat ze elkaar hadden ontmoet. Pemberton voelde opnieuw wat hij bij geen enkele andere vrouw had ervaren: de gewaarwording te zijn ontketend en grenzeloze mogelijkheden te hebben, grenzeloos, maar tegelijkertijd op een bepaalde manier beperkt tot hen beiden.

Ze stapten in de Packard en reden het dal in. De weg werd rotsachtiger, met diepere geulen en kuilen. Ze staken een beek over die helemaal was dichtgeslibd en reden verder door nog meer bos, totdat ze in het eigenlijke dal aankwamen. Hier hield de weg op; er was alleen nog een uitgestrekte massa aarde en slijk. Ze kwamen langs een stal en een eenvoudig houten gebouw dat uit twee vertrekken bestond, waarvan het voorste werd gebruikt voor de loonadministratie en het achterste als bar en eetkamer dienstdeed. Rechts ervan stonden de kantine voor de arbeiders en de kampwinkel. Ze staken de spoorweg over en kwamen langs een reeks platte goederenwagons die gereedstonden voor de ochtend. Een personeelswagon, die als dokterspost fungeerde, stond naast het spoor, de roestende wielen weggezakt in de bodem van het dal.

Ze passeerden een rij van dertig aaneengeschakelde woonketen, die hachelijk op de helling van Bent Knob Ridge balanceerden en waarvan de fundering werd gestut door grillig gevormde palen van acaciahout. De keten hadden iets weg van goedkope houten goederenwagons, niet alleen door hun afmetingen en de aanblik die ze boden, maar ook door hoe de kabel, die onder de stang op het dak door liep, ze met elkaar verbond. Met een bijl waren bij wijze van vensters splinterige gaten in het hout uitgehakt.

'De behuizing van de arbeiders, neem ik aan', zei Serena.

'Ja, zodra we hier klaar zijn, kunnen we ze op goederenwagons zetten en naar het nieuwe terrein vervoeren. De arbeiders hoeven er niet eens hun spullen uit te halen.'

'Heel efficiënt', zei Serena knikkend. 'Wat betalen ze aan huur?'

'Acht dollar per maand.'

'En hun loon?'

'Momenteel twee dollar per dag, maar Buchanan wil dat verhogen naar twee dollar tien.'

'Waarom?'

'Volgens hem zullen we anders goede krachten aan andere kampen kwijtraken', zei Pemberton terwijl hij de auto tot voor hun huis reed. 'Maar ik denk dat die landroof van de overheid eerder zal leiden tot een groter aanbod van arbeiders, zeker wanneer Champion de boel verkoopt.'

'Wat vindt Wilkie ervan?'

'Wilkie is het met mij eens', zei Pemberton. 'Het enige pluspunt van de ingestorte aandelenmarkt, zegt hij, is dat de arbeidskrachten goedkoper worden.'

'Ik ben het met jou en Wilkie eens', zei Serena.

Op de traptreden voor het huis zat een jongen, Joel Vaughn genaamd, met naast zich een doos met vlees, brood, kaas en een fles rode wijn. Toen Pemberton en Serena uit de Packard stapten, stond Vaughn op en nam zijn wollen pet af, waardoor een bos opvallend rood haar zichtbaar werd. Even opvallend als zijn intelligentie, had Campbell algauw doorgekregen. Hij had Vaughn verantwoordelijkheden toevertrouwd die gewoonlijk aan veel oudere arbeiders waren voorbehouden, waaronder, zoals aan zijn geschramde onderarmen en een beurse plek op zijn sproetige linkerjukbeen te zien was, het mannen van een paard dat even vurig als kostbaar was. Vaughn haalde de valiezen uit de auto en volgde Pemberton en zijn bruid naar de veranda. Pemberton opende de deur en beduidde de jongen met een knikje dat hij voor mocht gaan.

'Als ik geen last van mijn arm had, zou ik je over de drempel dragen', zei Pemberton.

Serena lachte. 'Zit er maar niet over in, Pemberton. Ik red het zelf ook wel.'

Ze stapte naar binnen en hij volgde. Serena keek even naar de lichtschakelaar alsof ze betwijfelde dat hij het zou doen. Toen deed ze het licht aan.

In de voorkamer stonden twee Coxwellfauteuils voor de open haard en links was een keukentje met een boerenfornuis en een ijskast. Bij het enige raam van de voorkamer stonden een peppelhouten tafel en vier stoelen met biezen zittingen. Serena knikte, liep de gang door en wierp een snelle blik op de badkamer voordat ze de achterkamer binnenging. Ze knipte de schemerlamp op het bedtafeltje aan en ging op het smeedijzeren bed zitten om te testen of de matras stevig genoeg was en leek tevreden. Vaughn verscheen in de deuropening met de hutkoffer, die nog van Pembertons vader was geweest.

'Zet hem maar in de gangkast', zei Pemberton.

Vaughn deed wat hem was opgedragen, ging toen naar buiten en kwam terug met de etenswaren en de wijn.

'Meneer Buchanan dacht dat u misschien wel iets zou willen eten.'

'Zet maar op tafel', zei Pemberton. 'En ga dan naar de personeelswagon om jodium en verbandgaas te halen.'

De jongen bleef even staan, zijn blik gericht op Pembertons met bloed doorweekte mouw.

'Moet ik dokter Cheney soms halen?'

'Nee', zei Serena. 'Ik verbind hem wel.'

Toen Vaughn weg was, liep Serena naar het slaapkamerraam en tuurde naar de onderkomens van de arbeiders.

'Hebben de arbeiders elektriciteit?'

'Alleen in de kantine.'

'Dat is ook het beste zo', zei Serena terwijl ze weer naar het midden van het vertrek liep. 'Niet alleen vanwege de geldbesparing, maar ook voor de mannen zelf. Ze zullen harder werken als ze een spartaans leven leiden.'

Pemberton gebaarde naar de wanden van kale, ruwe planken.

'Hier is het ook behoorlijk spartaans.'

'Uitgespaard geld waar we weer bosland mee kunnen kopen', zei Serena. 'Als we ons vermogen anders hadden willen spenderen, zouden we wel in Boston zijn gebleven.'

'Dat is waar.'

'Wie woont hiernaast?'

'Campbell. Een van de waardevolste mannen die we hebben in dit kamp. Hij doet de boekhouding, kan van alles repareren en landmeten als de beste.'

'En in het laatste huis?'

'Dokter Cheney.'

'De paljas uit Wild Hog Gap.'

'De enige dokter die hier wilde komen wonen. En pas nadat we hem een huis en een auto in het vooruitzicht hadden gesteld.'

Serena deed de deur van de klerenkast open om er een blik in te werpen en inspecteerde ook de linnenkast.

'En mijn huwelijkscadeau, Pemberton?'

'Dat staat op stal.'

'Ik heb nog nooit een witte arabier gezien.'

'Het is een indrukwekkend paard', zei Pemberton.

'Ik ga morgenvroeg meteen met hem rijden.'

Toen Vaughn de jodium en het verbandgaas had gebracht, ging Serena op het bed zitten; ze knoopte Pembertons overhemd los en pakte het wapen dat achter zijn riem gestoken zat. Ze haalde het mes uit de schede en bekeek het opgedroogde bloed op het lemmet voordat ze het op het bedtafeltje legde. Serena maakte het flesje jodium open.

'Hoe voelt het om zo met een man te vechten? Met een mes, bedoel ik. Is het als schermen of … intiemer?'

Pemberton probeerde te bedenken hoe hij zijn gevoelens onder woorden kon brengen.

'Ik weet het niet', zei hij na een poosje. 'Behalve dat het tegelijkertijd zowel volslagen werkelijk als volslagen onwerkelijk voelt.'

Serena pakte zijn arm steviger vast, maar haar stem werd zachter.

'Dit gaat prikken', zei ze toen ze wat van de kastanjebruine vloeistof over de wond liet lopen. 'Dat gevecht in Boston waar je berucht om was – gaf dat je hetzelfde gevoel als vandaag?'

'In Boston was het een stenen bierkroes', antwoordde Pemberton. 'Dat was eerder een ongelukje tijdens een knokpartij in de kroeg.'

'Voor zover ik heb begrepen, kwam er een mes aan te pas,' zei Serena, 'en was de dood van het slachtoffer allesbehalve een ongelukje.'

Toen Serena de jodium opdepte die uit de wond droop, vroeg Pemberton zich af of hij een lichte teleurstelling in Serena's toon bespeurde of dat hij het zich maar verbeeldde.

'Maar dit keer was het nauwelijks een ongeluk te noemen', merkte Serena op. *'Ik zal zelf het zwaard ter hand nemen – ja, ook al moet ik het met de dood bekopen.'*

'Ik herken het citaat helaas niet', zei Pemberton. 'Ik ben niet zo geleerd als jij.'

'Dat maakt niet uit. Het is een stelregel die je je het beste eigen kunt maken zoals jij hebt gedaan, niet uit een boek.'

Toen Serena gaas van de houten klos trok, moest Pemberton glimlachen.

'Wie weet?' zei hij luchtig. 'Ik vermoed dat in zo'n primitief oord als dit messentrekkerij niet aan één sekse is voorbehouden.

Misschien raak je wel in een gevecht verzeild met een ouwe, naar snuiftabak stinkende feeks en leer je het op dezelfde manier als ik.'

'Ik zou het doen,' zei Serena met afgemeten stem, 'al was het alleen maar om te weten wat jij vandaag hebt gevoeld. Dat is wat ik wil: dat alles wat deel uitmaakt van jou, ook deel uitmaakt van mij.'

Pemberton keek hoe de laag stof die Serena om zijn arm wikkelde dikker werd; de jodium drong door de eerste lagen heen en werd toen door het verband aan het oog onttrokken. Hij herinnerde zich het etentje in Back Bay een maand geleden, toen mevrouw Lowell, de gastvrouw, naar hem toe was gekomen. *Er is een vrouw die graag aan u wil worden voorgesteld, meneer Pemberton*, had de getrouwde dame gezegd. *Ik moet u echter waarschuwen. Ze heeft alle andere vrijgezellen in Boston afgeschrikt.* Pemberton herinnerde zich dat hij haar had verzekerd dat hij zich niet zo gemakkelijk liet afschrikken en dat de vrouw in kwestie misschien ook voor hem gewaarschuwd diende te worden. Mevrouw Lowell had de juistheid van Pembertons opmerking beaamd en ze beantwoordde zijn glimlach toen ze hem bij de onderarm pakte. *Laten we dan maar eens naar haar toe gaan. Maar onthoud goed dat u gewaarschuwd bent, net zoals ik haar heb gewaarschuwd.*

'Zo', zei Serena toen ze klaar was. 'Over drie dagen zou het genezen moeten zijn.'

Serena pakte het mes op en liep ermee naar de keuken, waar ze het lemmet met water en een doekje schoonmaakte. Ze droogde het mes af en ging terug naar de achterkamer.

'Morgen ga ik het lemmet wetten', zei Serena toen ze het mes op het bedtafeltje legde. 'Het is een wapen dat een man als jij waardig is, en van een dusdanige makelij dat het een leven lang meegaat.'

'Zelfs langer dan een leven,' merkte Pemberton op, 'zoals gelukkig is gebleken.'

‘Zoiets kan zich vaker voordoen, dus hou het in de buurt.’

‘Ik zal het in mijn kantoor bewaren’, beloofde Pemberton.

Serena ging tegenover het bed op een rechte stoel zitten en trok haar rijbroek uit. Ze kleedde zich uit zonder acht te slaan op wat ze losknoopte en op de vloer liet vallen. Al die tijd bleven haar ogen op Pemberton gericht. Ze trok haar ondergoed uit en kwam voor hem staan. De vrouwen die hij voor Serena had gekend waren preutser geweest en hadden gewacht tot het donker was in een kamer of tot ze een laken over zich heen konden trekken, maar dat was niets voor Serena.

Afgezien van haar ogen en haar was ze geen gangbare schoonheid; haar borsten waren klein, haar heupen smal en haar benen lang voor haar lichaam. Serena’s iele schouders, smalle neus en hoge jukbeenderen benadrukten de harde hoekigheid van haar lichaam. Ze had kleine voeten, die er vergeleken met alle andere aspecten van haar verschijning merkwaardig teer en kwetsbaar uitzagen. Hun lichamen waren als voor elkaar geschapen; Serena’s tengere gestalte paste goed bij zijn grotere lijf en gespierdere bouw. Soms bedreven ze ’s nachts de liefde met zo veel passie dat het bed onder hen doorboog en stond te dansen. Dan hoorde Pemberton hun snelle ademhaling en wist niet welke van Serena was en welke van hem. *Alsof je ophoudt te bestaan*, zo beschreef Serena hun paring, en hoewel het niet bij Pemberton zou zijn opgekomen het zo te noemen, besefte hij dat ze het raak had getypeerd.

Serena kwam niet meteen naar hem toe en Pemberton voelde een smachtend verlangen opkomen. Hij keek naar haar lichaam, keek in de ogen die hem vanaf de allereerste keer dat hij haar zag hadden betoverd, haar irissen grijs als gepolijst tin. Ook hard en ondoordringbaar als tin, met gouden vlekjes die niet zozeer in het grijs zaten, maar als stofdeeltjes op het oppervlak dreven. Ogen die zich niet sloten wanneer hun lichamen één werden en ze hem zowel met haar blik als met haar lichaam in zich trok.

Serena schoof de gordijnen open zodat de maan haar schijnsel

Twee

De volgende ochtend stelde Pemberton zijn bruid voor aan het honderdtal arbeiders van het kamp. Terwijl hij sprak, stond Serena naast hem, gekleed in een zwarte rijbroek en een blauwe denimblouse. Ze droeg andere rijlaarzen dan de vorige dag, van Europese makelij, het leer vaal en versleten en met een matzilveren rand over de neus. Serena hield de ruin bij de teugels, de arabier zo wit dat hij bijna doorzichtig leek in het eerste ochtendlicht. Het zware zadel op de rug van het paard, gemaakt van Duits leer en voorzien van met wol gevulde keilkussens, had meer gekost dan een houthakker in een jaar verdiende. Een paar mannen maakten fluisterend opmerkingen over de stijgbeugels, die niet naast elkaar aan de linkerkant hingen.

Wilkie en Buchanan stonden op de veranda met een kop koffie in de hand. Beiden waren gekleed in pak en stropdas en hun enige concessie aan de omgeving bestond uit kniehoge leren laarzen waar ze de broekspijpen in hadden gestopt om te voorkomen dat die modderig werden. Het waren kleren die Pemberton, wiens grijze katoenen broeken en geruite wollen overhemden weinig verschilden van wat de arbeiders droegen, altijd licht bespottelijk had gevonden in een dergelijke omgeving en nu, gezien Serena's kledij, des te meer.

'De vader van mevrouw Pemberton was de eigenaar van Houtbedrijf Vulcan in Colorado', zei Pemberton tegen de arbeiders. 'Een betere leerschool had ze niet kunnen hebben. Ze doet voor geen enkele man hier onder, maar dat zullen jullie snel genoeg ontdekken. Haar bevelen dienen te worden opgevolgd zoals jullie de mijne opvolgen.'

Onder de houthakkers bevond zich een man met een volle baard, Bilded geheten, die voorman was van een kaploeg. Hij rochelde luid en spuugde een gele fluim op de grond. Met zijn één meter vijfentachtig en ruim negentig kilo was Bilded een van de weinige mannen in het kamp die even fors gebouwd was als Pemberton.

Serena opende de zadeltas en haalde er een Watermanpen en een in leer gebonden opschrijfboekje uit. Ze sprak het paard zachtjes toe, gaf toen de teugels aan Pemberton, liep naar Bilded en bleef staan waar zijn fluim was beland. Ze wees naar een Amerikaanse es naast het kantoor, die vanwege zijn schaduw niet gekapt was.

'Ik wil een weddenschap met je afsluiten', zei Serena tegen Bilded. 'We schatten allebei hoeveel kuub er in die es zit. Dan schrijven we onze schatting op en kijken wie er het dichtst bij zit.'

Bilded keek een paar tellen strak naar Serena en vervolgens naar de boom alsof hij de hoogte en dikte al aan het berekenen was. Hij keek niet naar Serena, maar naar de es toen hij sprak.

'Hoe komen we er dan achter wie er het dichtst bij zit?'

'Ik laat hem omkappen en naar de zagerij brengen', zei Pemberton. 'Dan weten we vanavond wie er gewonnen heeft.'

Inmiddels stond ook dokter Cheney op de veranda toe te kijken. Om de sigaar op te steken die hij na het ontbijt altijd rookte, streek hij een lucifer af langs de balustrade, wat zo luid klonk dat een paar mannen zich omdraaiden om te zien waar het geluid vandaan kwam. Ook Pemberton keek om en het viel hem op dat het ochtendlicht de ongezonde gelaatskleur van de dokter nog sterker deed uitkomen, waardoor het dikke gezicht er grijs en kneedbaar uitzag, als vuil brooddeeg. Een effect dat nog werd benadrukt door zijn kwabbige hals en zijn hangwangen.

'Om hoeveel wedden we?' vroeg Bilded.

'Om twee weeklonen.'

Daar moest Bilded even over nadenken.

'D'r wordt me geen kunstje geflikt? Als ik win, krijg ik twee weeklonen extra.'

'Ja,' zei Serena, 'en als je verliest werk je twee weken voor niets.'

Ze hield Bilded het opschrijfboekje en de pen voor, maar hij maakte geen aanstalten ze aan te nemen. Een arbeider achter hem gniffelde.

'Misschien wil je liever dat ik mijn schatting eerst opschrijf?' zei Serena.

'Ja', zei Bilded na een korte aarzeling.

Serena draaide zich om en bekeek de boom een volle minuut voordat ze de pen in haar linkerhand nam en een getal opschreef. Ze scheurde de bladzijde uit het boekje en vouwde hem op.

'Nu jij', zei ze en ze gaf de pen en het boekje aan Bilded.

Bilded liep naar de es om zijn omvang beter te kunnen beoordelen, kwam toen terug en bekeek de boom nog een poosje voordat hij zijn schatting opschreef. Serena richtte zich tot Pemberton.

'Aan welke man kunnen wij en de arbeiders onze schattingen toevertrouwen?'

'Campbell', zei Pemberton met een knikje naar de opzichter, die toekeek vanuit de deuropening van het kantoor. 'Akkoord, Bilded?'

'Ja', zei Bilded.

Serena reed achter de kapploegen aan toen die over de treinrails in de richting van de zuidelijke helling van Noland Mountain togen, dwars door hectaren vol boomstronken, die vanuit de verte graven op een pas verlaten slagveld leken te markeren. De houthakkers verlieten al snel de hoofdspoorlijn, die over de rechterbergflank liep, en vervolgden hun weg langs het zijspoor, met hun middagmaal in draagbuidels en papieren zakken, metalen melkbussen en metalen trommels in de vorm van een brood. Sommige van de mannen droegen breteloveralls, anderen een broek en een flanellen overhemd. De meesten hadden hoge leren laarzen aan en een enkeling droeg schoenen van canvas of leer. De seinjongens waren barrevoets. De mannen passeerden eerst de Shaylocomotief, die ze de ratelslang noemden, en de twee wagons waarmee de arbeiders uit Waynesville op en neer reisden, toen de zes platte wagens voor de boomstammen en de McGiffertlaadkraan en ten slotte, aan het eind van het spoor, de kabeluitsleper, die al stond te sissen en te roken terwijl de lange staalkabels van de laadboom van de haspels rolden en zich bijna een kilometer omhoogstrekten tot waar het snapblok rond een enorme hickorystronk geslagen was. Uit de verte had de laadboom wel iets weg van een enorme vishengel met een molen en de kabels leken op uitgeworpen lijnen. De laadboom stond in een schuine hoek ten opzichte van de berg en de kabels waren zo strak gespannen dat het leek alsof de hele berg aan de haak was geslagen en zo over de rails naar Waynesville kon worden weggesleept. Boomstammen die zaterdag laat op de dag waren gekapt hingen nog aan de kabels, en de mannen liepen er behoedzaam onderdoor alsof het met dynamiet gevulde wolken waren. De lucht werd steeds ijler naarmate de arbeiders over de steile helling vorderden naar de plek waar hun gereedschap verstopt lag onder bladeren en houtblokken of was opgehangen aan boomtakken, als de harpen van de oude Hebreeërs. Niet alleen bijlen, maar ook tweeënhalve meter lange trekzagen en stalen kliefwiggen en kantelhaken, de negenpondshamers die doordouwers werden genoemd en de keilkoppen van zes pond. Op de steel of het handvat van sommige van deze gereedschappen waren initialen gebrand en andere hadden een naam gekregen als waren ze een paard of een geweer. Op de allernieuwste na was hun steel door handen gepolijst, bijna net zoals een steen wordt gladgesleten door water.

Terwijl de mannen zich een weg baanden door de stronken en het kapafval, keken ze goed uit waar ze hun voeten neerzetten, want al lieten slangen zich zelden zien voordat de zon voluit op de hellingen scheen, de wespen en de horzels gaven dat respijt niet. Evenmin als de berg zelf, waar je makkelijk op kon wegglijden, vooral op een dag als deze, wanneer de grond door recente regenval glibberig was en geen houvast bood aan voeten en grijpende handen. De meeste houthakkers waren nog uitgeput van de zes elfurige werkdagen van de week ervoor. Sommigen hadden een kater en anderen waren gewond. Voordat ze de berg beklommen, hadden de mannen al vier of vijf koppen koffie op, en allemaal hadden ze sigaretten en pruimtabak bij zich. Sommigen gebruikten cocaïne om door te kunnen gaan en waakzaam te blijven, want als het kappen eenmaal begon, was het zaak om op je hoede te zijn voor bijlen die van de boom schampten, voor zaagtanden die een knie te grazen namen, voor de slingerende grijphaak aan de kabel en voor een kabel die knapte. En vooral voor de zogenaamde weduwemakers, afgebroken takken die minuten of uren of zelfs dagen bleven hangen voordat ze als een speer naar beneden kwamen.

Pemberton stond op de veranda toen Serena achter de kaploegen aan het bos in reed. Zelfs van een afstand zag hij het deinen van haar heupen en haar gewelfde rug. Hoewel ze zowel die ochtend als de vorige avond nog gemeenschap hadden gehad, voelde Pemberton dat begeerte zijn hart sneller deed kloppen en kwam het beeld bij hem op van de eerste keer dat hij haar had zien rijden op de New England Jachtclub. Die ochtend had hij op de veranda van het clubhuis zitten kijken hoe Serena te paard over de hagen en hekken sprong. Hij was geen man die snel ontzag voor iemand had, maar dat was het enige woord voor wat hij ervoer toen Serena en haar paard loskwamen van de grond en secondenlang in de lucht leken te zweven voordat ze aan de andere kant van de hindernis neerkwamen. Hij prees zich onvoorstelbaar gelukkig dat ze elkaar hadden gevonden, hoewel Serena al had gezegd dat hun ontmoeting niet zomaar een gelukkig toeval was geweest, maar iets onontkoombaars.

Die ochtend waren er twee vrouwen vlak bij hem op de veranda komen zitten, in tegenstelling tot Serena gekleed in rode rokjas en zwarte derby, die thee hadden besteld om zich te wapenen tegen de ochtendkou. *Ze vindt zeker dat rijden zonder jas en hoed de rigueur is*, had de jongste opgemerkt, waarop de andere antwoordde dat dat in Colorado best weleens het geval kon zijn. *De vrouw van mijn broer heeft met haar op de school van Miss Porter gezeten*, zei de oudste. *Ze kwam daar zomaar ineens opdagen, een wees uit de westelijke binnenlanden. Weliswaar een rijke wees en beter opgeleid dan je zou denken, maar zelfs Sarah Porter slaagde er niet in haar enige omgangsvormen bij te brengen. Veel te trots, beweert mijn schoonzusje, zelfs voor die hooghartige kliek daar. Een paar van de meisjes hadden met haar te doen en nodigden haar bij hen thuis uit voor de feestdagen, en dat sloeg ze niet alleen af, maar ze deed dat ook nog op een uitermate onbeleefde manier. Ze bleef liever bij die oude schoolfrikken.* De jongste had gemerkt dat Pemberton zat te luisteren en had hem aangesproken. *Kent u haar?* had ze gevraagd. *Ja*, had hij geantwoord. *Ze is mijn verloofde.* De jongste had gebloosd, maar haar metgezellin had Pemberton glimlachend aangekeken en met een ijzige stem gezegd: *Nou, dan acht ze ú kennelijk wel haar gezelschap waardig.*

Afgezien van de terloopse opmerking van mevrouw Lowell over Serena's eerdere huwelijkskandidaten, had hij die ochtend voor het eerst iemand anders dan Serena zelf over haar verleden horen praten. Uit zichzelf liet ze er weinig over los. Wanneer Pemberton haar vroeg naar de tijd dat ze in Colorado of New England had gewoond, waren Serena's antwoorden vrijwel altijd oppervlakkig en ze zei tegen Pemberton dat zij beiden net zo weinig behoefte hadden aan het verleden als het verleden aan hen.

Toch bleven Serena's nachtmerries voortduren. Ze sprak er nooit over, zelfs niet wanneer Pemberton ernaar vroeg, zelfs niet nadat hij haar woelende lichaam eruit had getrokken als uit een verraderlijke branding. Het had iets te maken met wat haar familie in Colorado was overkomen, daar was hij van overtuigd. Net zoals hij ervan overtuigd was dat anderen die haar kenden zouden hebben opgekeken van hoe kinderlijk Serena op die momenten leek, hoe ze zich aan hem vastklampte tot ze zacht jammerend weer in slaap viel.

De keukendeur viel met een klap dicht achter een arbeider die naar buiten kwam met een kuip vol grijs, naar vet en voedselresten riekend afwaswater dat hij in een greppel gooide. De laatste houthakker was in het bos verdwenen. Weldra hoorde Pemberton de bijlen toen de kerfhakkers de valkerven begonnen uit te hakken, een geluid dat klonk als geweerschoten die door het dal weerkaatsten, terwijl de arbeiders Haywood County met zaag en bijl van alweer een stuk wildernis ontdeden.

Intussen was de ploeg die was uitverkoren om de es te vellen in het kamp teruggekeerd met zijn gereedschap. De drie mannen hurkten neer bij de boom als bij een kampvuur en bespraken onderling hoe ze de klus het best konden klaren. Campbell voegde zich bij hen en beantwoordde de vragen van de houthakkers met woorden die zo gekozen waren dat ze eerder als suggesties klonken dan als bevelen. Na een paar minuten kwam Campbell overeind. Hij keek naar de veranda, knikte naar Pemberton en hield zijn blik nog even op hem gericht om zich ervan te vergewissen dat er verder niets meer van hem verwacht werd. Campbells bruine ogen waren amandelvormig, als die van een kat. Dat ze breedgevormd waren, had Pemberton altijd wel toepasselijk gevonden voor een man die niets leek te ontgaan en altijd waakzaam was, waakzaam en voorzichtig, redenen waarom Campbell al tot achter in de dertig had standgehouden in een beroep waarbij onachtzaamheid zelden zonder gevolgen bleef. Pemberton knikte en Campbell liep naar de spoorlijn om met de machinist te praten. Pemberton keek hem na en constateerde dat zelfs een zo voorzichtig man als Campbell een ringvinger miste. Als je alle afgehakte ledematen kon verzamelen en aaneennaaien, zou je elke maand een extra arbeider hebben, had dokter Cheney ooit schertsend opgemerkt.

Weldra bleek waarom Campbell juist deze kapploeg had uitgekozen. De kerfhakker nam zijn bijl ter hand en kapte met twee deskundige halen een valkerf uit op dertig centimeter van de grond. De twee zagers lieten zich op een knie zakken, grepen de hickoryhandvatten met beide handen beet en begonnen te zagen, zodat wigvormige stukken bast krakend versplinterden onder de stalen tanden. De mannen vonden hun ritme en algauw hoopte zich het zaagsel aan hun voeten op als tijd die verglijdt in een zandloper. Pemberton wist dat de arbeiders die de trekzaag gebruikten ze radbrakers noemden omdat ze zo veel inspanning vergden, maar als je deze mannen aan het werk zag, leek het moeiteloos te gaan, alsof ze het blad tussen twee gladgeschuurde planken door lieten glijden. Toen de zaag vast begon te lopen, gebruikte de kerfhakker de doordouwer om er een kliefwig in te slaan. Binnen een kwartier was de boom geveld.

Pemberton ging naar binnen om aan de administratie te werken en keek nu en dan uit het raam naar Noland Mountain. Serena en hij waren sinds de huwelijksvoltrekking niet langer dan een paar minuten uit elkaar geweest. Haar afwezigheid maakte de papierwinkel saaier, het kantoor leger. Pemberton herinnerde zich hoe ze hem die ochtend had gewekt met een kus op zijn oogleden, haar hand lichtjes op zijn schouder. Ook Serena was nog slaperig geweest en toen ze Pemberton heel loom in haar armen had genomen, was het alsof hij zijn eigen droom had verlaten en ze samen een mooiere, warmere droom waren binnengegaan.

Serena bleef de hele ochtend weg om zich vertrouwd te maken met het landschap en zich de namen van de arbeiders, de bergkammen en de beken in te prenten.

De Franklinklok op de buffetkast sloeg het middaguur toen de Studebaker van Harris naast het kantoor stilhield. Pemberton legde de facturen op het bureau en liep naar buiten om hem te begroeten. Net als Pemberton kleedde Harris zich nauwelijks beter dan zijn arbeiders, en het enige teken van zijn rijkdom was een dikke gouden ring aan zijn rechterhand met een saffier erin, scherp en helderblauw als de ogen van zijn eigenaar. Zeventig was hij, wist Pemberton, maar de volle zilveren haardos en de glimmende gouden vullingen in zijn gebit pasten uitstekend bij deze man die allesbehalve stijf en stram was.

'Nou, waar is ze?' vroeg Harris toen hij de veranda voor het kantoor op stapte. 'Een vrouw die zo indrukwekkend is als jij beweert, hoor je niet verborgen te houden.'

Harris bleef even staan en draaide glimlachend zijn hoofd iets opzij, met zijn rechteroog op Pemberton gericht alsof hij zijn doelwit zo beter in het vizier kreeg.

'Alhoewel, misschien kun je haar maar beter wel verborgen houden. Als het allemaal waar is wat je beweert.'

'Je zult wel zien', zei Pemberton. 'Ze is naar Noland Mountain. We kunnen er te paard heen rijden.'

'Daar heb ik geen tijd voor', zei Harris. 'Hoe graag ik je bruid ook zou ontmoeten, dat gezeik over dat natuurpark is belangrijker. Onze gewaardeerde minister van Binnenlandse Zaken heeft Rockefeller zover gekregen dat hij vijf miljoen doneert. Nu weet Albright zeker dat hij Champion kan uitkopen.'

'Denk je dat ze gaan verkopen?'

'Ik weet het niet,' zei Harris, 'maar alleen al het feit dat Champion openstaat voor een bod, moedigt niet alleen minister Albright aan, maar ook anderen, hier en in Washington. In Tennessee beginnen ze de boeren al van hun land te verdrijven.'

'Dit moet voor eens en altijd geregeld worden', zei Pemberton.

'Nou en of. Ik ben het verdomme net zo zat als jij om de zakken van die chicaneurs uit Raleigh te vullen.'

Harris trok een horloge uit zijn zak en keek hoe laat het was.

'Later dan ik dacht', zei hij.

'Heb je al kans gezien om een kijkje te nemen in het gebied bij Glencoe Ridge?' vroeg Pemberton.

'Als je zaterdagochtend naar mijn kantoor komt, kunnen we het samen gaan bekijken. Breng je bruid ook maar mee', zei Harris, die even bleef staan om goedkeurend te knikken naar de stronken en het kapafval in het dal. 'Je hebt goed werk geleverd hier, zelfs met die twee dandy's van partners van je.'

Pemberton ging niet terug naar binnen toen Harris was vertrokken, maar reed naar Noland Mountain. Daar vond hij Serena, die samen met twee voormannen haar brood zat op te eten. Tussen de happen door hadden ze het erover of het rendabel zou zijn om een tweede kabeluitsleper aan te schaffen. Pemberton steeg van zijn paard en liep naar hen toe.

'De es is naar de zagerij,' zei Pemberton toen hij naast haar ging zitten, 'dus tegen half zes weet Campbell wel hoeveel hout hij heeft opgeleverd.'

'Zijn er nog andere mannen weddenschappen bij je komen afsluiten?'

'Nee'.

'Wil een van jullie nog wedden?' Serena keek de voormannen aan.

'Nee, mevrouw', zei de oudste arbeider. 'Ik heb er geen enkele behoefte aan om met u te wedden over iets wat met hout te maken heeft. Vóór vanochtend misschien wel, maar nu niet meer, zeker niet nadat u ons dat handigheidje met die strop hebt laten zien.'

De jongere man schudde alleen het hoofd.

Toen de twee mannen klaar waren met eten, riepen ze hun ploeg weer bijeen. Weldra was in het omliggende bos opnieuw het kabaal van bijlen en trekzagen te horen. De arabier snoof en Serena liep naar hem toe en legde haar hand op zijn manen. Ze sprak de ruin zachtjes toe en hij werd rustig.

'Harris is langsgeweest', zei Pemberton. 'Hij wil zaterdag samen met ons een kijkje gaan nemen bij Glencoe Ridge.'

'Gaat hij daar op zoek naar iets anders dan kaolien en koper?'

'Ik denk het niet,' zei Pemberton, 'al is er in de beken hier in de omgeving wel wat goud gevonden. In de buurt van Franklin zijn robijn- en saffiermijnen, maar dat is hier zestig kilometer vandaan.'

'Ik hoop dat hij iets vindt', zei Serena, die een stap dichterbij deed om Pembertons hand vast te pakken. 'Dat zou nóg een nieuw begin zijn voor ons, het eerste echte compagnonschap van ons twee.'

Pemberton glimlachte. 'Maar wel met Harris erbij.'

'Voorlopig', zei Serena.

Toen Pemberton terugreed naar het kamp, dacht hij aan een middag in Boston toen Serena en hij het bed hadden gedeeld, de lakens één klamme kluwen. De derde, misschien de vierde dag dat hij met haar samen was geweest. Serena's hoofd had op zijn schouder gelegen, haar linkerhand op zijn borst, toen ze zei: 'Waar gaan we naartoe na Carolina?'

'Zo ver heb ik nog niet vooruitgedacht', had Pemberton geantwoord.

'"Ik?"' had ze gezegd. 'Waarom niet "wij"?'

'Nou, als het dan toch "wij" is,' had Pemberton schertsend geantwoord, 'laat ik het aan jou over.'

Serena had haar hoofd opgetild en hem in de ogen gekeken.

'Brazilië. Ik heb er onderzoek naar gedaan. Ongerepte mahoniewouden en geen andere wetten dan die van de natuur.'

'Afgesproken', had Pemberton gezegd. 'Nu hoeven "we" alleen nog maar te beslissen waar we gaan eten. Aangezien jij al het andere al hebt beslist, mag ik zeker wel kiezen?'

Ze had geen antwoord gegeven. In plaats daarvan had ze haar hand steviger tegen zijn borst gedrukt en die daar laten liggen om zijn harteklop te voelen.

'Ik had al gehoord dat je een sterk hart had, onverschrokken,' had ze gezegd, 'en dat is waar.'

'Dus naast potentiële kapgebieden doe je ook onderzoek naar mannen?' had Pemberton gevraagd.

'Natuurlijk', had Serena gezegd.

Om zes uur verzamelden alle arbeiders van het kamp zich voor het kantoor. Hoewel de meeste kapploegen uit drie man bestonden, sloot een ploeg die een man had verloren zich vaak bij een andere aan, een regeling die niet altijd van tijdelijke aard was. Een man genaamd Snipes fungeerde als leider van een dergelijke ploeg, aangezien de andere ploegbaas, Stewart, weliswaar een harde werker was, maar van twijfelachtige intelligentie. Stewart vond het prima zo.

Tot de ploeg van Snipes behoorde een ongeletterde lekenprediker die McIntyre heette en die graag vurig het naderende einde van de wereld mocht verkondigen. McIntyre greep elke gelegenheid aan om zijn opvattingen uit te dragen, vooral tegenover dominee Bolick, een presbyteriaanse geestelijke die elke woensdagavond en zondagochtend een dienst verzorgde in het kamp. Dominee Bolick vond zijn collega-theoloog niet alleen stierlijk vervelend, maar ook volkomen geschift en hij deed dan ook zijn uiterste best om McIntyre te ontlopen, net als de meeste mannen in het kamp. McIntyre was de hele ochtend afwezig geweest omdat hij last had van buikloop, maar was aan het begin van de middag weer op het werk verschenen. Toen hij Serena, gekleed in een broek, op de veranda van het kantoor zag staan, verslikte hij zich in het pepermuntje waar hij op zoog om zijn maag te kalmeren.

'Daar zal je d'r hebben,' stamelde McIntyre, 'de hoer van Babylon in eigen persoon.'

Dunbar, met zijn negentien jaar het jongste lid van de ploeg, keek niet-begrijpend naar de veranda en toen naar McIntyre, met zijn zwarte predikantenhoed en zijn gerafelde zwarte pandjesjas, die hij zelfs op de heetste dagen droeg als een teken van zijn ware roeping.

'Waar?' vroeg Dunbar.

'Daar, recht voor je op de veranda, schaamteloos als Jezabel.'

Stewart, die samen met de vrouw en de zus van McIntyre de volledige gemeente van de lekenprediker uitmaakte, keek zijn voorganger aan.

'Hoe komt u daar nou toch bij, prediker?'

'Die broek', verkondigde McIntyre. 'Het staat geschreven in

de Openbaring. Daar staat dat de hoer van Babylon in de laatste dagen zal verschijnen, gekleed in een broek.'

Ross, een stugge man die niets van McIntyres geraaskal moest hebben, staarde de lekenprediker aan alsof hij een pratende aap was die het kamp was binnengelopen.

'Ik heb de Openbaring menigmaal gelezen, McIntyre,' zei Ross, 'maar dat vers is me toch ontgaan.'

'Het staat niet in de King James', zei McIntyre. 'Het staat in de originele Griekse versie.'

'O, dus je leest Grieks?' zei Ross. 'Wonderlijk voor een man die niet eens Engels kan lezen.'

'Nou, nee', zei McIntyre langzaam. 'Ik lees geen Grieks, maar ik heb het gehoord van hun die dat wel kennen.'

'Van hun die het wel kennen', zei Ross hoofdschuddend.

Snipes haalde zijn bruyèrepijp uit de mond om iets te zeggen. Zijn overall was zo sleets en opgelapt dat het oorspronkelijke denim een latere toevoeging leek, en er was niet geprobeerd om de nieuwe kleuren af te stemmen op de oude. In plaats daarvan was de overall van de voorman verlapt met een bonte mengelmoes van gele, groene, rode en oranje stoffen. Snipes vond zichzelf een geletterd man en redeneerde dat, aangezien er in de natuur allerlei bonte kleuren voorkwamen om andere schepsels voor gevaar te waarschuwen, dergelijke lappen niet alleen groot en klein ongedierte zouden afschrikken, maar wellicht hetzelfde effect zouden hebben op vallende takken en blikseminslagen. Snipes wierp een blik op de pijp die hij zijn hand had en keek toen op.

'D'r zijn verschillen in alle talen die er bestaan', zei Snipes zwaarwichtig en hij wilde juist gaan uitweiden over die opmerking toen Ross zijn hand opstak.

'Daar komt de uitslag', zei Ross. 'Maak je maar klaar om te dokken, Dunbar.'

Campbell ging op de stronk van de es staan en haalde een blocnote uit zijn borstzak. De mannen werden stil. Campbell keek naar de mannen noch naar de eigenaars. Hij hield zijn blik op de blocnote gericht terwijl hij sprak, als om elke schijn van partijdigheid te vermijden, zelfs bij het uitspreken van het oordeel.

'Mevrouw Pemberton is de winnaar met een verschil van zevenhonderdste kuub', zei Campbell en hij stapte zonder verder commentaar van de stronk.

De mannen gingen uiteen. Degenen die hadden gewed en gewonnen, zoals Ross, met een lichtere tred dan de verliezers. Weldra waren alleen degenen die vanaf de veranda hadden toegekeken nog over.

'Reden om een glas van onze beste whisky te heffen', kondigde Buchanan aan.

Wilkie en hij volgden dokter Cheney en de Pembertons naar het kantoor. Ze liepen door het voorvertrek en gingen een kleinere kamer binnen met langs de ene muur een bar en in het midden een vierenhalve meter lange eettafel met twaalf gecapitonneerde armstoelen eromheen. De kamer had een leistenen open haard en een enkel raam. Buchanan ging achter de bar staan en zette een fles Glenlivet en sodawater op het gelakte hout. Hij haalde vijf Steubenglazen onder de bar vandaan en vulde een zilveren koeler met ijsschilfers uit de ijskast.

'Ik noem dit de verkoeverkamer', zei dokter Cheney tegen Serena. 'Zoals u ziet is er aan alcohol geen gebrek. Het voldoet uitstekend aan mijn eigen medicinale behoeften.'

'Een andere verkoeverkamer heeft onze dokter Cheney niet nodig, want zijn patiënten worden meestal toch niet meer wakker', zei Buchanan vanachter de bar. 'Van deze schurken weet ik wat ze willen drinken, maar wat kan ik u aanbieden, mevrouw Pemberton?'

'Hetzelfde.'

Iedereen ging zitten, behalve Buchanan. Serena bekeek de tafel aandachtig en liet de vingers van haar linkerhand over het oppervlak gaan.

'Kastanje, helemaal uit één stuk', zei Serena waarderend. 'Is die boom hier in de buurt gekapt?'

'Hij komt uit dit dal', zei Buchanan. 'Hij was vierendertig meter hoog. Een grotere zijn we nog niet tegengekomen.'

Serena keek op en liet haar blik door de kamer gaan.

'De kamer is jammer genoeg nogal sober, mevrouw Pemberton,' zei Wilkie, 'maar hij is gerieflijk, gezellig zelfs op een bepaalde manier, vooral in de winter. We hopen dat u hier uw avondmaaltijd zult willen gebruiken, zoals wij vieren dat altijd al deden voordat u ons met uw komst vereerde.'

Serena knikte terwijl ze nog steeds keurend om zich heen keek.

'Uitstekend', zei dokter Cheney. 'De schoonheid van een vrouw zal deze saaie omgeving zeker opfleuren.'

Terwijl Buchanan Serena haar glas aanreikte, zei hij: 'Pemberton heeft me verteld over het tragische overlijden van uw ouders tijdens de griepepidemie van 1918, maar hebt u nog broers of zussen?'

'Ik had een broer en twee zussen. Zij zijn ook overleden.'

'Allemaal tijdens de epidemie?' vroeg Wilkie.

'Ja.'

Wilkies snor trilde licht en hij kreeg een verdrietige blik in zijn waterige ogen.

'Lieve hemel, hoe oud was u toen?'

'Zestien.'

'Ik heb tijdens de epidemie ook iemand verloren, mijn jongste zusje,' zei Wilkie tegen Serena, 'maar om je hele familie te verliezen, en op zo'n jonge leeftijd. Dat is haast niet voor te stellen.'

'Mij spijt het ook dat u uw familie hebt verloren, maar wij mogen ons gelukkig prijzen dat u het geluk hebt gehad te overleven', merkte dokter Cheney gevat op.

'Het was meer dan geluk', antwoordde Serena. 'Dat heeft de dokter zelf gezegd.'

'Waar schreef mijn collega-genezer uw overleving dan aan toe?'

Serena keek Cheney aan met een vaste blik, haar ogen even uitdrukkingsloos als haar toon.

'Hij zei dat ik gewoon weigerde te sterven.'

Dokter Cheney boog zijn hoofd langzaam opzij, alsof hij om een hoek keek. De arts keek Serena nieuwsgierig aan, trok een paar tellen lang zijn dikke wenkbrauwen op en liet ze toen weer zakken. Buchanan bracht de andere glazen naar de tafel en ging zitten. Pemberton hief het glas en glimlachte erbij om de spanning weg te nemen.

'Een toost op de zoveelste overwinning van de baas op de arbeiders', zei hij.

'Ik toost ook op u, mevrouw Pemberton', zei dokter Cheney. 'Het is kenmerkend voor het schone geslacht dat het de analytische vaardigheid van de man ontbeert, maar, in dit geval tenminste, hebt u die zwakte weten te compenseren.'

Serena's gelaatsuitdrukking verstrakte, maar haar irritatie verdween even snel als ze was opgekomen, werd van haar gezicht geveegd als een weerbarstige haarlok.

'Mijn man vertelde me dat u hier geboren bent, in een plaatsje dat Wild Hog Gap heet', zei Serena tegen Cheney. 'Kennelijk zijn uw ideeën over mijn sekse gevormd door de boerentrienen bij wie u bent opgegroeid, maar ik verzeker u dat het schone geslacht veel verscheidener van aard is dan u gezien uw beperkte ervaring kunt weten.'

Als omhooggetrokken door vishaken plooiden de mondhoeken van dokter Cheney zich tot een vreugdeloze lach.

'Allemachtig, wat een pittige tante, die vrouw van u', grinnikte Wilkie terwijl hij zijn glas hief naar Pemberton. 'Dat brengt tenminste leven in de brouwerij.'

Buchanan haalde de fles whisky en zette hem op tafel.

'Bent u ooit eerder in deze contreien geweest, mevrouw Pemberton?' vroeg hij.

'Nee, nooit.'

'Zoals u gezien hebt, wonen we hier enigszins geïsoleerd.'

'Enigszins?' riep Wilkie uit. 'Soms heb ik het gevoel dat ik naar de maan ben verbannen.'

'Asheville is hier maar tachtig kilometer vandaan', zei Buchanan. 'Dat heeft zo zijn dorpse charmes.'

'Zeg dat wel,' merkte dokter Cheney op, 'inclusief een paar sanatoria voor tuberculoselijders.'

'Maar u hebt vast wel gehoord van het landgoed van George Vanderbilt,' ging Buchanan verder, 'en dat ligt daar ook.'

'Biltmore is inderdaad indrukwekkend,' gaf Wilkie toe, 'een echt Frans kasteel, mevrouw Pemberton. Olmstead in eigen persoon is uit Brookline hiernaartoe gekomen om het park te ontwerpen. Vanderbilts dochter Cornelia woont er nu, met haar echtgenoot Cecil, een Brit. Ik ben er een paar keer te gast geweest. Erg hoffelijke mensen.'

Wilkie zweeg even om zijn glas leeg te drinken en zette het op tafel. Zijn wangen waren rozig van de alcohol, maar Pemberton wist dat het Serena's aanwezigheid was die hem nog spraakzamer maakte dan gewoonlijk.

'Ik hoorde vandaag een uitdrukking die het waard is om in je boekje te worden opgenomen, Buchanan', ging Wilkie verder. 'Twee arbeiders stonden bij het houtmeer over een knokpartij te praten en hadden het erover dat een van de vechtersbazen de ander "tot aan de veer ging". Kennelijk betekent dat "flink toetakelen".'

Buchanan haalde een vulpen en een zwartleren aantekenboekje uit de binnenzak van zijn jas. Hij zette de pen op het geschepte papier en schreef *tot aan de veer gaan*, met een vraagteken erachter. Hij blies op de inkt en deed het boekje dicht.

'Ik betwijfel of het van de Britse Eilanden komt', zei Buchanan. 'Het lijkt me eerder een alledaagse uitdrukking die met hanengevechten te maken heeft.'

'Kephart zou het ongetwijfeld weten', zei Wilkie. 'Hebt u van hem gehoord, mevrouw Pemberton, van onze plaatselijke Thoreau? Buchanan is een groot bewonderaar van zijn werk, ook al is Kephart een voorstander van dat onzinnige idee van een nationaal park.'

'Ik heb zijn boeken in de etalage van Grolier gezien', zei Serena. 'Ze waren vast erg in hun schik met een man van Harvard die zich heeft ontpopt tot een van hun grootste voorvechters.'

'En die daarnaast ook nog bibliothecaris in Saint Louis was', voegde Wilkie eraan toe.

'Bibliothecaris en schrijver,' zei Serena, 'en uitgerekend zo'n man wil ons ervan weerhouden datgene te oogsten waar boeken van gemaakt worden.'

Pemberton dronk zijn tweede glas whisky leeg, merkte hoe de alcohol soepel door zijn keel gleed en hoe zijn tevredenheid toenam door de warme gloed. Hij voelde een overweldigende verwondering dat deze vrouw, van wie hij niet eens had geweten dat ze bestond toen hij drie maanden geleden het dal had verlaten, nu zijn echtgenote was. Pemberton legde zijn rechterhand op Serena's knie en was niet verbaasd toen zij haar linkerhand op de zijne legde. Ze leunde even tegen hem aan en liet haar hoofd in het holletje tussen zijn hals en schouder rusten. Pemberton probeerde zich voor te stellen wat er aan dit moment nog te verbeteren viel. Hij kon niets bedenken, hooguit dat hij en Serena alleen zouden zijn.

Om zeven uur dekten twee keukenhulpen de tafel met Spodeporselein, zilveren bestek en linnen servetten. Ze gingen weg en keerden terug met een serveerboy volgeladen met rieten mandjes vol beboterd brood, een zilveren schaal met rundvlees en grote kommen van Steubenkristal, tot de rand gevuld met aardappels, wortels en pompoen, diverse soorten chutney en sauzen.

Ze waren halverwege de maaltijd toen Campbell, die in de voorkamer over de telmachine gebogen had gezeten, in de deuropening verscheen.

'Ik wilde vragen of u en mevrouw Pemberton van plan zijn Bilded aan zijn weddenschap te houden', zei Campbell. 'Met het oog op de loonlijst.'

'Is er een reden waarom we dat niet zouden doen?' vroeg Pemberton.

'Hij heeft een vrouw en drie kinderen.'

Campbell sprak met vlakke stem en zijn gezicht was volkomen uitdrukkingsloos. Pemberton vroeg zich niet voor het eerst af hoe het zou zijn om met deze man te pokeren.

'Des te beter', zei Serena. 'Dan kunnen de andere arbeiders er ook meteen een les uit trekken.'

'Blijft hij wel voorman?' vroeg Campbell.

'Ja, de komende twee weken', zei Serena, die niet naar Campbell keek, maar naar Pemberton.

'En dan?'

'Dan wordt hij ontslagen', zei Pemberton. 'Nog een les voor de mannen.'

Campbell knikte, stapte zijn kantoortje weer in en trok de deur achter zich dicht. De telmachine begon met tussenpozen weer te klikken en te ratelen.

Buchanan leek op het punt te staan iets te zeggen, maar zweeg.

'Is er iets, Buchanan?' vroeg Pemberton.

'Nee', zei Buchanan na een korte stilte. 'Ik had niets met de weddenschap te maken.'

'Merkte je hoe Campbell je probeerde te beïnvloeden, Pemberton,' zei dokter Cheney, 'al deed hij het niet rechtstreeks. Hij is best slim in dat opzicht, vind je niet?'

'Ja', stemde Pemberton in. 'Als de omstandigheden ernaar geweest waren, had hij aan Harvard kunnen gaan studeren. Misschien zou hij, in tegenstelling tot mij, zelfs wel zijn afgestudeerd.'

'Maar als je niet zo veel ervaring had opgedaan in de kroegen van Boston,' zei Wilkie, 'was je misschien wel het slachtoffer geworden van Abe Harmon met zijn jachtmes.'

'Dat klopt,' zei Pemberton, 'maar het jaar dat ik heb geschermd in Harvard heeft ook bijgedragen aan die opleiding.'

Serena bracht haar hand naar Pembertons gezicht en liet haar wijsvinger over het dunne witte litteken op zijn wang glijden.

'Een schermwond is indrukwekkender dan een bul', zei ze.

De keukenhulpen kwamen binnen met frambozen en slagroom. Een van de vrouwen zette naast Wilkies schaaltje een glas water neer en flesjes met maagbitter, ijzerpreparaat en een blikje zwaveltabletten, medicijnen voor Wilkies opspelende maag en zijn bloedarmoede. De hulpen schonken de koffie in en gingen weer weg.

'Toch bent u duidelijk een geletterde vrouw, mevrouw Pemberton', zei Wilkie. 'Uw man zegt dat u goed onderlegd bent in de kunsten en de filosofie.'

'Mijn vader haalde onderwijzers naar het kamp. Het waren allemaal Engelsen, opgeleid in Oxford.'

'Dat verklaart uw Britse tongval en intonatie', merkte Wilkie goedkeurend op.

'En het verklaart zonder twijfel ook een zekere koelheid in uw toon,' voegde dokter Cheney eraan toe terwijl hij room door zijn koffie roerde, 'die alleen onwetenden als ongevoeligheid jegens anderen zouden uitleggen, zelfs jegens uw eigen familie.'

Wilkie trok geërgerd zijn neus op.

'Het is erger dan onwetend om zoiets te denken,' zei Wilkie, 'en wreed bovendien.'

'Uiteraard', zei dokter Cheney terwijl hij zijn dikke lippen bedachtzaam tuitte. 'Ik spreek dan ook slechts als iemand die niet de voordelen van Britse onderwijzers heeft genoten.'

'Zo te horen was uw vader een zeer opmerkelijk man', zei Wilkie terwijl hij zijn blik weer op Serena richtte. 'Ik zou graag meer over hem willen horen.'

'Waarom?' zei Serena alsof haar dat verwonderde. 'Hij is dood en voor geen van ons nog van enig nut.'

Drie

De dauw kleurde de zoom van Rachel Harmons katoenen jurk donker toen ze het erf af liep; het gras voelde koel en glad aan haar blote voeten en enkels. Jacob lag in de kromming van haar linkerarm genesteld en in haar rechterhand had ze haar draagbuidel. In amper zes weken was het kind gegroeid als kool. En zijn haar was niet alleen dikker, maar ook donkerder geworden, de ogen die bij de geboorte blauw waren geweest nu zo bruin als kastanjes. Ze had niet geweten dat zoiets met de ogen van een baby kon gebeuren, en het bracht haar in verwarring, herinnerde haar aan de ogen die ze voor het laatst op het station had gezien. Rachel tuurde de weg af naar waar het boerderijtje van weduwe Jenkins stond en zag uit de schoorsteen de rookpluim opstijgen die aangaf dat de oude vrouw al op was. Het kind roerde zich in het dekentje waarmee ze hem had ingepakt tegen de ochtendkou.

'Je hebt je buikje rond gegeten en je hebt een schone luier om,' fluisterde ze, 'dus er kan je niets dwarszitten.'

Rachel trok het dekentje wat strakker om hem heen. Ze streek met haar wijsvinger langs zijn tandvlees, zodat Jacobs mondje zich eromheen sloot om te zuigen. Ze vroeg zich af wanneer zijn tanden zouden doorkomen, nog iets om aan de weduwe te vragen.

Rachel volgde de weg, die in een lange bocht omlaagliep naar de rivier. Langs de kant van de weg was de bloeiende peen nog met dauw bepareld. Een zwart-gele wespspin zat midden in zijn web, en Rachel herinnerde zich dat haar vader had beweerd dat je spoedig zou doodgaan als je je voorletter in het web geweven zag. Ze keek niet of dat het geval was, maar wierp een blik op de lucht om te zien of er zich in het westen boven Clingman's Dome geen stapelwolken aan het vormen waren. Ze liep de treetjes op naar de veranda van het huis van de weduwe en klopte aan.

'De deur is open', zei de oude vrouw, en Rachel stapte naar binnen. Het houten huisje was doortrokken van de vettige lucht van reuzel en er spiraalde een waas van rook langs de randen van het vertrek. Weduwe Jenkins stond langzaam op uit een rieten leunstoel die dicht bij het vuur was getrokken.

'Geef mij dat jochie maar.'

Rachel zakte iets door haar knieën om haar draagbuidel neer te leggen, pakte toen het kind met beide handen vast en gaf het aan de vrouw.

'Hij is onrustig vanochtend', zei Rachel. 'Ik denk dat hij tandjes krijgt.'

'Kind, een baby krijgt geen tanden voor hij een half jaar is', zei weduwe Jenkins spottend. 'Het kunnen darmkrampjes zijn of uitslag of hooikoorts. Er kan van alles zijn waardoor zo'n kleintje van slag raakt, maar niet door zijn tanden.'

De weduwe tilde Jacob op en bekeek zijn gezichtje aandachtig. Door haar goudgerande bril leken haar ogen bol, alsof ze uit hun kassen puilden.

'Ik heb nog zo tegen je vader gezegd dat hij moest hertrouwen, zodat je weer een moeder zou hebben, maar daar wilde hij niets van weten', zei weduwe Jenkins. 'Had hij dat wel gedaan, dan zou je nu iets van baby's weten, misschien genoeg om je niet meteen het hoofd op hol te laten brengen door de eerste de beste man die een keer naar je lacht en knipoogt. Je bent nog maar een kind en weet nog niets van de wereld, meisje.'

Rachel staarde naar de plankenvloer en luisterde, zoals ze nu al twee maanden deed. De mensen op haar vaders begrafenis hadden min of meer hetzelfde gezegd, net als de vroedvrouw die Jacob ter wereld had geholpen en vrouwen in het stadje, die voorheen nooit aandacht aan Rachel hadden besteed. Ze zeiden het voor haar eigen bestwil, beweerden ze allemaal, omdat ze met haar begaan waren. Sommigen, zoals weduwe Jenkins, waren echt met haar begaan, maar Rachel kende er ook die het gewoon uit boosaardigheid deden. Ze zag dat ze hun mondhoeken omlaagtrokken in een poging er bedroefd en ernstig uit te zien, maar ze hadden een gemeen lachje in hun ogen.

Weduwe Jenkins liet zich weer in haar stoel zakken en legde Jacob op haar schoot.

'Een kind hoort de naam van zijn vader te dragen', zei ze, nog steeds op een toon alsof Rachel vijf was in plaats van bijna zeventien. 'Dan heeft hij een achternaam en hoeft hij niet zijn leven lang uit te leggen waarom hij die niet heeft.'

'Hij heeft toch een achternaam,' zei Rachel en ze sloeg haar blik op om de oudere vrouw aan te kijken, 'en Harmon doet niet onder voor alle andere namen die ik ken.'

Een poosje was alleen het vuur te horen. Het siste en knetterde toen het grijze skelet van een houtblok in elkaar zakte en er een regen van vonken en as door de haardijzers viel. Toen weduwe Jenkins weer begon te praten, was haar stem zachter.

'Je hebt gelijk. Er mankeert niks aan de naam Harmon, en daar had een oude vrouw niet aan herinnerd hoeven worden.'

Rachel haalde de suikerdot en een schone luier uit haar draagbuidel en legde ze op tafel. Het glazen flesje melk dat ze eerder had afgekolfd zette ze ernaast.

'Ik kom zo snel mogelijk terug.'

'Dat jij nou toch je paard en koe moet verkopen om de eindjes aan elkaar te kunnen knopen terwijl de man die dit allemaal op zijn geweten heeft schatrijk is', zei weduwe Jenkins spijtig. 'Het leven zit niet eerlijk in elkaar. Geen wonder dat een kind huilend ter wereld komt. Tranen van meet af aan.'

Rachel liep over de weg terug naar de stal en stapte naar binnen. Ze bleef even staan en liet haar blik langs de zolder en de balken gaan en moest, zoals altijd, terugdenken aan de vleermuis die haar jaren geleden zo de stuipen op het lijf had gejaagd. Helemaal achterin hoorde ze de kippen klokken op hun legnesten en ze nam zich voor om de eieren te rapen zodra ze terug was. Haar ogen wenden geleidelijk aan de duisternis in de stal en de voorwerpen namen vorm aan: een roestige melkbus, de zak luizenpoeder om de kippen mee te bestuiven, een vermolmd wagenwiel. Ze wierp een laatste blik omhoog, liep toen door naar binnen, tilde het zadel en de sjabrak van de zadelbok en ging naar de middelste box. Het trekpaard sliep, zijn gewicht naar één kant verplaatst, zodat de rechterhoef was geknikt. Rachel gaf een paar klopjes op zijn kont om hem te laten weten dat ze er was voordat ze de jutezak in de zadeltas stopte. Ze bond het houweel ook aan het zadel.

'We moeten op pad, Dan', zei ze tegen het paard.

Rachel nam niet de weg langs het huis van weduwe Jenkins, maar volgde Rudisell Creek bergafwaarts tot hij overging in de Pigeon River en het pad smaller werd door de uitwaaierende takken van de karmozijnbes, die doorbogen onder het gewicht van hun donkerrode bessen, en door guldenroede, stralend geel als gevangen zonlicht. Rachel wist dat dieper in het bos de ginsengbladeren ook algauw hun felle kleur zouden tonen. De mooiste tijd van het jaar, had ze altijd gevonden, mooier dan de herfst en zelfs mooier dan de lente, wanneer de takken van de kornoelje oplichtten en heen en weer bewogen alsof er zwermen witte vlinders in huisden.

Dan liep behoedzaam over het pad, even zachtmoedig en voorzichtig met Rachel als altijd. Haar vader had het paard gekocht in het jaar voordat Rachel werd geboren. Ook al was haar vader nog zo dronken of boos geweest, hij had het paard nooit slecht behandeld, had hem nooit geschopt of uitgefoeterd, was nooit vergeten hem van voer en water te voorzien. Dat ze het paard moest verkopen, betekende weer een verbindende schakel minder met haar vader.

Ze kwam met Dan bij de zandweg en volgde de rivier in zuidelijke richting naar Waynesville terwijl boven haar rechterschouder de zon opkwam. Een paar minuten later hoorde Rachel in de verte een auto en haar hart sloeg over toen ze opkeek en zag dat het voertuig dat haar tegemoet kwam groen was. Maar het was niet de Packard, en ze schaamde zich ervoor dat iets in haar, zelfs nu nog, kon hebben gehoopt dat het meneer Pemberton was die naar Colt Ridge kwam om alles op de een of andere manier weer recht te zetten. Net zoals de afgelopen twee zondagen, toen ze naar de kerkdienst in het kamp was gegaan en met Jacob in haar armen had rondgedraald voor de kantine in de hoop dat meneer Pemberton langs zou lopen.

De auto tufte voorbij en liet een wolk van grijs stof achter. Even later kwam ze langs een stenen boerderij, waar een rookpluim uit de schoorsteen kwam en waar het land vol stond met fikse kolen en maïsstengels hoger dan zijzelf; dichter bij de weg groeiden pompoenen en kalebassen die fel afstaken tegen een wirwar van onkruid. Allemaal getuigenissen van de oogst die zij en haar vader in het najaar op Colt Ridge hadden kunnen hebben als hij lang genoeg had geleefd om zijn gewassen te verzorgen. Vanaf de andere kant kwam er een boerenwagen aan met achterop twee kinderen, die hun benen over de rand lieten bungelen. Ze keken naar Rachel met een ernstige blik in de ogen, alsof ze aanvoelden wat haar de afgelopen maanden allemaal was overkomen. De weg werd nu vlak en kroop stilletjes dichter naar de Pigeon River. In het schuin invallende ochtendlicht blonk de rivier als een ader vol stromend goud. Klatergoud, dacht ze.

In haar herinnering ging Rachel terug naar de augustusmaand van het voorgaande jaar, toen ze elke dag tegen het middaguur een maaltijd naar het huis van meneer Pemberton had gebracht en Joel Vaughn, die samen met haar was opgegroeid op Colt Ridge, haar steevast op de veranda opwachtte. Het was Joels taak ervoor te zorgen dat niemand haar en meneer Pemberton zou storen, en hoewel Joel nooit een woord zei, lag er dikwijls een bezorgde blik in zijn ogen wanneer hij de voordeur opende. Meneer Pemberton was altijd in de achterkamer, en wanneer Rachel door het huis liep, vergaapte ze zich aan de elektrische verlichting, de ijskast, de prachtige tafel en de beklede stoelen. In zo'n wonderbaarlijk huis te zijn, al was het maar voor een half uurtje, gaf haar hetzelfde gevoel als wanneer ze door de kerstcatalogus van Sears bladerde. Alleen nog beter, omdat je hier niet de afbeeldingen of beschrijvingen zag, maar de dingen zelf. Maar dat had haar niet naar het bed van meneer Pemberton gevoerd. Hij had aandacht aan haar besteed en Rachel verkozen boven de andere meisjes in het kamp, onder wie haar vriendinnen Bonny en Rebecca, die even jong waren als zij. Rachel had gemeend dat ze verliefd was, maar hoe kon ze daar nu zeker van zijn, aangezien hij de eerste man was met wie ze ooit had gezoend, laat staan het bed gedeeld. Rachel dacht dat de weduwe misschien wel gelijk had. Als haar moeder niet was vertrokken toen Rachel vijf was, had ze misschien beter geweten.

Maar misschien ook niet, hield Rachel zichzelf voor. Ze had zich immers ook niets aangetrokken van de waarschuwende blikken die niet alleen Joel haar had toegeworpen, maar ook meneer Campbell, die Rachel hoofdschuddend had aangekeken toen hij haar op een middag met het dienblad het huis zag binnengaan. Rachel had slechts met een glimlach gereageerd op de strenge blikken die de oudere vrouwen in de keuken haar steevast toewierpen wanneer ze terugkwam. Wanneer een van de koks iets gevats tegen haar zei, zoals: *Het ziet er niet naar uit dat hij vandaag veel trek had, in elk geval niet in eten*, sloeg ze blozend haar ogen neer, maar zelfs dan voelde ze zich ergens toch trots. Het was net als wanneer Bonny of Rebecca tegen haar fluisterden: *Je haar zit in de war*, en ze alle drie giechelden alsof ze weer in de hoogste klas van de lagere school zaten en een jongen een van hen had proberen te kussen.

Op een dag was meneer Pemberton in slaap gevallen voordat ze zijn bed had verlaten. Rachel was langzaam opgestaan om hem niet wakker te maken en was toen kamer voor kamer door het huis gelopen terwijl ze alles aanraakte waar ze langskwam: de vergulde ovale spiegel in de slaapkamer, een zilveren waskom met kan in de badkamer, het heetwatertoestel van Marvel in de gang, de ijskast en de eikenhouten pendule. Wat haar het meest trof, was dat deze mirakels tamelijk lukraak in de kamers leken te zijn neergezet, alsof ze in de ogen van de eigenaar louter door hun grote aantal aan waarde hadden ingeboet. Dat was het verbazingwekkende, had Rachel gedacht, dat wat in haar ogen kostbaarheden waren, door een ander nauwelijks werd opgemerkt. Ze was in een van de Coxwellstoelen gaan zitten en had haar heupen en rug laten wegzakken in het weelderige pluche. Het was alsof ze op een wolk zat.

Toen haar maandstonde uitbleef, was ze blijven geloven dat het door iets anders kwam en had niets tegen meneer Pemberton of Bonny of Rebecca gezegd, zelfs niet toen één maand uitgroeide tot drie maanden en toen vier. Het kan elk moment komen, had ze zichzelf voorgehouden, zelfs toen ze last had gekregen van ochtendmisselijkheid en haar jurk krap in de taille begon te worden. In de zesde maand was meneer Pemberton teruggegaan naar Boston. Algauw hoefde ze het niemand meer te vertellen, want ondanks het wijdvallende schort kon niet alleen iedereen in het kamp, maar ook haar vader aan haar buik zien in welke toestand ze verkeerde.

Buiten Waynesville kwam de zandweg samen met de oude tolweg van Asheville. Rachel steeg af. Ze nam het paard bij de teugels en voerde hem het stadje binnen. Toen ze langs het gerechtsgebouw liep, stonden er twee vrouwen voor de winkel van Scott. Ze hielden op met praten en keken naar Rachel, hun ogen streng en misprijzend. Ze bond Dan vast voor de Handel in Veevoeder en Zaad van Donaldson en ging naar binnen om de winkelier te vertellen dat ze akkoord ging met zijn bod op het paard en de koe.

'En u komt ze toch pas aan het eind van de week halen?'

De winkelier knikte, maar maakte geen aanstalten zijn kassa te openen.

'Ik had gehoopt dat u me nu zou kunnen betalen', zei Rachel.

Donaldson pakte drie tiendollarbiljetten uit zijn kassa en gaf haar die.

'Maar zorg er wel voor dat het paard niet kreupel wordt voordat ik kom.'

Rachel pakte haar beurs uit de zak van haar jurk en stopte het geld erin.

'Wilt u het zadel ook kopen?'

'Ik heb geen zadel nodig', zei de winkelier kortaf.

Rachel stak de straat over naar de winkel van meneer Scott. Toen hij de rekening pakte, was die hoger dan verwacht, maar wat Rachel precies verwacht had kon ze niet zeggen. Ze stopte de resterende twee dollarbiljetten en twee cent in haar beurs en ging naar de aangrenzende apotheek van Merritt. Toen Rachel weer buiten stond, had ze alleen de centen nog over.

Rachel maakte Dan los en ze liep met het paard langs het café van Dodson en toen langs twee kleinere winkelpuien. Ze passeerde het gerechtsgebouw toen ze iemand haar naam hoorde roepen. Sheriff McDowell stapte de deur van zijn kantoor uit, niet gekleed in zijn zondagse goed zoals drie maanden geleden, maar in zijn uniform met een zilveren insigne op zijn kaki-overhemd gespeld. Terwijl hij naar haar toe kwam, herinnerde Rachel zich hoe hij die dag zijn arm om haar heen had geslagen en haar had helpen opstaan van het bankje en met haar het station binnen was gelopen, dat hij haar later had teruggereden naar Colt Ridge, waar hij een klein vuur in de haard had aangelegd, ook al was het geen koude dag geweest. Ze hadden samen zwijgend bij het vuur gezeten, totdat weduwe Jenkins kwam, die bij haar zou blijven slapen.

De sheriff lichtte zijn hoed toen hij haar had ingehaald.

'Ik wil je niet ophouden,' zei hij, 'ik wilde alleen even horen hoe het met jou en je kind gaat.'

Rachel keek de sheriff aan en opnieuw viel haar de ongewone kleur van zijn ogen op. Honingkleurig, maar niet licht zoals honing van bijen die zich met klaver voedden, maar meer de donkere amberkleur van lindehoning. Een warme, troostrijke kleur. Ze keek of ze ook maar de geringste veroordeling in de blik van de sheriff zag, maar die was er niet.

'We maken het goed', zei Rachel, hoewel dat in strijd was met het feit dat ze maar twee cent in haar beurs had.

Er kwam een T-Ford voorbij rammelen, waardoor het paard schichtig in de richting van de stoep bewoog. De sheriff en Rachel bleven samen nog even op straat staan, maar zeiden geen van beiden iets, totdat McDowell weer tegen de rand van zijn hoed tikte.

'Nou, zoals ik al zei, ik wilde alleen even horen hoe het met jullie gaat. Als ik je op de een of andere manier kan helpen, moet je het maar laten weten.'

'Dank u', zei Rachel en ze zweeg even. 'Ik waardeer wat u hebt gedaan de dag dat pappa doodging, vooral dat u bij me bent gebleven.'

Sheriff McDowell knikte. 'Dat was me een genoegen.'

De sheriff liep terug naar zijn kantoor en Rachel gaf een rukje aan Dans teugels en voerde hem mee langs het gerechtsgebouw.

Aan het eind van de straat kwam Rachel bij een houten gebouwtje, waar op het smalle plaatsje een tiental onbewerkte marmeren grafzerken stond in allerlei maten en kleuren. Binnen hoorde ze het tik-tik-tik van een hamer en beitel. Rachel bond het paard vast aan de dichtstbijzijnde paal en stak het met marmer volgestouwde plaatsje over. Ze hield even halt bij de open deur waarboven stond: LUDLOW SURRATT – STEENHOUWER.

Naast de ingang stonden een compressor en een pneumatische hamer en in het midden van de ruimte een werkbank met daarop beitels en houten hamers, een schrobzaag en een met woorden en getallen volgekalkte lei. Op sommige stenen die tegen de vier wanden leunden, waren al namen en data aangebracht. Andere waren onbeschreven, afgezien van lammeren, kruisen of krullen. Het rook er naar krijt; de aarden vloer van het vertrek was wit, als bedekt met stuifsneeuw. Surratt zat op een lage houten stoel, met voor zich een steen die schuin tegen de werkbank leunde. Hij had een hoed op en droeg een voorschoot, en bij het werken boog hij zich dicht naar het marmer toe, de hamer en beitel op nog geen handbreedte van zijn gezicht.

Toen Rachel klopte, draaide hij zich om, zijn kleren, handen en wimpers wit van het marmerstof. Hij legde de hamer en beitel op de werkbank en liep zonder een woord te zeggen naar het achtergedeelte van de zaak. Hij tilde de marmeren grafzerk van veertig bij vijfendertig centimeter op die Rachel had besteld in de week nadat haar vader was overleden. Voordat ze iets kon zeggen, had hij hem al naast de deuropening gezet. Surratt deed een stapje achteruit en kwam naast haar staan. Ze keken naar de grafzerk, naar de naam Abraham Harmon, die in het marmer was uitgehouwen met daarboven het hakenkruis dat Rachel had gekozen uit het schetsboek.

'Ik vind dat hij goed gelukt is', zei de steenhouwer. 'Ben je tevreden?'

'Ja, meneer. Het ziet er keurig uit', zei Rachel. Toen aarzelde ze even. 'Wat de rest van uw geld betreft, ik dacht dat ik het zou hebben, maar ik heb het niet.'

Surratt keek niet vreemd op van deze mededeling, en Rachel nam aan dat ze niet de eerste was die met een dergelijk boodschap bij hem kwam.

'Dat zadel', zei Rachel met een knikje naar het paard. 'Wilt u dat misschien hebben voor wat ik u schuldig ben?'

'Ik heb je vader gekend. Sommigen vonden hem te opvliegend, maar ik mocht hem wel', zei Surratt. 'We verzinnen er wel iets anders op. Dat zadel heb je zelf nodig.'

'Nee, meneer. Ik heb mijn paard verkocht aan meneer Donaldson. Na dit weekend heb ik het niet meer nodig.'

'Zo snel al?'

'Ja, meneer', zei Rachel. 'Dan komt hij het paard ophalen en ook de koe.'

De steenhouwer nam deze informatie in overweging.

'Dan neem ik het zadel en staan we quitte. Geef het aan het eind van de week maar aan Donaldson mee', zei de steenhouwer en hij zweeg even toen er weer een T-Ford voorbij kwam rammelen. 'Wie heb je opdracht gegeven om de steen boven te brengen?'

Rachel haalde de jutezak uit de zadeltas.

'Ik was van plan het zelf te doen.'

'Die steen weegt meer dan je zou denken, bijna vijftig pond', zei Surratt. 'Zo'n dunne zak houdt hem nooit. Bovendien, als je eenmaal boven bent, moet je hem nog plaatsen.'

'Ik heb een pikhouweel bij me', zei Rachel. 'Als u me helpt om de steen aan de zadelknop vast te binden, red ik het wel.'

Surratt haalde een rode zakdoek tevoorschijn uit zijn achterzak en wreef er met een vertrokken gezicht mee over zijn voorhoofd. Hij stopte de zakdoek weg en liet zijn blik weer op Rachel rusten.

'Hoe oud ben je?'

'Bijna zeventien.'

'Bijna.'

'Ja, meneer.'

Rachel verwachtte dat de steenhouwer hetzelfde tegen haar zou zeggen als weduwe Jenkins, dat ze nog maar een meisje was dat van niets wist. En waarschijnlijk nog terecht ook, dacht Rachel. Ze had de hele ochtend alles al misgehad, van de leeftijd waarop een kind tanden kreeg tot aan wat dingen kostten, dus ze kon hem moeilijk ongelijk geven.

Surratt boog zich over de grafsteen en blies een floers van witte stof van een van de uitgehakte letters. Hij liet zijn hand even op de steen rusten, alsof hij zich er voor de laatste keer van wilde vergewissen hoe solide die was. Hij stond op en knoopte zijn leren voorschoot los.

'Ik heb het niet zo heel druk', zei hij. 'Ik zet die steen wel achter in mijn truck en breng hem nu meteen even langs. Ik zal hem ook voor je plaatsen.'

'Dank u', zei Rachel. 'Dat is erg vriendelijk van u.'

Ze reed terug door Waynesville en noordwaarts over de oude

tolweg, maar ging toen algauw verder over een ander pad dan ze op de heenweg had genomen. Het terrein werd al snel steiler en rotsachtiger, en de stalen kop van het houweel klonk tegen de stijgbeugel. Het paard ademde moeizamer naarmate de lucht ijler werd, sperde bij elke ademteug zijn zachte neusgaten wijd open. Ze waadden door een beek met ondiep, helder water. Lederachtige rododendronbladeren streken langs Rachels jurk.

Ze reed nog een half uur door en besteeg de hoogste berg. De bossen weken even terug en boden zicht op een verlaten hoeve. De voordeur gaapte open en op de veranda getuigde een allegaartje van pannen en borden en schimmelige lappendekens van een overhaaste uittocht. Boven de voordeur van de boerderij hing een roestig hoefijzer, ondersteboven om elk sprankje geluk op te vangen dat de bewoner ten deel zou kunnen vallen. Kennelijk niet voldoende, dacht Rachel, beseffend dat haar huis er binnen niet al te lange tijd hetzelfde uit zou kunnen zien als de ginsengoogst tegenviel.

Algauw werd ze weer omsloten door bergen en bos. Om haar heen stonden nu alleen nog loofbomen. Het licht scheen door het gebladerte als door lagen gaas. Er klonk geen vogelzang en er sloegen geen herten of konijnen op de vlucht. Het enige wat langs het pad groeide waren zwammen en paddestoelen; het enige geluid was dat van eikels die onder Dans beslagen hoeven knappend openbarstten. Het rook er alsof het pas geregend had.

Het pad steeg nog een laatste keer en kwam uit bij de weg. Aan de overkant stond een verlaten withouten kerkje. Op de brede toegangsdeur zat een hangslot, en de witte verf was grauw geworden en begon af te bladderen. Er woonden inmiddels zo veel mensen in het houthakkerskamp dat dominee Bolick zijn erediensten tegenwoordig in de kampkantine hield in plaats van in het kerkje. De truck van meneer Surratt stond niet bij het hek van het kerkhof geparkeerd, maar Rachel zag dat de steen in de grond was geplaatst. Ze bond Dan aan het hek vast en liep het kerkhof op. Ze stapte tussen de stenen door die de graven markeerden, sommige gewoon rivierstenen zonder naam of jaartallen, andere van speksteen of graniet, een enkele van marmer. Als er namen werden vermeld, waren dat bekende namen: Jenkins en Candler, McDowell, en Pressley, Harmon. Ze was bijna bij haar vaders graf aangekomen toen ze op de bergflank onder het kerkhof gejank hoorde, een eenzaam geluid als van een nachtzwaluw of een trein ergens in de verte. Een meute wilde honden trok over een kaalgekapt gebied, en de achterblijver die zijn keel naar de lucht had geheven zette het nu op een rennen om de andere in te halen. Rachel dacht aan het houweel dat aan haar zadel hing en overwoog het te halen voor het geval de wilde honden van richting zouden veranderen en de berg op zouden komen, maar algauw verdwenen ze in het bos. Toen was er niets dan stilte.

Ze stond bij de grafsteen, het graf donker van de aarde die de steenhouwer had uitgegraven. Haar vader was een moeilijk mens geweest om mee te leven, onhandig in het uiten van zijn genegenheid, een man van weinig woorden. Zijn humeur was als een fosforlucifer in de keuken, licht ontvlambaar, vooral wanneer hij gedronken had. Een van Rachels levendigste herinneringen aan haar moeder was toen ze op een warme dag een keer op het bed van haar ouders was gaan liggen. Ze had tegen haar moeder gezegd dat de blauwe beddesprei ondanks de zomerse hitte koel en glad aanvoelde, zoals het zou voelen als je op een van de poelen bij de beek kon slapen. *Omdat hij van satijn is*, had haar moeder gezegd, en Rachel had zelfs het woord koel en glad gevonden, even fluisterachtig als het kabbelen van de beek. Ze herinnerde zich de dag waarop haar vader de beddesprei had gepakt en in het haardvuur had gegooid. Het was de ochtend nadat haar moeder was weggegaan, en terwijl haar vader de satijnen beddesprei dieper in de vlammen duwde, zei hij tegen Rachel dat ze het nooit meer over haar moeder mocht hebben, dat ze een draai om haar oren zou krijgen als ze het wel deed.

Ze had nooit durven uitproberen of hij dat echt zou hebben gedaan. Op de begrafenis hoorde Rachel een oude vrouw beweren dat haar vader een ander mens was geweest voordat haar moeder was weggegaan, lang niet zo boos en verbitterd. Zonder kwade dronk. Rachel kon zich die man niet herinneren.

Toch had hij in z'n eentje een kind grootgebracht, een meisje nog wel, en Rachel had het idee dat hij het er voor een man alleen niet eens zo slecht had afgebracht. Het had haar nooit aan kleding of eten ontbroken. Er waren allerlei dingen die hij haar niet had bijgebracht, misschien niet had kunnen bijbrengen, maar ze had wel van alles geleerd over gewassen, over planten en dieren, over hoe ze een afrastering moest repareren en een houten huis moest dichten. Hij had haar die dingen zelf laten doen terwijl hij toekeek. Om er zeker van te zijn dat ze wist hoe het moest, begreep Rachel nu, wanneer hij er zelf niet meer zou zijn om het voor haar te doen. Wat was dat anders dan een vorm van liefde?

Ze legde haar hand op de grafsteen en voelde zijn robuuste stevigheid. Het deed haar denken aan de wieg die haar vader twee weken voor zijn dood had gemaakt. Hij had hem binnengebracht en naast haar bed neergezet zonder hardop uit te spreken dat hij voor het kind was bestemd. Maar ze kon zien met hoeveel zorg hij gemaakt was, van hickory, het hardste en duurzaamste hout dat er bestond. Het wiegje zou niet alleen lang meegaan, maar het was ook een lust voor het oog, want hij had het geschuurd en afgewerkt met een laagje lijnolie.

Rachel haalde haar hand van de steen die, zo wist ze, langer zou meegaan dan zijzelf, en dat betekende dat hij langer zou meegaan dan haar verdriet. Ik heb hem in gewijde aarde laten begraven en ik heb de kleren verbrand waarin hij is gestorven, hield Rachel zichzelf voor. Ik heb de overlijdensakte getekend en nu is zijn grafsteen geplaatst. Ik heb alles gedaan wat ik kan doen. Terwijl ze zich dit voorhield, voelde Rachel het verdriet van binnen zo weids en diep worden dat het op een donkere, peilloze poel leek waar ze nooit meer uit zou kunnen komen. Omdat er nu niets meer te doen viel, niets anders dan verduren.

Denk aan iets leuks, zei ze tegen zichzelf, aan iets wat hij voor je heeft gedaan. Iets kleins. Even schoot haar niets te binnen. Toen wel, iets wat omstreeks deze tijd van het jaar was gebeurd. Na het avondeten was haar vader naar de stal gelopen toen Rachel de moestuin inging. Bij het afnemende licht plukte ze de rijpe stokbonen, waarvan de donkere peulen tegen de rijen suikermaïs hingen die ze ernaast had geplant zodat ze ertegenop konden klimmen. Haar vader riep haar vanuit de open staldeur, en ze zette het teiltje op de grond tussen twee rijen bonen, in de veronderstelling dat ze de melkemmer naar het koelhuis boven de bron moest brengen.

'Kijk eens hoe mooi', zei hij toen ze de stal binnenkwam.

Haar vader wees op een grote, zilvergroene nachtvlinder. Een paar minuten lang lieten ze hun bezigheden voor wat ze waren en stonden samen te kijken. De banen licht in de stal verflauwden, en de nachtvlinder leek intenser van kleur te worden, alsof hij met het langzame openen en sluiten van zijn vleugeltjes het laatste avondlicht vergaarde. Toen vloog hij op. Terwijl de nachtvlinder het duister in fladderde, had haar vader zijn grote sterke hand even op Rachels schouder gelegd, zonder zich naar haar toe te keren. Een nachtvlinder in de schemering, de aanraking van zijn hand op haar schouder. Het is iets, dacht Rachel.

Terugrijdend over het pad dacht ze aan de dagen na de begrafenis, toen de stilte in huis iets tastbaars was en ze geen dag meer kon doorkomen zonder weduwe Jenkins een bezoekje te brengen om iets te lenen of terug te brengen. Op een dag had ze gevoeld dat haar verdriet begon af te nemen, alsof iets karteligs zo lang in haar had gesneden dat de randen ervan eindelijk bot waren geworden, waren afgesleten. Diezelfde dag had Rachel zich niet meer kunnen herinneren aan welke kant haar vader de scheiding in zijn haar had gedragen, en ze besefte opnieuw wat ze had geleerd toen ze vijf was en haar moeder was weggegaan:

wat het verlies van een dierbare draaglijk maakte, was niet het onthouden, maar het vergeten. Eerst de kleine dingen, zoals de geur van de zeep waarmee haar moeder zich had gewassen, de kleur van de jurk die ze droeg wanneer ze naar de kerk ging, toen, na een poos, de klank van haar moeders stem, de kleur van haar haar. Het verbaasde Rachel hoeveel je kon vergeten, en alles wat je vergat, maakte dat die persoon je minder levendig voor de geest stond, totdat je het gemis eindelijk kon verdragen. Als er nog meer tijd verstreken was, kon je jezelf toestaan om aan die persoon terug te denken, kon je daar zelfs naar verlangen. Maar ook dan kon het gevoel van die eerste dagen terugkomen om je eraan te herinneren dat het verdriet er nog steeds zat, als oud prikkeldraad dat met het harthout van een boom was vergroeid.

En nu dit kind met zijn bruine ogen. Sluit hem niet in je hart, hield Rachel zichzelf voor. Sluit niets in je hart wat je kan worden ontnomen.

Vier

Toen vorig jaar september de spoorlijn was aangelegd, had Pemberton gelijk op gewerkt met het dertigtal mannen dat voor die klus was ingehuurd. Met zijn brede schouders en gespierde armen deed hij niet onder voor de mannen uit het hoogland, maar Pemberton wist dat zijn mooie kleren en zijn Bostons accent niet in zijn voordeel werkten. Daarom had hij zijn zwarte tweedjas en zijn hemd uitgetrokken en zich met ontbloot bovenlijf gevoegd bij de ploegen die het voorbereidende zware werk deden. Met pikhouwelen, schoppen en kruiwagens verplaatsten ze aarde, groeven stronken uit en maakten de dammen, ingravingen en greppels. Pemberton kapte bomen voor de bielzen en plaatste die in de juiste hellingshoek, loste platte wagons volgeladen met spoorstaven, hoekstalen en materieel voor de wissels, legde de wisselsporen en sloeg spoorspijkers in zonder te pauzeren, tenzij de andere mannen dat ook deden. Ze werkten elf uur per dag, zes dagen per week en vorderden over de dalbodem volgens een vooraf bepaald traject. Obstakels die niet konden worden uitgegraven of aangeaard, werden geëgaliseerd met dynamiet of overbrugd. Wanneer er een nieuw stuk spoor was gelegd, rolde de Shaylocomotief er onmiddellijk overheen, alsof de wildernis zich er meester van kon maken als stalen wielen ze niet in hun greep hielden. Vanuit de verte leken trein en mannen één bedrijvig geheel, en de stalen rails die ze gaandeweg achterlieten een smal glanzend kielzog.

Pemberton had genoten van de uitdaging om met de mannen samen te werken, van de manier waarop ze loerden op het eerste teken van zwakte, zoals talmen bij de wateremmer of te lang op een schop of moker blijven leunen. Ze keken hoe lang het zou duren voordat hij zich bij Buchanan en Wilkie op de veranda van het pasgebouwde kantoortje zou voegen. Toen er een maand was verstreken en alleen de zijsporen nog moesten worden aangelegd, had Pemberton zijn hemd weer aangetrokken en was hij naar het kantoor gegaan, waar hij sindsdien het merendeel van zijn tijd doorbracht. Maar die maand had hem meer opgeleverd dan alleen het respect van de arbeiders. Hij had onder hen een bekwame plaatsvervanger gevonden in Campbell, en hij wist uit eerste hand welke mannen hij moest houden en welke ontslaan toen Houtbedrijf Boston de kapploegen ging samenstellen.

Onder degenen die Pemberton absoluut wilde aanhouden was een oudere man die Galloway heette. Hij was al in de veertig, een leeftijd waarop de meeste houthakkers te afgemat en krakkemikkig waren om het werk nog te doen, maar ondanks zijn grijzende haar en zijn kleine schriele gestalte, verzette hij meer werk dan mannen die maar half zo oud waren als hij. Hij was ook een ervaren spoorzoeker en kende het bos en de bergen in de omgeving op zijn duimpje. Een man die volgens de arbeiders op een rotsachtige ondergrond nog het spoor van een sprinkhaan kon vinden, zoals Pemberton ook zelf had ervaren toen hij Galloway als gids bij de jacht had gebruikt. Maar Galloway had vijf jaar in de gevangenis gezeten omdat hij bij een ruzie over een kaartspel twee mannen had gedood. De andere arbeiders, zelf vaak ook geen lieverdjes, behandelden Galloway met omzichtig respect, net als zijn moeder, die bij haar zoon in een van de keten woonde. Toen Pemberton had voorgesteld om Galloway ploegbaas te maken, was Buchanan daar tegen geweest. Hij is veroordeeld wegens moord, had Buchanan tegengeworpen. We zouden hem niet eens in het kamp moeten hebben, laat staan als ploegbaas.

Nu, een jaar later, stelde Pemberton opnieuw voor om Galloway ploegbaas te maken, ditmaal als vervanger van Bilded.

'Het is de meest ongedisciplineerde ploeg van het kamp', zei Pemberton tussen twee happen biefstuk door. 'We hebben iemand nodig bij wie ze niet durven dwarsliggen.'

'En wat als hij zelf gaat dwarsliggen?' vroeg Buchanan. 'Het is niet alleen een moordenaar, hij is ook nog eens nors en onbeleefd.'

'Een ploeg zal niet gaan lijntrekken bij een baas die de schrik erin heeft zitten', zei Serena. 'Dat lijkt me belangrijker dan zijn gebrek aan omgangsvormen.'

Buchanan wilde de discussie voortzetten, maar Wilkie stak zijn hand op om hem het zwijgen op te leggen.

'Sorry, Buchanan,' zei Wilkie, 'maar ditmaal kies ik de kant van de Pembertons.'

'Het heeft er alle schijn van dat meneer en mevrouw Pemberton deze slag hebben gewonnen', zei dokter Cheney op gemaakt achteloze toon. 'Buchanan, ik neem aan dat je vrouw de zomer weer in Concord gaat doorbrengen?'

'Ja', zei Buchanan kortaf.

'En mevrouw Pemberton, u hebt wellicht ook plannen om van de zomer naar Colorado te gaan?' vroeg Cheney. 'Uw ouderlijk huis is ongetwijfeld veel fraaier dan uw huidige onderkomen.'

'Nee, dat ben ik niet van plan', zei Serena. 'Sinds mijn vertrek uit Colorado ben ik er nooit meer teruggeweest.'

'Maar wie zorgt er dan voor het huis en het land van uw ouders?' vroeg Wilkie.

'Ik heb het huis in brand laten steken voordat ik wegging.'

'In brand laten steken?' riep Wilkie verbaasd uit.

'Vuur werkt inderdaad heel zuiverend na een besmettelijke ziekte,' zei dokter Cheney, 'maar ik denk dat het wel had volstaan om alleen het beddegoed te verbranden.'

'En het bosland van uw familie dan?' vroeg Wilkie. 'Ik mag toch hopen dat u dat niet ook in de as hebt laten leggen.'

'Dat heb ik verkocht', zei Serena. 'Hier in North Carolina heb ik meer aan dat geld.'

'Ongetwijfeld in een gewaagde onderneming met meneer Harris', zei dokter Cheney, die zijn vork neerlegde. 'Hij heeft wel veel praatjes, maar het is een slimme oude vos, zoals u zelf ongetwijfeld al hebt vastgesteld toen u hem ontmoette.'

'Ik vermoed dat mevrouw Pemberton zich aardig staande weet te houden tegenover Harris', zei Wilkie met een knikje naar Pemberton. 'En Pemberton ook. Ik wens hun in elk geval het beste bij welke onderneming dan ook, of het nou Houtbedrijf Boston betreft of iets anders. We hebben op dit moment mensen met zelfvertrouwen nodig, anders raken we nooit uit deze depressie.'

Met een brede glimlach richtte Wilkie zijn aandacht weer op Serena, smoorverliefd, net als Harris was geweest toen hij haar voor het eerst had ontmoet. Anders dan de jongemannen in Boston leken deze oudere mannen niet geïntimideerd door Serena. Hun verschrompelde genitaliën zorgden er waarschijnlijk voor dat haar charmes minder bedreigend waren, vermoedde Pemberton, omdat ze onbereikbaar was.

'Buchanan,' zei dokter Cheney, 'jij denkt ongetwijfeld hetzelfde over het mogelijke compagnonschap van de Pembertons met Harris.'

Buchanan knikte, zijn ogen niet op de arts of de Pembertons gericht, maar op het midden van de tafel.

'Ja, zolang ons huidige compagnonschap er maar niet onder lijdt.'

Op wat getink van bestek na werd het hoofdgerecht verder in stilte gegeten. Pemberton wachtte niet op het dessert en de koffie, maar legde zijn servet op tafel en stond op.

'Campbell is er vanavond niet, dus ik ga zelf even naar Galloway om te vertellen dat hij promotie heeft gemaakt. Dan is hij er morgen op voorbereid', zei Pemberton en hij keek naar Serena. 'Ik zie je zo thuis wel. Ik blijf niet lang weg.'

Toen hij het kantoor inliep, zag Pemberton dat Campbell twee brieven op het bureau had laten liggen, beide met een poststempel uit Boston.

Pemberton stapte van de veranda de zomeravond in. Vuurvliegjes vonkten door de lucht terwijl de zon onderging achter Balsam Mountain. In de verte was de roep van een nachtzwaluw te horen. Naast de kantine stond een roestig tweehonderdliter-vat met smeulende etensresten. Pemberton liet de ongeopende brieven in het vuur vallen en liep verder. Hij stapte op de spoorbaan die hij had helpen aanleggen en volgde die in de richting van de laatste keet, waar Galloway met zijn moeder woonde. Ze werd door iedereen in het kamp met veel eerbied behandeld, omdat Galloway haar zoon was, had Pemberton verondersteld. Hij had iets van die strekking opgemerkt tegen Campbell toen ze op een middag samen hadden toegekeken hoe de oude vrouw, wier ogen troebel waren door de grauwe staar, de treetjes van de kampwinkel op werd geholpen door twee forse, baardige arbeiders.

'Dat is het niet alleen', had Campbell gezegd. 'Ze ziet dingen die andere mensen niet kunnen zien.'

Pemberton had verachtelijk gesnoven. 'Die ouwe heks is zo blind dat ze haar eigen spiegelbeeld niet eens kan zien.'

Voor het eerst in al die tijd dat ze samenwerkten had Campbell zonder respect tegen Pemberton gesproken en zijn reactie was scherp en neerbuigend geweest.

'Dat soort zien bedoel ik niet,' had Campbell gezegd, 'en het gaat niet aan om er minachtend over te doen.'

Galloway begroette hem in de deuropening. De oudere man had geen hemd aan, waardoor zijn bleke huid te zien was, strakgespannen over zijn schouders en ribben en de paarsgewijze spierknopen in zijn maag. De aders op zijn hals en armen bolden blauw en gezwollen op, alsof Galloways huid de bloedstroom daarbinnen niet helemaal in bedwang kon houden. Een lichaam dat eruitzag alsof het zich niet kon ontspannen.

'Ik kom je vertellen dat ik Bilded heb ontslagen. Jij bent de nieuwe ploegbaas.'

'Dat had ik al begrepen', antwoordde Galloway.

Pemberton vroeg zich af of Campbell zelf al langs was geweest om hem van de promotie op de hoogte te stellen. Hij keek langs Galloway de kamer in die, afgezien van de gloed van een petroleumlamp op de tafel, volledig in duisternis was gehuld. Door het dikke lampeglas leek het licht niet alleen ingekapseld, maar vloeibaar, alsof het ondergedompeld was. Galloways moeder zat voor de lamp met haar ogen slechts enkele centimeters van de vlam. Haar witte haar zat samengebonden in een strak knotje en ze droeg een zwarte doorknoopjurk, waarvan Pemberton vermoedde dat hij nog uit de vorige eeuw stamde. Galloways moeder sloeg haar blik op en staarde hem recht aan. Ze kijkt in de richting van mijn stem, hield Pemberton zichzelf voor, maar op de een of andere manier was het meer dan dat.

'Hoe dan ook', zei Pemberton die een stap achteruit deed. 'Ik wilde dat je het voor morgenochtend alvast wist.'

Toen Pemberton terugliep naar het huis, passeerde hij een groep keukenhulpen die op de traptreden voor de kantine zat. De meesten hadden hun schort nog voor. Een kok, die Beason heette, tokkelde op een gehavende Gibsongitaar en naast hem zat een vrouw die een houten instrument met stalen snaren op haar schoot hield. Ze zat over het instrument gebogen en haar lange, warrige haar verhulde haar gezicht. Terwijl ze met haar rechterhand tokkelde, maakte ze met de wijs- en middelvinger van haar linkerhand snelle drukbewegingen op de smalle hals alsof ze op zoek was naar een zwakke hartslag, en ze zong over moord en vergelding aan de oevers van een Schots meer. Borderballades, noemde Buchanan zulke liedjes en hij beweerde dat de bergbewoners ze hadden meegebracht uit Albion.

Ooit had ook het meisje van Harmon na het avondeten op die treetjes gezeten, maar Pemberton had nauwelijks oog voor haar gehad tot aan de avond waarop hij had geholpen een zwaargewonde houthakker van Half Acre Ridge naar beneden te brengen. Het was al helemaal donker toen ze eindelijk met de man in het kamp waren aangekomen, en Pemberton was zo moe en vuil geweest dat hij Campbell had opgedragen zijn maaltijd naar het huis te laten brengen. Het meisje van Harmon had het eten gebracht en iets had Pembertons aandacht getrokken. Misschien een glimp van haar boezem toen ze het dienblad op tafel zette, of een welgevormde enkel die even te zien was geweest toen ze zich omdraaide om weg te gaan. Iets wat hij zich niet meer kon herinneren.

Pemberton liep verder en de muziek stierf achter hem weg terwijl hij mijmerde over de aaneenschakeling van gebeurtenissen die had geleid tot middagafspraakjes, en later tot een man met een snee in zijn buik, stervend op een bankje van het treinstation, tot een kind dat inmiddels wel geboren zou zijn. Hoe ver zou je kunnen teruggaan in een dergelijke reeks van gebeurtenissen, vroeg hij zich af – tot voordat het meisje van Harmon die avond was uitgekozen om zijn eten te brengen, tot voordat de boom de ruggegraat van een man verbrijzelde omdat de valkerf slecht was aangebracht, en nog verder terug, tot een bijl die niet geslepen was omdat een man de vorige avond te veel had gedronken, en nog weer verder terug tot de reden waarom die man zich had bedronken? Was het iets oneindigs? Of was er helemaal geen reeks, alleen een moment waarop je wel of niet dicht bij een jonge vrouw ging staan en met je vingers een blonde haarlok achter haar oren streek, een moment waarop je je wel of niet naar dat onbedekte oor toe boog en haar zei dat je haar erg aantrekkelijk vond?

Pemberton glimlachte bij zichzelf. Stilstaan bij het verleden, precies datgene waarvan Serena hem had duidelijk gemaakt dat ze daar allebei prima buiten konden. Maar toch, het kind. Toen hij de treetjes van de veranda op liep, dwong Pemberton zichzelf te denken aan de achterstallige rekening van een meubelfabriek in Baltimore.

De volgende middag werd op Noland Mountain een arbeider in zijn dij gebeten door een bosratelslang. Zijn been zwol zo snel op dat de ploegbaas eerst de denimbroek met een mes kapot moest snijden voordat hij een kruisje in de beetwonden kon kerven. Toen de ploeg met de man in het kamp aankwam, was zijn hartslag al niet meer dan een fluistering. Onder de knie werd het been zwart en zo dik als een houtblok, en het tandvlees van de man bloedde hevig. Dokter Cheney nam niet eens de moeite hem zijn praktijk binnen te brengen. Hij gaf de arbeiders opdracht de man in een stoel op de veranda van de kampwinkel te zetten, waar hij na een laatste heftige huivering overleed.

'Hoeveel mannen hebben er een slangebeet opgelopen sinds het kamp hier is?' vroeg Serena die avond onder het eten.

'Vóór vandaag vijf', zei Wilkie. 'Slechts een van hen is gestorven, maar de andere vier hebben we moeten ontslaan.'

'Het gif van een bosratelslang tast bloedvaten en weefsel aan', zei dokter Cheney tegen Serena. 'Zelfs als het slachtoffer het geluk heeft de beet te overleven, dan nog is er blijvende schade toegebracht.'

'Ik ben op de hoogte van wat er gebeurt als iemand door een ratelslang wordt gebeten, dokter', antwoordde Serena. 'Bij ons in het westen hebben we diamantratelslangen die één meter tachtig lang kunnen worden.'

Cheney maakte een klein buiginkje in Serena's richting.

'Neem me niet kwalijk', zei hij. 'Ik had natuurlijk niet mogen twijfelen aan uw kennis van gif.'

'Hier variëren ze nog weleens van kleur', zei Buchanan. 'Soms zijn ze gelig als koperkoppen, maar ze kunnen ook veel donkerder zijn. Er zijn er die purperachtig zwart van kleur zijn en die worden veel dodelijker geacht. Ik heb er eens één gezien, een verbazend gracieus schepsel, erg mooi op een bepaalde manier.'

Dokter Cheney glimlachte. 'Weer zo'n paradox van de natuur, de mooiste schepsels zijn vaak de gevaarlijkste. De tijger, bijvoorbeeld, of de zwarte weduwe.'

'Als je het mij vraagt maakt dat juist deel uit van hun schoonheid', zei Serena.

'Die ratelslangen kosten ons geld,' mopperde Wilkie, 'en niet alleen wanneer een ploeg niet verder kan werken door een beet.

De mannen worden overdreven voorzichtig, dus vorderen ze langzamer.'

'Ja', stemde Serena in. 'Die beesten zouden uitgeroeid moeten worden, vooral in het kapafval.'

Wilkie keek bedenkelijk. 'Maar daar zijn ze het slechtst te zien, mevrouw Pemberton. Ze hebben zo'n perfecte schutkleur dat ze bijna onzichtbaar zijn.'

'Dan hebben we betere ogen nodig', zei Serena.

'Binnenkort wordt het kouder en zoeken ze hun heil weer tussen de rotsen', zei Pemberton. 'Galloway zegt dat ze zich na de eerste vorst nooit meer ver van hun hol wagen.'

'Tot de lente', zei Wilkie tobberig. 'Dan zijn ze er weer, net zo'n plaag als eerst.'

'Misschien niet', zei Serena.

Vijf

De winter zette al vroeg in. Het was op een zaterdagochtend dat de mannen bij het wakker worden zagen dat de grond was bedekt met een enkelhoog pak sneeuw. Er werden wollen hansoppen en doorgestikte dekens onder de bedden vandaan gehaald, de geïmproviseerde ramen werden dichtgemaakt met zeildoek, stukken hout en zink, en met het uitgespreide vel van beren, herten en ander gedierte met een dikke vacht, zoals de voddige restanten van een veelvraat. Kleinere openingen werden dichtgestopt met oude lappen en kranten, tabakspruimen en leem. Voordat ze naar buiten stapten, trokken de arbeiders jassen en jekkers aan die een half jaar aan een spijker hadden gehangen. Onderweg naar de kantine sjorden ze aan mouwen en brachten de kraag weer in model. De meesten hadden een duffelse jas aan, maar anderen droegen een jagersjas met brede zakken, een geklede zwarte overjas of een leren buis. Sommigen liepen in kledij die ze in welvarender perioden of in oorlogstijd hadden gedragen: een met wol gevoerde duikbootjas, een chesterfield, een moleskin colbert, een legerjas uit de Eerste Wereldoorlog. Anderen droegen afdankertjes van hun voorvaderen, gerafelde werkjassen die nog uit de vorige eeuw stamden, waaronder sommige van wasbeerbont en schapenleer, en nog oudere jassen, waarvan het geelbruin en blauw herinnerden aan de vroegere verdeeldheid in het land.

De ploeg van Snipes werkte hoog op Noland Mountain, waar het dikste pak sneeuw lag en waar de wind zo hard over de bergkam joeg dat de bovenste helft van de grootste loofbomen doorboog. Dunbar raakte zijn stetson kwijt toen die met een windvlaag van de berg zeilde in de richting van Tennessee en tollend en draaiend omlaagviel en weer opsteeg als een gewonde vogel.

'Ik had hem op mijn hoofd moeten vastbinden', zei Dunbar spijtig. 'Die hoed heeft me twee dollar gekost.'

'Maar goed dat je dat niet hebt gedaan', zei Ross. 'Dan was je misschien met hoed en al weggezeild en pas weer in Knoxville geland.'

De ploegen aten hun middagmaal rond een berg kreupelhout, die ze van sneeuw hadden ontdaan en hadden aangestoken. De mannen zaten dicht op elkaar gedrongen, niet alleen voor de warmte, maar ook om de vlammen te beschermen tegen de sneeuwvlagen die als zand in hun gezicht schrijnden. Ze trokken hun handschoenen uit en hielden hun verkleumde handen bij het vuur als in een gebaar van overgave.

'Moet je die wind nou eens horen loeien', zei Dunbar. 'Als je dat zo hoort, zou je denken dat hij deze hele berg de lucht in kan blazen.'

'Amper oktober en al een pak sneeuw', zei Ross. 'Er staat een strenge winter voor de deur.'

'Mijn vader zei al dat de beerrupsen de hele zomer een dikkere beharing hadden dan anders, en nu zien we dat hij daar dubbel en dwars gelijk in had', zei Stewart. 'En dat was niet de enige aanwijzing, beweerde mijn vader. Hij zei ook dat de koekoekswespen hun nest vlak boven de grond maakten.'

'Dat is allemaal heidens bijgeloof, Stewart,' zei McIntyre tegen zijn parochiaan, 'en daar kun je je beter verre van houden.'

'Dat is wel degelijk wetenschappelijk', zei Snipes. 'Die beerrupsen zorgden voor een dikkere beharing om een strenge winter te kunnen overleven. Daar is niks heidens aan. Beerrupsen gebruiken gewoon de kennis die God ze heeft gegeven. En de koekoekswespen net zo.'

'De enige aanwijzingen waar je je aan moet houden staan in de Bijbel', zei McIntyre.

'Wat dacht je van de aanwijzing dat je niet mag roken in de buurt van de dynamietloods?' merkte Ross op. 'Vind je dat we ons daar ook niet aan hoeven te houden?'

'Je kunt er grapjes over maken,' zei McIntyre tegen Ross, 'maar dit onnatuurlijke weer is een duidelijke aanwijzing dat de laatste dagen zijn aangebroken. *De zon zal verduisterd worden, en de maan zal haar schijnsel niet geven.'*

McIntyre keek omhoog naar de leigrijze lucht als was het een gnostische tekst die alleen hij kon ontcijferen. Hij lichtte zijn zwarte predikantenhoed even hemelwaarts, kennelijk voldaan over wat hij had gezien.

'Daarna zullen er hongersnood en pestilentie uitbreken', verkondigde McIntyre. 'Er zal nauwelijks iets anders dan doornstruiken aan de aarde ontspruiten, en er zullen sprinkhanen zo groot als konijnen komen die al het andere verslinden, tot aan het hout van je huis toe, en er zullen slangen en schorpioenen en meer van dat soort gruwelijke schepselen uit de lucht komen vallen.'

'En jij denkt dat dat allemaal elk moment kan gebeuren?' vroeg Ross.

'Reken maar', antwoordde McIntyre. 'Daar ben ik net zo zeker van als de oude Noach zelf was toen hij zijn ark bouwde.'

'Dan mogen we voortaan wel een paraplu mee naar ons werk nemen', zei Ross.

'Niks geen "we"', zei McIntyre. 'Ik word de dag voordat het begint ten hemel gevoerd. Het is iets waar jij en de andere ongelovigen voor komen te staan.'

De mannen staarden een poosje in het vuur, toen keek Dunbar over de zuidhelling naar het dal. De boomstronken gingen schuil onder de sneeuw, maar de bergen afval die na het kappen achterbleven vormden witte bulten in het landschap, als grafheuvels.

'Er zijn niet zo veel sporen als je zou verwachten.'

'De beesten zijn 'm gesmeerd naar Tennessee', zei Ross. 'Dat is de richting die wij ze uitdrijven en daar hebben ze zich maar bij neergelegd.'

'Misschien hebben ze gehoord over het nieuwe park dat daarginds komt,' zei Snipes, 'en hebben ze bedacht dat ze daar met rust gelaten worden omdat alle tweebenige schepsels er zo goed als verdreven zijn.'

'Vorige week hebben ze mijn oom van zijn land gezet', zei Dunbar. 'Ze zeiden dat het onder het onteigeningsrecht viel.'

'Wat houdt onteigeningsrecht in?' vroeg Stewart.

'Het betekent dat je vreselijk in de stront zit', zei Ross.

'Hoe heet die kluizenaar in Deep Creek ook alweer?' vroeg Dunbar. 'Die vent die al die boeken schrijft?'

'Kephart', zei Ross.

'O ja,' zei Dunbar, 'hij en die krantenman in Asheville willen dit land ook bij het park trekken. Ze hebben wat rijkelui uit Washington aan hun kant.'

'Die zullen ze nodig hebben ook', zei Ross. 'Want je kunt er donder op zeggen dat Harris en de Pembertons alle portemonnees gaan spekken, van het provinciehuis tot aan de ambtswoning van de gouverneur aan toe.'

'Sheriff McDowell is niet te koop', voerde Dunbar aan. 'Die is van het begin af aan geen hielenlikker geweest. Ik heb geholpen met de aanleg van de spoorlijn, dus ik was erbij die ochtend dat sheriff McDowell Pemberton kwam arresteren omdat hij te hard door de stad was gereden.'

'Nooit geweten dat jij daar toen getuige van was', zei Stewart. 'Heeft hij echt gedreigd hem in de boeien te slaan?'

'Nou en of', zei Dunbar. 'Hij zou Pemberton zo in zijn politiewagen hebben afgevoerd als Buchanan niet had gezegd dat hij hem wel zou komen brengen.'

'Ik heb horen vertellen dat hij Pemberton een nacht heeft laten brommen', zei Snipes.

'Niet een hele nacht', zei Dunbar. 'Nog geen uur, toen had de rechter hem alweer op vrije voeten. Maar hij heeft hem wel in de cel gestopt en er is geen ander in dit district die hem dat na zou doen.'

Het vuur begon te kwijnen, dus stonden Ross en Snipes op om nog wat hout te halen. Ze schudden de sneeuw van de dikke takken af en legden die voorzichtig kruislings op de smeulende resten. Het vuur leefde langzaam weer op, klom langs het opgetaste hout omhoog als een klimplant langs latwerk, met vlammen die zich eromheen krulden, verderkropen en terugweken tot ze eindelijk eerst één tak in hun greep hadden, en toen nog een. De mannen keken zwijgend en zonder zich te verroeren naar het oranje opbloeien totdat alle takken vlam hadden gevat. Vooral McIntyre keek aandachtig toe, alsof hij nog een profetie verwachtte.

De sneeuwvlokken begonnen almaar dikker te worden en vormden een wit laagje op Dunbars blote hoofd. Hij haalde zijn vingers door zijn haar en liet de anderen de vlokken zien die aan zijn hand plakten.

'Het zou een prima dag zijn om sporen van die poema te vinden met zo'n vers pak sneeuw', zei Dunbar.

'Als er daarboven echt nog een poema is', zei Ross. 'Het is negen jaar geleden dat iemand er een heeft afgeschoten.'

'Maar er zijn nog zat mensen die beweren dat ze hem gezien hebben', merkte Stewart op.

'Volgens de Openbaring lopen er hier op de dag des oordeels leeuwen rond', zei McIntyre, die nog altijd in de vlammen staarde. 'Of in elk geval met de kop van een leeuw. Met van onderen benen net zoals mensen als ons.'

'En hebben ze dan ook een broek aan?' vroeg Ross. 'Of gaat dat alleen op voor de hoer van Babylon?'

Stewart liep weg bij het vuur om te gaan plassen en zorgde ervoor de wind in de rug te hebben voordat hij de koperen knopen van zijn overall losmaakte.

'Kijk je wel uit, Stewart,' zei Snipes, 'anders pis je nog op Dunbar zijn hoed.'

Stewart verlegde zijn straal iets naar het oosten. Hij knoopte zijn overall dicht en ging weer zitten.

'Wat jij, Snipes?' vroeg Dunbar. 'Denk jij dat hier poema's rondlopen of zeggen ze maar wat?'

Snipes dacht even over de vraag na voordat hij iets zei.

'Menig wetenschapper zou zeggen van niet, omdat er geen onweerlegbare bewijzen zijn, zoals drollen, vacht, tanden of staart van een poema. Met andere woorden: een stukje van het dier in kwestie. Of beter nog: het beest zelf, de hele rataplan van kop tot staart, wat volgens alle geleerden het beste bewijs is dat iets bestaat, of het nou om een poema, een vogel of zelfs om een dinosaurus gaat.'

Snipes zweeg even om te peilen hoeveel zijn toehoorders ervan begrepen en concludeerde dat nadere uitleg noodzakelijk was.

'Anders gezegd: als je je teen zou stoten en een wetenschapper zou vertellen wat er gebeurd was, zou hij er geen woord van geloven tenzij hij kon zien dat die teen opgezwollen was of bloedde. Maar filosofen en theologen en meer van dat soort mensen beweren dat er op aarde dingen zijn die echt bestaan, ook al kun je ze niet zien.'

'Zoals wat?' vroeg Dunbar.

'Nou,' zei Snipes, 'liefde, om maar iets te noemen. En moed. Die kun je allebei niet zien, maar ze zijn er wel degelijk. En lucht, natuurlijk. Dat is een van de belangrijkste voorbeelden. Je zou geen minuut kunnen leven als er geen lucht was, maar geen mens die er ook maar ooit een greintje van heeft gezien.'

'En oogstmijten', droeg Stewart behulpzaam aan. 'Je ziet er nooit eentje, maar als je erin terechtkomt, heb je een week lang jeuk.'

'Jij denkt dus dat er nog steeds een poema rondloopt', zei Dunbar.

'Dat weet ik niet zeker', zei Snipes. 'Ik zeg alleen maar dat er op die aardkloot van ons meer is dan we met het blote oog kunnen zien.'

De ploegbaas zweeg even en strekte zijn handpalmen dichter naar het vuur.

'En duisternis. Die kun je net zomin zien als lucht, maar als je er middenin zit, weet je donders goed dat-ie bestaat.'

Zes

Toen het zondag aan het eind van de ochtend ophield met sneeuwen, besloten Buchanan en de Pembertons anderhalve kilometer ten zuidwesten van het kamp te gaan jagen op de twee hectare grasland, waar Galloway al een maandlang voedsel was gaan neerleggen om het wild te lokken. Wilkie, wiens enige sportieve activiteit bestond uit af en toe een spelletje poker, bleef in Waynesville. Met zijn grijze wollen pet diep over zijn rode haar getrokken laadde de jonge Vaughn proviand in de boerenwagen van Studebaker. Galloway had van een boer diens meute Plott Hounds en Redbone Coonhounds weten te lenen, die tot de beste van de streek werden gerekend. Galloway ging bij Vaughn op de geveerde bok van de wagen zitten, met tussen hen in Shakes, de bekroonde Plott Hound, en met de rest van de honden allemaal achter in de wagen bij de proviand. De Pembertons en Buchanan volgden te paard en staken Balsam Mountain over voordat ze in oostwaartse richting een V-vormige kloof inreden die door de plaatselijke bevolking een 'insluiting' werd genoemd.

'Galloway heeft maïs en appels in het grasland gelegd', zei Pemberton. 'Dat zal wel herten trekken en misschien een beer.'

'Misschien zelfs je poema,' zei Serena, 'als die achter de herten aangaat.'

'Dat hertenkarkas dat de mannen vorige week op Noland hebben gevonden', zei Buchanan tegen Galloway, 'hoe wist je dat dat beest niet door een poema te grazen was genomen?'

Galloway draaide zich om, zijn linkeroog kneep zich samen. Tegelijkertijd ging zijn mond aan de rechterkant omhoog, alsof hij een lachje van zijn gezicht wilde laten glijden.

'Omdat zijn borstkas niet was opengereten. Er zijn katachtigen die eerst de tong en de oren opeten, maar de poema niet. Die begint met het hart.'

Ze volgden de boerenwagen, die deinend en hobbelend de kloof inreed, tussen rotswanden door die gaandeweg een steeds nauwere doorgang vormden. Ze reden nu achter elkaar, en de paardenvoeten zochten zich behendig een weg over het smalle, dalende bergpad. Halverwege de helling hield Galloway de wagen stil en keek aandachtig naar een eik waarvan de onderste takken waren afgebroken.

'Er is minstens één beer in deze insluiting,' zei Galloway, 'en een flinke ook als hij een boom zo kan toetakelen.'

Algauw reden ze pal onder een klip door waar ijspegels zo groot als een speer aan hingen. Op het nauwste punt hielden Vaughn en Galloway halt en tilden de met ijzer beslagen wielen een voor een over een rotspunt, waardoor er drie jachthonden en een mand met boterhammen uit de wagen vielen. Pemberton stopte even om zijn zadelriem strakker aan te halen. Toen hij dat had gedaan, tuurde hij het pad af en zag Serena tien meter voor zich uit op de witte arabier, die zo wegviel tegen de sneeuw dat het even leek alsof ze op lucht reed. Pemberton glimlachte en wou dat er een kapploeg in de buurt was geweest om die zinsbegoocheling te zien. Sinds haar triomf over Bilded, helemaal in het begin, dichtten de mannen Serena allerlei krachten toe die soms aan het bovennatuurlijke grensden.

Eindelijk verwijdde de insluiting zich weer en kwamen ze bij een open plek waar het pad eindigde. Galloway sprong achter in de wagen en lijnde de honden aan.

'Die met die strepen in hun vacht', zei Serena. 'Wat is dat voor ras?'

'Ze heten Plott Hounds, een plaatselijke soort', legde Pemberton uit. 'Ze worden speciaal gefokt voor de jacht op everzwijnen en beren.'

'Die brede borst is indrukwekkend. Geldt dat ook voor hun moed?'

'Even indrukwekkend', zei Pemberton.

Ze pakten uit de wagen wat ze nodig hadden en trokken het

steeds dichter wordende bos in terwijl Galloway en Vaughn met de honden op een flinke afstand volgden. De Pembertons en Buchanan gingen nu te voet, met de paardenteugels in de ene hand, een geweer in de andere.

'Flink wat populieren en eiken', merkte Serena op met een knikje naar de bomen om hen heen.

'Dit hoort bij het beste bosland dat we hebben', zei Pemberton. 'Campbell heeft hier een opstand tulpenbomen gevonden waarvan de kleinste vierentwintig meter hoog is.'

Buchanan liep nu naast Pemberton.

'Dat instorten van de aandelenmarkt, Pemberton. Ik vraag me af hoe dat op de lange termijn voor ons zal uitpakken.'

'Wij zullen er beter vanaf komen dan de meeste andere bedrijven', antwoordde Pemberton. 'Het ergste voor ons is dat er minder gebouwd gaat worden.'

'Misschien wordt dat ondervangen door de behoefte aan doodskisten', zei Serena. 'Daar is kennelijk nogal wat vraag naar op Wall Street.'

Buchanan bleef even staan, greep Pembertons jas vast bij de elleboog en boog zich naar hem toe. Pemberton rook Bay Rum-aftershave en Woodbury-haarlotion, wat ervan getuigde dat voor Buchanan gecoiffeerd haar en gladde wangen onderdeel uitmaakten van de voorbereiding op de jacht.

'En wat betreft de belangstelling die de minister van Binnenlandse Zaken heeft voor ons land. Vind je dat nog steeds niet iets om in overweging te nemen?'

Serena, die een paar stappen voor hen uit liep, draaide zich om en wilde iets zeggen, maar Buchanan hief zijn hand op.

'Ik vraag de mening van uw man, mevrouw Pemberton, niet de uwe.'

Serena keek Buchanan een paar tellen strak aan. De gouden vlekjes in haar irissen leken nog meer licht te absorberen toen haar pupillen langzaam kleiner werden en zich naar binnen leken terug te trekken. Toen draaide ze zich om en liep door.

'Mijn mening is dezelfde als die van mijn vrouw', zei Pemberton. 'We verkopen niet, tenzij we een goede winst maken.'

Ze liepen nog zo'n tweehonderd meter verder voordat het land zich even verhief om vervolgens nog scherper te gaan dalen. Weldra was nu door de bomen de witte vlakte van het grasland te zien. De vorige dag had Galloway daar een zak maïs naartoe gebracht, waar een tiental herten nu kalmpjes de laatste restjes van stond op te eten. De voetstappen van de jagers werden gedempt door de verse sneeuw en geen van de herten tilde de kop op toen de Pembertons en Buchanan hun paarden vastbonden en tussen de bomen door naar de rand van het grasland liepen om hun positie in te nemen.

Ze kozen elk een hert uit en legden hun geweer aan. Toen Pemberton *nu* zei, vuurden ze. Twee herten stortten ter aarde en bleven roerloos liggen, maar dat van Buchanan stormde het kreupelhout van het bos aan de overkant in. Het viel, stond op en verdween toen dieper het bos in.

Galloway voegde zich algauw bij de Pembertons en Buchanan, terwijl de jachthonden hem alle kanten op trokken, alsof de lijnen vastzaten aan laaghangende vliegers. Eenmaal in het grasland liet Galloway eerst de aanvoerder los en toen de andere honden. De jachthonden stoven blaffend naar het bos aan de overkant, waar het gewonde hert in was verdwenen. Galloway luisterde even naar de meute voordat hij zijn aandacht op Buchanan en de Pembertons richtte.

'Deze insluiting heeft maar één uitweg. Als jullie aan weerszijden van dit grasland gaan staan met een van jullie in het midden, is er niets op vier poten dat erlangs kan.'

Galloway liet zich op een knie zakken en luisterde, met zijn linkerhand op de sneeuw alsof hij daaronder de trilling van de rennende honden in het bos kon voelen. Het gejank van de honden stierf weg en zwol toen gestaag aan.

'Hou die dure geweren van jullie maar in de aanslag', zei Galloway. 'Ze komen deze kant op.'

Tegen het eind van de middag hadden de Pembertons en Buchanan een stuk of tien herten gedood. Galloway stapelde de karkassen op in het midden van het grasland en de sneeuw kleurde rood van het bloed. Na zijn derde hert was Buchanan de jacht beu geworden en hij liet het afschieten van de laatste dieren aan de Pembertons over terwijl hij ergens ging zitten met zijn geweer rechtop naast zich tegen een boom. Rond het middaguur had het geluid geklonken van ijs dat zich van takken losmaakte en van bomen die knapten en kraakten alsof ze jicht hadden, maar nu was de temperatuur weer gedaald en was het, afgezien van het misbaar van de honden, stil in het bos.

Het schaarse zonlicht dat de grijze hemel die dag had toegelaten verdween achter Balsam Mountain toen het holle gejank van de Plotts en Redbones overging in snel geblaf. Galloway en Vaughn stonden aan de rand van het bos, niet ver van waar Pemberton met het geweer in de hand stond te wachten. Het blaffen werd voller, dringender, bijna als snikken.

'Ze hebben een beer te pakken en te oordelen naar het kabaal dat hij maakt een verdomd grote', zei Galloway met adem die wit was van de kou. 'Mamma zei al dat het een goeie jacht zou worden vandaag.'

Terwijl het blaffen van de honden steeds langer aanhield en zich verdiepte tot gebas, dacht Pemberton aan Galloways moeder, met ogen die de kleur hadden van vlagen ochtendnevel die door de arbeiders sluiers werden genoemd – louter kolkende mist in die naar binnen gerichte holten. Pemberton herinnerde zich hoe ze die ogen naar hem toe had gewend en op hem gericht had gehouden. Een truc om goedgelovigen mee te imponeren, dat wist hij, maar wel verdomd goed gedaan.

'Zorg dat jullie klaarstaan, want die beer komt eraan en als hij eenmaal in het grasland is, zal hij zijn tijd niet verbeuzelen', zei Galloway en toen draaide hij zich met een knipoog om naar Serena. 'En hij trekt zich er ook niks van aan of je een man of een vrouw bent.'

Buchanan pakte zijn geweer op en koos positie aan de linkerkant van de open plek, Serena in het midden, Pemberton rechts. Galloway ging achter Serena staan en luisterde met gesloten ogen. De honden blaften nu uitzinnig en stootten af en toe ook een hoog gejank uit wanneer de beer zich omdraaide en uithaalde naar zijn achtervolgers. Toen hoorde Pemberton de beer zelf, die door het bos denderde met de stortvloed aan honden achter zich aan.

Hij kwam het grasland op tussen Serena en Pemberton. De beer bleef even staan om de grootste Plott Hound van zijn achterpoot te slaan en scheurde met zijn klauwen de flank van de hond open. De grote Plott bleef heel even in de sneeuw liggen voordat hij opstond en opnieuw aanviel. De poot van de beer raakte de hond op dezelfde flank, alleen lager ditmaal, en de Plott tolde door de lucht. Het dier kwam meters verderop terecht en de huid op zijn rechterzij was aan veterdunne flarden gereten.

De beer stormde naar voren, recht op Pemberton af, en was nog maar twintig meter bij hem vandaan toen hij de man zag en naar links zwenkte, net op het moment dat Pemberton de trekker overhaalde. De kogel raakte hem tussen schouder en borst, genoeg om het dier opzij te doen vallen toen zijn linkervoorpoot het onder hem begaf. De honden besprongen de beer, overdekten zijn hele romp. De beer kwam op zijn achterpoten overeind en de honden kwamen mee omhoog, als pelzen die om zijn buik hingen.

Het dier viel voorover en moest zijn evenwicht hervinden voordat hij op Pemberton afstormde, wiens tweede kogel eerst het oor van een Plott schampte voordat hij in de buik van de beer binnendrong. Er was geen tijd voor een derde schot. De beer verhief zich en drukte zijn hele lijf tegen Pemberton aan, die voelde hoe hij werd opgeslokt in een enorme, zware schaduw. Het geweer glipte uit zijn hand toen de beer hem omklemde. Instinctief drukte Pemberton zich dieper in de greep van de beer, zo dicht tegen hem aan dat de klauwen van het beest niet méér konden dan over de achterkant van zijn canvas jagersjas krabben. De honden besprongen hen, vielen uit naar Pemberton en hapten naar hem alsof ze dachten dat hij nu deel van de beer was. Pemberton drukte zijn hoofd dicht tegen de borst van de beer. Hij voelde de vacht en het vlees en het borstbeen van het beest daaronder, en de versnelde hartslag en de warmte die door dat hart werd opgewekt. Hij rook de beer, de muskus van zijn vacht, het bloed dat uit zijn wonden stroomde, rook het bos zelf in de aardse geur van eikels die in zijn neus doordrong telkens wanneer de beer uitademde. Alles, zelfs het huilen van de honden, werd trager, duidelijker en intenser. Hij voelde heel het kolossale lijf van de beer toen die licht wankelde, maar zijn evenwicht hervond, voelde ook de rechtervoorpoot van de beer tegen zijn schouder slaan wanneer hij uithaalde naar de honden. De beer gromde, en Pemberton hoorde het geluid diep in zijn borst aanzwellen voordat het rommelend in zijn keel opsteeg en door zijn bek naar buiten kwam.

De Plott Hounds cirkelden springend om hen heen, klemden zich met tanden en nagels een paar tellen aan de beer vast voordat ze omlaagvielen om opnieuw te gaan cirkelen en springen, terwijl de Redbones keffend uitvielen en naar zijn poten hapten. Toen voelde Pemberton de loop van een geweer langs zijn zij, voelde de weerkaatsing toen het wapen werd afgevuurd. De beer waggelde twee stappen achteruit. Terwijl Pemberton viel, maakte hij een draai en zag hij Serena een tweede schot plaatsen, vlak boven de ogen van de beer. Het beest wankelde even en viel toen op de grond, waar hij werd overdekt door een kronkelende deken van honden.

Ook Pemberton lag op de grond, niet zeker of hij door de beer omver was geduwd of gewoon was gevallen. Hij verroerde zich niet, totdat de kant van zijn gezicht waarmee hij in de sneeuw lag gevoelloos begon te worden. Steunend op zijn onderarm tilde Pemberton zijn hoofd op. Even keek hij naar Galloway, die te midden van de schermutselende meute stond en de honden aanlijnde, zodat Vaughn ze een voor een kon wegslepen bij de beer. Pemberton hoorde knerpende voetstappen op zich afkomen. Serena knielde met een bezorgd gezicht naast hem neer terwijl ze de sneeuw van zijn wangen en schouders veegde. Na de volslagen lichamelijkheid van de omknelling van de beer, voelde hij een soort lichtheid, alsof zijn lichaam voorzichtig op heel kalm water was neergelegd.

Serena hielp hem te gaan zitten, en Pembertons hoofd tolde even, waarna er een soort versuftheid overbleef. De sneeuw was overdekt met bloed en Pemberton vroeg zich af of daar bloed van hem bij was. Serena deed hem zijn jagersjas uit en trok het wollen overhemd en het flanellen hemd omhoog. Ze streek met haar hand over zijn rug en maag voordat ze de kleren weer omlaag deed.

'Ik was ervan overtuigd dat hij je had opengereten', zei Serena terwijl ze hem hielp zijn jas weer aan te trekken.

Pemberton zag tranen opwellen in Serena's ogen. Ze draaide zich om en veegde met de mouw van haar jas over haar gezicht. Seconden verstreken voordat ze zich weer naar hem toekeerde. Toen ze dat deed, waren haar ogen droog en Pemberton vroeg zich af of hij zich de tranen in zijn verwarring maar had verbeeld.

Buchanan stond nu ook naast hen. Hij raapte Pembertons geweer op uit de sneeuw, maar leek niet te weten wat hij ermee moest doen.

'Moet ik helpen om hem op de been te krijgen?' vroeg Buchanan.

'Nee', antwoordde Serena.

'En zijn geweer?'

Serena knikte naar de plek waar haar geweer tegen een jonge judasboom stond.

'Zet daar maar neer, naast het mijne.'

Binnen enkele minuten had Galloway ook de laatste hond aan

een boom gebonden. Vaughn knielde naast de gewonde hond en streelde met één hand de kop van de Plott terwijl hij met de andere zijn wonden betastte. Galloway liep naar de beer en schopte met de neus van zijn laars tegen diens zware achterwerk om zich ervan te verzekeren dat het beest werkelijk dood was.

'Dit is een knoert van een zwarte beer', zei hij. 'Ik wed dat hij wel zo'n vijfhonderd pond weegt.'

Galloway keek van de beer naar Serena en liet zijn blik langzaam opkruipen langs haar laarzen en broek en jagersjas en ten slotte naar haar gezicht en leek zelfs toen niet alleen naar Serena te kijken, maar ook naar het bos achter haar.

'Ik heb nog nooit een vrouw een beer zien doodschieten,' zei hij, 'en ik heb maar een paar mannen gekend die het lef zouden hebben om recht op hem af te gaan zoals u deed.'

'Pemberton zou voor mij hetzelfde hebben gedaan', zei Serena.

'En dat weet u absoluut zeker?' zei Galloway met een brede grijns die zijn gezicht in tweeën spleet terwijl hij toekeek hoe Serena Pemberton overeind hielp. 'Een beer is wel even wat anders dan een zatlap als Harmon.'

Vaughn hield de gewonde Plott Hound in zijn armen. De jongen liep dichter naar de beer toe om de hond te laten zien dat hij dood was.

'Ik ken een vent in Colt Ridge die de kop van de beer voor u kan opzetten, mevrouw Pemberton,' zei Vaughn, 'of die de huid kan looien als u dat wat lijkt.'

'Nee, laat hem maar bij de herten liggen', zei Serena. Tegen Galloway zei ze: 'In het westen gebruiken ze karkassen om poema's mee te lokken. Ik neem aan dat dat hier net zo goed werkt.'

'Wie weet', zei Galloway, die Pemberton aankeek, ook al sprak hij tegen Serena. 'Zoals ik al tegen uw man heb gezegd toen die pas hier in de bergen was: als er nog steeds eentje rondloopt, dan is hij groot en slim. Het zou er makkelijk op uit kunnen draaien dat dat beest hém op het spoor komt. Als-ie hem zo dichtbij laat komen als de beer, dan krijgt-ie meer dan een aai.'

'Als je die poema weet te vinden en ervoor zorgt dat ik één schot op hem kan lossen, dan krijg je een goudstuk van twintig dollar', zei Pemberton met een vernietigende blik op Galloway voordat hij zich tot Vaughn richtte. 'Dat geldt voor iedereen die me naar het beest kan leiden.'

Ze liepen terug naar de boerenwagen en aanvaardden de terugtocht naar het kamp. Galloway reed terwijl Vaughn de gewonde hond in zijn armen hield. De roestige veren onder de bok piepten ritmisch bij het gehobbel en door de deinende beweging zag het eruit alsof Vaughn de hond in slaap wiegde. In de bak van de wagen kropen de andere honden dicht op elkaar tegen de kou. Het terrein liep omhoog en de witte uitgestrektheid achter hen maakte algauw plaats voor de dikke stammen van eiken en populieren.

Toen ze op de bergtop waren aangekomen, lieten Pemberton en Serena de anderen voorgaan. Pemberton had nog steeds een verhoogde hartslag en hij wist dat voor Serena hetzelfde gold. Het pad werd al snel niet meer dan een ruimte tussen de bomen in het laatste licht van de dag. De kou kroop door mouwen en kragen naar binnen. Ze reden dicht bij elkaar en Serena stak haar hand uit en pakte die van Pemberton vast. Hij voelde hoe koud haar hand was.

'Je had handschoenen moeten aantrekken', zei hij.

'Ik vind het lekker om de kou te voelen', zei Serena. 'Altijd al, ook als kind. Op dagen dat de houthakkers beweerden dat het te koud was om te werken, ging mijn vader met mij aan de hand door het kamp lopen. Dan schaamden ze zich zo dat ze hun keet uit kwamen en het bos ingingen.'

'Jammer dat je dáár niet eens een foto van bewaard hebt', zei Pemberton, die zich herinnerde dat hij een keer naar familiefoto's had gevraagd en zij had geantwoord dat ze samen met het huis in vlammen waren opgegaan. 'Dan zouden sommigen van onze arbeiders misschien ook eens ophouden met hun gemopper over het weer.'

Ze reden zwijgend verder tot ze de laatste helling waren overgestoken en beneden in het dal waren aangekomen. In de verte schitterden de lichten van het kamp. Het landschap was één gladde vlakte, door geen enkele boom onderbroken, en over de sneeuw lag een blauwe zweem. Pemberton constateerde dat het flauwe licht de illusie wekte dat ze een ondiepe zee overstaken.

'Ik heb genoten van hoe we samen die beer hebben gedood', zei Serena.

'Dat doden was meer jouw verdienste dan de mijne.'

'Nee, hij had al een buikschot. Ik heb hem alleen het genadeschot gegeven.'

Om hen heen kwam wat sneeuw omlaagwervelen uit een hemel die de kleur had van indigo. Het enige geluid was het knerpen van de sneeuw onder de paardenhoeven. In de stille schemering leken Pemberton en Serena een tweedimensionale ruimte te zijn binnengegaan die alleen door hen werd bewoond. Weinig anders dan wanneer ze 's nachts de liefde bedreven, besefte Pemberton.

'Jammer dat Harris vandaag niet mee kon', zei Serena.

'Hij heeft me verzekerd dat hij de volgende keer wel meegaat.'

'Heeft hij nog iets gezegd over dat gebied bij Glencoe?'

'Nee, hij heeft het er alleen maar over dat het nationale park een verspilling van belastinggeld is en dat we één front moeten vormen om dat te voorkomen.'

'Ik neem aan dat hij met "wij" ook onze compagnons bedoelt.'

'Ze hebben evenveel te verliezen als jij en ik.'

'Het zijn bange mannetjes, vooral Buchanan', zei Serena. 'Bij Wilkie is het een kwestie van ouderdom, maar bij Buchanan zit het in zijn aard. Hoe eerder jij en ik van die twee af zijn, hoe beter.'

'Toch hebben we compagnons nodig.'

'Dan liever mannen zoals Harris en, zodra het kan, compagnonschappen waarin wij een meerderheidsbelang hebben', zei Serena terwijl ze tussen de met sneeuw bedekte stronken door reden. 'Ik ga een privédetective inschakelen om erachter te komen hoe het in Tennessee nou werkelijk zit met dat park. En dan laat ik hem meteen ook die Kephart natrekken. Eens zien of hij net zo'n voorbeeldige burger is als John Muir.'

Het bos beschermde hen niet langer tegen de wind, en de koude lucht drong naar binnen door de scheuren die de beer in de jas had gemaakt. Pemberton stelde zich voor hoe Serena in het kamp van haar vader de arbeiders uit bed had weten te krijgen op dagen nog kouder dan deze.

'Wat je tegen Galloway zei is waar', zei Pemberton toen ze het kamp binnenreden. 'Als die beer jou had aangevallen in plaats van mij, zou ik hetzelfde hebben gedaan.'

'Dat weet ik', zei Serena, terwijl ze Pembertons hand nog steviger omklemde. 'Dat weet ik al sinds de avond dat we elkaar hebben leren kennen.'

Zeven

Toen Rachel naar de stal ging om een jutezak voor de ginseng te halen, moest ze voor de derde achtereenvolgende ochtend constateren dat de twee bantammers en de Rhode Island Reds niet op warme eieren zaten. Een vos, een wezel of een hond zou ook de kippen hebben gedood, wist ze, dus waarschijnlijk had er zich een buidelrat, een wasbeer of misschien een geelbuikslang te goed aan gedaan voor de winter. Rachel pakte de jutezak en liep de stal uit. Ze overwoog even om er meteen wat aan te doen, nu de vishengel te pakken en op zoek te gaan naar een parelhoenei. Hoewel de lucht blauw was als de vleugels van een Vlaamse gaai en het de hele week nog niet zo warm was geweest, kringelde de rook uit de schoorsteen omlaag, wat duidde op een weersomslag, misschien vanmiddag al. Als er nog meer sneeuw viel, zou de ginseng vrijwel onvindbaar worden, wat ze niet kon riskeren, en daarom haalde Rachel het houweel uit het schuurtje en liet ze de hengel staan. Nog een klusje voor straks als ik weer terug ben, dacht ze.

Ze pakte Jacob lekker warm in en stak met hem een weiland over, afgezet met prikkeldraad dat geen functie meer had, omdat het weiland voor het eerst in haar leven leegstond. Rachel zag dat de bomen waar ze naartoe liep nu in hun volle herfstpracht stonden, hun bladerdak even fel en bontgekleurd als een glazen pot met knopen. Weldra ging het land glooiend over in de noordhelling van Colt Ridge. Ze kwamen bij een opstand van zilverberken en dennen, waar Rachel doorheenliep zonder haar pas te vertragen. In de verte, vanuit de richting van Waynesville, hoorde ze een stoomfluit en ze vroeg zich af of het de trein van het houtbedrijf was. Ze dacht aan Bonny en Rebecca, de twee meisjes met wie ze in de keuken had gewerkt, en hoe ze hun aanwezigheid miste. En ook aan hoe ze Joel Vaughn miste, die soms wel een wijsneus was, maar die altijd aardig tegen haar was geweest, niet alleen in het kamp, maar ook als kind op Colt Ridge, toen ze samen op de lagere school hadden gezeten. In de zesde klas had ze zelfs een valentijnskaart van hem gekregen. Toen haar buik zich begon af te tekenen en de andere mensen in het kamp haar waren gaan mijden, had Joel daar niet aan meegedaan, herinnerde ze zich nog.

Het terrein werd veel steiler en het afnemende licht viel in banen over de helling, alsof het met een schaar in repen was geknipt, die met de bergkam waren vervlochten. De naaldbomen ruimden algauw het veld voor populieren en hickory's. Rachel zag een toverhazelaar en hield even halt om er wat blad af te plukken, waarvan de prikkelende geur herinneringen wakker riep aan borstbalsem en aan dagen die ze ziek in bed had doorgebracht. Mos had de granieten rotsen van een donkere, fluwelig groene laag voorzien. Ze liep nu langzaam en speurde niet alleen naar viertandige, gele blaadjes, maar ook naar bloedwortel, kaneelvaren en andere planten die plekken markeerden waar ginseng groeide, zoals haar vader haar had geleerd.

Eerst vond Rachel de bloedwortel, onder een schaduwrijke, overhangende rots waar water uit een bron langs omlaagsijpelde. Ze trok de planten voorzichtig uit de grond en stopte ze in haar jutezak. Toen ze per ongeluk een stengel brak, kleurde het sap, dat als versterkend middel werd gebruikt, haar vingers rood. In een boom hoger op de bergkam begon een eekhoorn te kwetteren, die algauw antwoord kreeg.

Rachel stapte behoedzaam over de drassige grond. Een oranje salamander schoot onder een laag doorweekt eikenblad vandaan. Ze herinnerde zich dat haar vader haar eens had verteld dat je salamanders in een bron met rust moest laten omdat ze het water zuiver hielden. Aan de andere kant van de overhangende rots vond ze nog meer bloedwortel en een dichte massa kaneelvarens. De varens voelden als pauwenveren toen ze erdoorheen liep. Ze streken fluisterend langs haar jurk, een geluid dat Jacob leek te sussen, want zijn ogen vielen dicht.

Toen ze een volgend stuk loofbos in liep, was daar ineens de ginseng, met zijn gele blad dat glinsterend afstak tegen de schemerige stammen. Jacob sliep nu, dus legde ze hem op de grond en trok het dekentje een beetje los om een deel van de stof te kunnen terugslaan als kussentje voor onder zijn hoofd. Rachel groef op zo'n twee handbreedtes van de plant rondom de aarde weg om te voorkomen dat ze de wortel zou doorsnijden. Toen sjorde ze haar jurk op tot boven haar knieën en knielde bij de plant. Ze hield het houweel vlak bij zijn arm vast om de aarde rond de stengel weg te schrapen en trok voorzichtig een bleke wortel omhoog die eruitzag als een geaderde peen. Ze haalde de bessen van de ginsengplanten af en legde die in de verbrokkelde aarde, dekte ze af en ging verder naar de volgende plant.

Ze bleven in het bos tot er zich donkere wolken begonnen samen te pakken boven de bergkam. Toen had ze alle ginseng die er groeide al bijeengezocht en ook de andere planten verzameld die ze hebben wilde. Toen ze met Jacob het bos uit liep, had Rachel al last van haar rug en ze wist dat de pijn de volgende ochtend nog erger zou zijn. Maar de jutezak was voor een kwart gevuld, minstens twee pond wortels die ze aan meneer Scott zou verkopen nadat ze een maand in de schuur te drogen hadden gelegen. Jacob was nu klaarwakker en probeerde zich los te wurmen uit het dekentje, wat het lastiger maakte om met haar linkerhand de zak en het houweel vast te houden.

'Het is nu niet ver meer', zei ze, net zo goed tegen zichzelf als tegen het kind. 'We zetten het houweel in het schuurtje en gaan de weduwe de bloedwortel brengen.'

Toen ze het weiland in liep, hoorde Rachel ergens diep in het bos honden blaffen, en ze vroeg zich af of het dezelfde waren die ze bij het kerkhof had gezien. Ze ging sneller lopen, omdat haar een verhaal te binnen schoot over wilde honden die een kind hadden meegenomen dat aan de rand van een akker was neergelegd. Het kind was nooit teruggevonden, alleen de bebloede restanten van zijn dekentje. Rachel hield de bosrand scherp in de gaten totdat ze met Jacob het weiland was overgestoken. Ze zette het houweel tegen het schuurtje en toen liep ze door naar het huisje van de weduwe.

'Ik heb wat bloedwortel voor u meegebracht,' zei Rachel, 'omdat u gisteren op Jacob hebt gepast.'

'Dat is lief van je', zei weduwe Jenkins, die de handvol plantjes aanpakte en in de gootsteen legde.

'Ik heb ook toverhazelaar als u wilt.'

'Nee, aan toverhazelaar gelukkig geen gebrek', zei de oude vrouw. 'Heb je veel ginseng uitgegraven?'

Rachel hield de zak open en liet haar de wortels zien.

'Hoeveel denkt u dat het na het drogen opbrengt?'

'Ik denk dat Scott je er tien dollar voor geeft', zei weduwe Jenkins. 'Misschien twaalf als hij geen last heeft van zijn spit.'

'Ik had gedacht dat het meer zou opleveren', zei Rachel.

'Voordat de aandelenmarkt in het noorden instortte misschien wel, maar contant geld is tegenwoordig net zo schaars als ginseng.'

Rachel staarde even in de open haard. De weduwe legde altijd wat appelhout op het vuur, niet zozeer omdat het goed brandde, maar vanwege de roze kleur die het afgaf. Een vuur met appelhout is net zo mooi om naar te kijken als een schilderij, beweerde de weduwe. Jacob woog zwaar in Rachels armen en ze vergeleek zijn gewicht met de jutezak, die zo licht als een veertje was. Ze had het tot nu toe eigenlijk nauwelijks gemerkt, maar nu voelde ze ineens hoe moe ze was van het gezeul met het kind over het weiland en de bergkam. Ze legde Jacob op de grond.

'Daarmee kunnen we het amper tot het voorjaar uitzingen', zei Rachel. 'Als ik Jacob heb gespeend, zal ik weer in het kamp moeten gaan werken.'

'Dat moest je maar liever niet doen', zei weduwe Jenkins. 'Het zint me al niks dat je daar zondags naar de kerk gaat.'

'Ik heb de koe, het paard en het zadel verkocht,' zei Rachel, 'en nu gaat een of ander ongedierte ook nog met mijn eieren aan de haal. Er zit niets anders op.'

'Hoezo denk je dat je daar weer aan de slag kunt terwijl er voor elk baantje in dat kamp mensen in de rij staan?'

'In de tijd dat ik er was, heb ik mijn werk goed gedaan', zei Rachel. 'Dat zullen ze zich heus nog wel nog herinneren.'

Weduwe Jenkins bukte zich en kreunde zacht toen ze Jacob van de grond tilde. Ze ging in de stoel met de biezen rugleuning zitten die ze bij de haard had staan en zette het kind op haar schoot. De gloed van het vuur weerspiegelde zich als trillende rozenblaadjes in de brilleglazen van de oude vrouw.

'Je denkt dat die man jou en dit kleintje wel uit de nood zal helpen', zei weduwe Jenkins op zachte, vlakke toon, zodat het niet als een vraag of een mening klonk, maar als iets wat simpelweg de waarheid was.

'Zelfs al zou ik dat denken, dan nog heeft dat niks te maken met teruggaan naar het kamp', zei Rachel. 'Ik heb geld nodig om van te leven. Dat kamp is de enige plek die ik weet waar misschien werk voor me is.'

Weduwe Jenkins slaakte een zucht en trok Jacob wat dichter naar zich toe. Ze staarde in het vuur, haar gebarsten lippen stevig op elkaar geknepen toen ze nauwelijks merkbaar knikte.

'Dus u wilt voor Jacob zorgen als ze me aannemen?' vroeg Rachel. Toen zweeg ze even. 'Als u het niet doet, zoek ik wel iemand anders.'

'Ik heb jou helpen grootbrengen, dus kan ik ook helpen met deze hier,' zei weduwe Jenkins, 'maar alleen als je wacht tot dit jochie een jaar is. Dan kun je hem fatsoenlijk spenen. En ik wil er ook geen geld voor hebben.'

'Ik zou me bezwaard voelen als u er niets voor aannam', zei Rachel.

'Dat zien we wel weer als het ervan komt. Misschien sta je er tegen die tijd wel beter voor.'

Weduwe Jenkins liet Jacob paardjerijden op haar knieën. Het

kind kraaide van plezier en spreidde zijn armpjes alsof hij zijn evenwicht probeerde te bewaren.

'En mocht het ervan komen, dan zal dit jochie me niet tot last zijn', zei weduwe Jenkins. 'Hij en ik kunnen het prima met elkaar vinden.'

Toen Rachel thuiskwam, spreidde ze de ginseng uit op de jutezak om te drogen. De kraaien waren neergestreken in de bomen en de eekhoorns hadden zich diep teruggetrokken in hun nesten. Het bos lag er stil en aandachtig bij; de bomen leken zich naar elkaar toe te buigen, alsof ze niet alleen wachtten op de regen, maar ook op een verhaal dat verteld zou gaan worden.

'We moesten maar eens op zoek gaan naar dat parelhoenei voordat het gaat regenen', zei ze tegen Jacob. 'Dan kunnen we meteen even een kijkje nemen bij de bijen.'

Voordat ze het bos achter het huis in liepen, gingen ze eerst even naar de witte bijenkast die aan de bosrand stond. Anders dan bij warm weer moest Rachel zich er dicht naartoe buigen om de bijen te horen, hun dicht opeengepakte gekrioel zacht als een zoele wind. De verf van de bijenkast was aan het afbladderen en vaal aan het worden, en daar moest ze voor de lente iets aan doen, want de witte kleur had op de bijen bijna net zo'n kalmerende werking als rook.

Je moet de bijen vertellen dat hij dood is. Als je dat nalaat, gaan ze weg, had weduwe Jenkins tegen Rachel gezegd op de dag dat haar vader was begraven. Dat was bijgeloof van oude mensen, en hoewel Rachel niet zeker wist of het waar was, had ze het toch maar gedaan. Ze had haar stemmige rouwkleren uitgedaan en een oude linnen jurk aangetrokken en was toen naar de schuur gegaan om de gazen kap te pakken. Die was ook wit en van mousseline. Toen ze naar de kast toe liep, waren vrijwel alle bijen al teruggekeerd voor de avond en vlogen er nog maar een paar af en aan. Ze herinnerde zich dat ze de bovenklep voorzichtig had geopend, en vooral ook hoe fris en schoon het had geroken, als mos op de oever van een beek. Ze had de bijen rustig toegesproken, haar stem aangepast aan hun eigen geroezemoes. Toen ze naderhand in de late junischemering was teruggelopen naar het huis, bedacht Rachel dat iemand die haar van een afstand zag haar gemakkelijk voor een bruid zou kunnen houden. Ze bedacht ook dat zij zich hetzelfde had kunnen verbeelden als het geen afstand in ruimte, maar in tijd was geweest, en ze werd teruggevoerd naar de wintermiddagen die ze in Pembertons bed had doorgebracht.

Jacob begon te jengelen, en Rachel voelde de eerste druppels van een koude motregen.

'We moeten dat ei zien te vinden', zei ze tegen het kind.

Het duurde een paar minuten, omdat parelhoenders hun eieren goed wisten te verstoppen, maar Rachel vond er ten slotte een tussen verdorde kamperfoelieranken. Rachel trok het dekentje over Jacobs hoofd omdat de miezer overging in regen, vermengd met ijzel, die in haar gezicht prikte. Ze liep de stal in en legde Jacob op een bedje van bijeengeraapt stro. Het fluistergeluid van de fijne regen op het zinken dak gaf de stal iets gezelligs, alsof hij zijn brede balkenschouders behaaglijk had opgetrokken.

Rachel ging naar het schuurtje, maakte de haak en de lijn los van de hengel en keerde terug naar de stal. Met de punt van de vishaak prikte ze een gaatje in het ei en loodste toen het weerhaakje en de schacht tot in de dooier, zodat er geen metaal meer zichtbaar was. Rachel legde het ei voorzichtig op het stro en bond de twee meter vislijn vast aan de kop van een spijker. Al die moeite omdat ze zo op de bestaansrand leefde dat ze elke cent moest omdraaien, dacht Rachel verbitterd. Haar vader en zij hadden wel eerder moeilijke tijden meegemaakt. Toen Rachel zeven was, hadden ze een melkkoe verloren die kersenbladeren had gegeten, en op haar twaalfde was de maïsoogst verwoest door een hagelstorm. Maar zelfs in de schraalste tijden had er altijd nog wel een paar dollar gezeten in de koffiepot die op de bovenste plank van de voorraadkast stond, en had er altijd nog een koe of een paard in de wei gestaan die kon worden verkocht.

Verkoop het, je kunt er een goede prijs voor maken, had mevrouw Pemberton gezegd toen ze Rachel het jachtmes had gegeven. En dat zou ook best, misschien zelfs net zo veel als voor de ginseng, maar Rachel kon zich er niet toe zetten om het dringende advies van mevrouw Pemberton op te volgen. Ze verkocht nog liever haar schoenen dan het mes uit de opbergkist te halen en te verkopen. Weduwe Jenkins zou zeggen dat Rachel er gewoon te trots voor was, en daar zou dominee Bolick het misschien wel mee eens zijn, maar in de afgelopen maanden was haar zo veel trots ontnomen dat ze dacht dat God het haar niet kwalijk zou nemen als ze nog een klein beetje behield.

De volgende ochtend trof Rachel in een hoekje van de stal een in elkaar gedoken wasbeer aan, zijn bek scheefgetrokken door de vislijn. Hij hijgde, en zijn roze tongetje hing uit zijn bek. De wasbeer draaide zijn kop niet om toen ze de staldeur opendeed. Alleen de zwartomrande ogen bewogen. Het waren echter niet de ogen, maar de voorpoten die haar deden aarzelen. Ze zagen eruit als handjes die door brand waren verschrompeld en zwartgeblakerd, maar toch deden ze menselijk aan. Een jaar geleden zou haar vader dit hebben gedaan, hebben gedaan wat hij deed wanneer er een grote valse hond op het erf was gekomen en een haan had doodgebeten, hebben gedaan wat hij deed wanneer een hengstveulen bij de geboorte kreupel bleek te zijn. Wat je moest doen op een boerderij.

Als je hem laat gaan, komt hij terug, hield Rachel zichzelf voor, en hij zal zich niet nog eens laten vangen, want een wasbeer is te slim om zich twee keer voor de gek te laten houden. Dan kijkt hij wel uit voor die lijn en die haak en zal hij dat ene ei laten liggen, maar wel alle andere eieren in de schuur pakken. Ik heb niet eens de keus. Dat geldt tegenwoordig voor vrijwel alles, dacht Rachel. In het begin kon je één keer kiezen, maar als je zoals zij de verkeerde keus had gemaakt, viel er al snel niet veel meer te kiezen. Alsof je door een rivier waadt, dacht ze. Als je een misstap doet en je voet op een wankele steen zet, of in een gat trapt en wordt meegesleurd door de stroming, kun je alleen nog maar proberen te overleven.

Zo zou het niet moeten zijn, dacht Rachel en ze wist dat het voor sommige mensen inderdaad anders was. Die konden een verkeerde keus maken en daar even weinig last van hebben als een koe van een vlieg die ze met één zwiep van haar staart kon verjagen. Dat deugde ook niet. Haar woede maakte het haar gemakkelijker om naar het schuurtje te gaan en de bijl te halen.

Toen Rachel de stal binnenstapte, verroerde de wasbeer zich niet. Ze herinnerde zich dat haar vader had verteld dat de schedel van een rode lynx zo dun was dat je hem met je handen kon verbrijzelen. Ze vroeg zich af of dat ook opging voor de schedel van een wasbeer. Ze probeerde te bedenken of ze beter de scherpe of de stompe kant van de bijl kon gebruiken. Rachel tilde de bijl een eindje van de grond en realiseerde zich dat de lijn kapot kon gaan als ze missloeg met de scherpe kant.

Ze draaide de steel om zodat ze met de stompe kant zou slaan. Ze mikte, haalde uit en hoorde gekraak. De wasbeer sidderde even en verstilde toen. Rachel knielde en peuterde de vishaak los uit de bek van de wasbeer. Ze bekeek zijn vacht en wist dat ze die aan meneer Scott had kunnen verkopen als de wasbeer een paar maanden later was gekomen en zijn pels door het koude weer dik genoeg was geworden. Ze pakte de wasbeer op bij zijn staart, liep ermee naar buiten en slingerde hem het bos in.

Acht

De arend arriveerde in december. Serena had de stationschef laten weten dat hij onderweg was en bij aankomst onmiddellijk naar het kamp moest worden gebracht, en zo gebeurde het ook: het bijna twee meter hoge houten krat werd met zijn bewoner op een platte wagon gezet met twee jongens erbij om toezicht te houden, en toen reed de trein vanuit Waynesville langzaam de helling op alsof hij een bezoekende hoogwaardigheidsbekleder aan boord had.

Twee kleine leren tassen reisden met de arend mee. In de ene zat een dikke handschoen van geitenleer die de onderarm van de pols tot de elleboog bedekte, in de andere zaten de leren huif, de riempjes, de dralen en de langveter, dat alles, plus een enkel vel geschept papier met daarop wellicht instructies of een rekening, of misschien zelfs een waarschuwing, maar geschreven in een taal die de stationschef nooit eerder had gezien, al vermoedde hij dat het Comanche was. De conducteur van de trein waarmee de vogel naar Waynesville was gekomen, was het niet met hem eens en vertelde over de vreemde man die de vogel vanuit Charleston naar Asheville had begeleid. Zijn haar zo zwart als kraaienveren en gehuld in een gewaad, zó felblauw dat het je pijn aan de ogen deed als je er lang naar keek, vertelde de conducteur aan de mannen op het station, en met een spitse pelshoed op. En bovendien met een zwaard aan zijn riem haast even groot als hijzelf, zodat je wel twee keer nadacht voordat je de draak stak met de jurk die hij aanhad. Nee meneertje, verklaarde de conducteur, dat was niet een van ónze Indianen.

De komst van de vogel gaf meteen aanleiding tot allerlei giswerk en geruchten, vooral bij Snipes en zijn kapploeg. De mannen waren de kantine uit gekomen om te kijken hoe de twee jongens hun vracht van de wagon tilden en hem plechtig en ceremonieel naar de stal droegen. Dunbar dacht dat het beest als boodschapper gebruikt zou worden, ongeveer zoals een postduif. McIntyre citeerde een vers uit de Openbaring, terwijl Stewart opperde dat de Pembertons wellicht van plan waren de vogel vet te mesten en op te eten. Ross suggereerde dat de arend hierheen was gehaald om de ogen uit te pikken van arbeiders die onder het werk een uiltje knapten. Geheel tegen zijn aard in waagde Snipes zich niet aan een theorie over waar het beest toe diende, al hield hij wel een uitgebreide verhandeling over de vraag of mensen zouden kunnen vliegen als ze veren aan hun armen hadden.

Serena liet de arend door de jongens naar de achterste paardenbox brengen, waar Campbell van hout, staal en sisaltouw een zitblok had gemaakt. Daarna stuurde Serena de twee jongens weg. Ze liepen zij aan zij de paardenstal uit en zorgden ervoor dat ze gelijke tred hielden. Ze stapten fier terug naar de gereedstaande trein en klommen op de platte wagon, waar ze met gekruiste benen en een uitdrukkingsloos gezicht gingen zitten, als twee boeddha's. Er verzamelden zich verscheidene arbeiders rond de wagon met vragen over de arend en waar hij toe diende. De jongemannen zwegen en trokken zich niets aan van alle verwensingen die daarop volgden. Pas toen de wielen onder hen begonnen te draaien, keken ze met een laatdunkend lachje naar de mindere stervelingen aan wie de taak om iets bijzonders en zeldzaams te bewaken nooit zou worden toevertrouwd.

Serena en Pemberton bleven in de paardenstal en observeerden de arend vanachter het hek van de box. De kop van de vogel was bedekt met de leren huif, en zijn enorme gele klauwen omklemden het zitblok in het krat, terwijl hij zijn vleugels met een spanwijdte van één meter tachtig dicht tegen zijn lichaam gedrukt hield. Roerloos. Maar Pemberton was zich bewust van de kracht van de arend, als bij een samengeperste smeedijzeren veer, vooral in de klauwen, die diep in het touw van het zitblok waren geslagen.

'Die klauwen zien er behoorlijk intimiderend uit,' merkte Pemberton op, 'vooral die lange achter aan zijn poten.'

'Dat zijn de aasnagels', zei Serena. 'Die zijn zo sterk dat ze een menselijke schedel kunnen doorboren of, wat vaker voorkomt, de botten van een onderarm.'

Serena verloor de arend geen moment uit het oog toen ze haar hand uitstak en die van Pemberton vastpakte, maar zelfs in het schemerige licht van de stal zag hij de diepe concentratie in haar blik. Serena had haar smalle wenkbrauwen opgetrokken alsof ze zich niets van de arend wilde laten ontgaan.

'Dit is wat we willen', zei ze met een stem die dieper klonk dan gewoonlijk, omdat ze haar anders zo ingehouden emoties volledig de vrije loop liet. 'Altijd zo te zijn als nu. Geen verleden of toekomst, puur genoeg om volledig in het heden te leven.'

Serena's schouders huiverden alsof ze een mantel wilde afschudden die haar ongevraagd was omgehangen. Toen haar gezicht weer de uitdrukking van weloverwogen onverstoorbaarheid aannam, vloeide de intensiteit niet weg uit haar lichaam, maar verspreidde zich slechts. Ze zwegen een poos, totdat in de voorste box de arabier zich begon te roeren en met zijn hoef stampte.

'Herinner me eraan dat ik Vaughn opdraag om de arabier in de box hiernaast te zetten', zei Serena. 'De vogel moet aan het paard wennen.'

'Als je de arend gaat africhten,' vroeg Pemberton, 'honger je hem eerst uit, en dan?'

'Dan wordt hij zo zwak dat hij voedsel zal aannemen uit mijn handschoen. Maar het gaat om het moment dat hij buigt en zijn nek blootgeeft.'

'Waarom?' vroeg Pemberton. 'Kun je daaraan zien dat de vogel zich heeft overgeleverd?'

'Nee, dan is hij op zijn kwetsbaarst. Het betekent dat hij me volledig vertrouwt.'

'Hoe lang gaat dat duren?'

'Een dag of twee, drie.'

'Wanneer begin je ermee?' vroeg Pemberton.

'Vanavond.'

Serena sliep de hele middag en at die avond zo veel dat haar maag zichtbaar opzwol. Daarna stuurde ze Vaughn naar de kampwinkel en hij kwam terug met een po en een emmer water. Toen Pemberton vroeg hoe het zat met voedsel of dekens, zei Serena dat ze pas weer ging eten of slapen als de arend dat ook deed.

Twee nachten en een dag bleef Serena in de paardenstal. Aan het eind van de ochtend van de tweede dag kwam ze naar het kantoor. Ze had donkere wallen onder haar ogen en haar warrige haar zat vol strootjes.

'Kom eens kijken', zei ze tegen Pemberton, en ze liepen naar de paardenstal, de zware oogleden van Serena's grijze ogen samengeknepen tegen het onwennige licht. Er was de vorige dag een dik pak sneeuw gevallen, en Serena gleed uit en zou zijn gevallen als Pemberton haar niet bij de arm had gegrepen en overeind had gehouden.

'We zouden naar huis moeten gaan', zei Pemberton. 'Je bent uitgeput.'

'Nee', zei Serena. 'Eerst moet je dit zien.'

In het westen pakten de grijze wolken zich samen, maar recht voor hen aan de hemel overheerste de zon, die de sneeuw zo oogverblindend deed schitteren dat het daglicht wegviel alsof het werd afgekapt toen Serena en Pemberton de stal binnenliepen. Pemberton hield Serena nog steeds bij de elleboog, maar het waren eerder haar ogen dan de zijne die hen over de aarden vloer van de stal naar de achterste box voerden. Toen Serena het hek van de box opendeed, maakte de gestalte van de arend zich langzaam los uit de minder dichte duisternis. De vogel leek niet eens te ademen totdat hij Serena's stem hoorde. Toen draaide zijn gehuifde kop zich razendsnel in haar richting. Serena stapte de box in om hem de huif af te doen, legde een stuk rood vlees op haar handschoen en strekte haar arm uit. De arend stapte op Serena's onderarm en klemde zich aan het geitenleer vast toen hij zijn kop boog om het vlees dat tussen zijn klauwen lag te verscheuren en door te slikken. Terwijl hij at, streelde Serena de nek van de roofvogel met haar wijsvinger.

'Hij is zo mooi', zei ze, met haar blik op de arend gericht. 'Geen wonder dat hij zich niet kan beperken tot de aarde alleen, maar ook de lucht nodig heeft.'

Serena's dromerig verwonderde toon was voor Pemberton net zo verwarrend als haar zwakte. Hij zei opnieuw dat ze naar huis moesten gaan, maar ze leek hem niet te horen. Serena gaf de vogel het laatste stuk vlees en zette hem terug op het zitblok. Haar handen trilden toen ze de huif weer over zijn kop trok. Ze bleef even staan, draaide zich om en keek Pemberton recht aan, haar grijze ogen glazig als knikkers.

'Ik heb je nooit verteld hoe het was om naar ons huis terug te gaan nadat het was afgebrand', zei Serena. 'Ik was pas drie dagen uit het ziekenhuis. Ik had mijn vaders voorman, de man bij wie ik zolang logeerde, opgedragen om het huis in de as te leggen met alles erop en eraan, alles. Daar voelde hij helemaal niets voor, en ook al zei hij dat hij het gedaan had, ik wilde me er toch zelf van overtuigen. Dat had hij voorzien en daarom had hij mijn laarzen en kleren verstopt, maar toen hij weg was, ben ik er met een van zijn paarden toch opuit getrokken, met enkel een peignoir en een jas aan. Het huis was afgebrand, tot op de grond. De as was nog warm toen ik eroverheen liep. Toen ik het paard weer besteeg, keek ik omlaag naar mijn voetafdrukken. Die waren eerst zwart en toen grijs en toen wit, werden bij elke stap lichter, minder zichtbaar. Het zag eruit alsof er iets door de sneeuw had gelopen en langzaam was opgestegen. Heel even had ik niet het gevoel dat ik op het paard zat, maar eigenlijk ...'

'We gaan naar huis', zei Pemberton en hij deed een stap naar voren, de box in.

'Ik heb niet geslapen toen ik bij de arend was', zei Serena, zowel tegen zichzelf als tegen Pemberton. 'Ik heb niet gedroomd.'

Pemberton pakte haar hand vast en voelde hoe slap die was, alsof ze met het voeren van de arend haar laatste krachten had verbruikt.

'Alles wat we ooit nodig zullen hebben, vinden we in elkaar', zei Serena met een stem die nauwelijks meer was dan een fluistering. 'Zelfs als we ons kind krijgen, zal dat alleen belichamen wat wij al zijn.'

'Het wordt tijd dat jij iets eet', zei Pemberton.

'Ik heb geen honger meer. De tweede dag wel, maar daarna ...'

Serena raakte de draad kwijt. Ze keek om zich heen alsof haar gedachte misschien naar een van de hoeken van de box was gezweefd.

'Kom mee', zei Pemberton en hij nam haar bij de hand.

Vaughn stond bij de kantine; Pemberton wenkte hem en droeg de jongen op om in de keuken eten en koffie te gaan halen. Ze liepen langzaam naar het huis. Vaughn kwam algauw terug met een zilveren schaal, die gewoonlijk werd gebruikt om ham of kalkoen op te leggen. Hij was afgeladen met dikke plakken rundvlees en wildbraad, snijbonen, pompoen en met boter doordrenkte zoete aardappels. Scones en een schaaltje honing. Een pot koffie en twee bekers. Pemberton leidde Serena naar de keukentafel, legde het bestek klaar en zette de schaal voor haar neer. Serena staarde naar het eten alsof ze niet goed wist wat ze ermee aan moest. Pemberton pakte mes en vork en sneed een klein stukje rundvlees af. Hij vouwde zijn hand om de hare.

'Hier', zei hij en hij hield haar een vork met vlees voor.

Ze kauwde zorgvuldig terwijl Pemberton de koffie inschonk. Hij sneed nog een paar stukjes rundvlees voor haar af en bracht de tinnen beker naar haar mond, zodat ze een slokje kon nemen en de intense warmte zich door haar binnenste kon verspreiden. Serena deed geen poging om te praten, alsof ze al haar aandacht nodig had om te kauwen en te slikken.

Na het eten liet Pemberton het bad voor Serena vollopen en hielp haar bij het uitkleden. Toen hij haar in het bad liet stappen, voelde hij de voren tussen haar ribben, de uitstekende heupen en de ingevallen maag. Hij ging op de rand van het bad zitten om Serena's huid met zeep en een waslap van de stank van mest en vee te ontdoen. Met zijn dikke vingertoppen zeepte hij haar warrige haar in en had al snel zo veel schuim dat het leek of hij witte handschoenen aanhad. Op de wastafel stond een zilveren waskom met een kan, een huwelijkscadeau van de Buchanans. Met water uit de kan spoelde hij Serena's haar uit. Er dreven gele flintertjes stro op het troebele wateroppervlak. Buiten was de zon verdwenen en was het gaan ijzelen. Pemberton hielp Serena uit de porseleinen badkuip, droogde haar met een handdoek af en hielp haar in haar peignoir. Ze liep op eigen kracht naar de achterkamer, ging liggen en viel binnen de kortste keren in slaap. Pemberton ging in de stoel naast het bed naar haar zitten kijken. Hij luisterde naar het tikken van de ijzel op het zinken dak, zacht maar aanhoudend, alsof er iets naar binnen wilde.

Negen

Toen ze allebei ziek werden, dacht Rachel dat ze misschien tijdens de kerkdienst in het kamp iets hadden opgelopen, omdat het op een dinsdag was dat Jacob voor het eerst brandende koorts had. Hij jengelde en het zweet stond hem op het voorhoofd. Rachel zelf was er weinig beter aan toe: haar haar en jurk drijfnat van de koorts, de wereld volledig uit het lood en draaiend als een bromtol. Ze legde koude kompressen op het voorhoofd van het kind en voerde hem gestremde zure melk. Ze wikkelde een ui in nat krantenpapier en legde hem in de sintels om te stoven, waarna ze het uiensap met wat suiker vermengde en met een lepeltje opvoerde aan Jacob. Ze gebruikte ook toverhazelaar in de hoop in elk geval zijn longen vrij te maken van slijm. Rachel herinnerde zich dat haar vader altijd zei dat koorts op de derde avond over zijn hoogtepunt heen was. Je moet het gewoon uitzieken, hield ze zichzelf voor. Maar toen de middag van de derde dag ten einde liep, rilden ze allebei alsof ze aan schudverlamming leden. Ze legde nog een houtblok op het vuur, maakte een geïmproviseerd bed voor de haard en ging daar met Jacob liggen wachten tot de avond viel. Toen het laatste daglicht amberkleurig wegstierf in de schemering, sliepen ze.

Het was pikkedonker toen Rachel rillend wakker werd, hoewel haar katoenen jurk kletsnat was van het zweet. Ze verschoonde Jacob en maakte een flesje melk warm, maar zijn eetlust was zo gering dat hij weinig meer deed dan op de rubberspeen kauwen. Rachel legde haar hand tegen zijn voorhoofd, dat nog even verhit aanvoelde als eerst. Als de koorts niet snel wijkt, moet ik met hem naar de dokter, zei ze hardop. Het vuur was bijna uit en ze legde een groot blok wit eikenhout op het haardrooster, met aanmaakhoutjes eromheen om er zeker van te zijn dat het blok vlam zou vatten. Met de pook rakelde ze het smeulende vuur eronder op, zodat de vonken de schoorsteen in vlogen als een zwerm vuurvliegjes.

Het aanmaakhout vatte eindelijk vlam en de kamer werd langzaam zichtbaar. Op de muren van het huisje dreven schaduwen uit elkaar en kwamen weer bijeen. Rachel zag er vormen in, eerst maïsstengels en bomen, toen vogelverschrikkers en ten slotte deinende menselijke gedaantes, die geleidelijk vastere vorm aannamen. Rillend en zwetend ging ze weer bij Jacob op het bed voor de haard liggen en sliep verder.

Toen Rachel wakker werd, was het vuur verflauwd tot wat roze nagloeiende sintels. Ze legde haar hand tegen Jacobs voorhoofd, dat brandde tegen haar huid. Ze pakte de stallantaarn van de schoorsteenmantel en stak hem aan. We moeten naar de stad, zei ze tegen het kind, en ze nam hem op de arm terwijl ze het tinnen hengsel van de lantaarn in haar vrije hand nam.

Ze was nog maar amper het erf af of ze kon al nauwelijks meer op haar benen staan; de lantaarn woog zwaar als een overvolle melkemmer. De lantaarn verspreidde een kleine kring van licht en Rachel probeerde zich voor te stellen dat het licht een vlot was en dat ze zich niet op een weg, maar op een rivier bevond. En dat ze niet liep, maar gewoon meedreef met de stroom die haar naar de stad voerde. Ze kwam bij het huis van weduwe Jenkins, maar er scheen geen licht door de ramen. Toen ze zich afvroeg waarom, schoot haar te binnen dat de weduwe de week tussen Kerstmis en Oud en Nieuw bij haar zus doorbracht. Rachel kwam even in de verleiding om op de treetjes van de veranda een paar minuten uit te rusten, maar ze was bang dat ze dan niet meer overeind zou komen.

Voor het eerst sinds ze op weg was gegaan, keek Rachel naar de lucht. Er stonden zo veel sterren dat ze de allergrootste oogstmand nodig zou hebben gehad om ze allemaal in te doen. Meer dan genoeg licht om met Jacob de stad te kunnen bereiken, concludeerde ze, en ze zette de lantaarn tussen de wilde cichorei en het bezemzegge die daar langs de rand van het weiland groeiden. Rachel voelde weer aan Jacobs voorhoofd, maar er was nog steeds geen verandering. Toen ze doorliep, nam ze het kind wat hoger op de arm zodat het gewicht van zijn hoofdje over haar nek en schouder werd verdeeld.

De weg liep nu langs de rivier. Een vleermuis vloog piepend over het water, en Rachel herinnerde zich de donkere hooizolder in de stal en de lap die er over een dwarsbalk had gehangen. Toen ze vlak langs de lap was gelopen, was die plotseling fladderend tot leven gekomen en verstrikt geraakt in haar haar, één grote wirwar van vleugels en klauwen die zich probeerde los te rukken, en toen het beest zich had bevrijd en wegvloog, was een van die leerachtige vleugels tegen haar gezicht gekomen. Rachel was op de zoldervloer gevallen en bleef maar gillen en met haar vingers door haar haren kammen, ook toen haar vader was gekomen en het beest door de staldeur naar buiten was gevlogen.

De weg liep nu nog dichter langs de rivier. Rachel hoorde het water langs de oever klotsen en rook de verse aarde die door de recente regen was losgewoeld. Weer piepte er een vleermuis, dichterbij dit keer. De weg werd smaller en donkerder doordat hij aan de linkerkant dicht langs een granieten rotswand liep. Rechts stonden er wilgen langs de rivier, met laagoverhangende takken. De weg liep schuin omlaag en de sterren verdwenen.

Rachel bleef staan, te koortsig om precies te weten waar ze was. Ze dacht dat ze een verkeerde afslag had genomen en op een overdekte houten brug stond, al begreep ze niet hoe er sprake kon zijn van een verkeerde afslag als er maar één weg was. Ze voelde iets langs haar haar strijken, toen nog eens. Ze kon haar voeten niet zien, en plotseling kwam er een andere gedachte bij haar op, dat de weg was weggespoeld zonder dat zij dat wist en dat de houten brug een omleiding was die haar terugvoerde naar de weg. Maar dat was even onzinnig. Misschien ben ik gewoon vergeten dat er altijd een geweest is, hield ze zichzelf voor.

Het zweet gutste haar over het lijf, nog heviger nu ze was blijven staan, en het was geen gezond zweet zoals haar uitbrak wanneer ze op een akker aan het schoffelen was, maar slijmerig, alsof je een slak aanraakte. Met haar onderarm wiste Rachel zich het zweet van het voorhoofd. In een houten brug zo lang en donker als deze zouden vleermuizen zitten, wist ze, niet zomaar een paar, maar honderden, die aan de wanden en aan de overkapping hingen, en als ze de wand aanraakte zou ze er één opschrikken, en als ze er één opschrikte zouden ze allemaal opschrikken en in een werveling van wind en vleugels om Jacob en haar heen gaan fladderen. Er streek weer iets door haar haar. De wind, het is gewoon de wind, hield ze zichzelf voor. Rachel liet Jacob iets zakken op haar arm en legde haar vrije hand over zijn hoofd.

De gedachte drong zich weer op dat dit een weg was waar ze nooit eerder was geweest en ze besefte dat hij haar wel overal naartoe kon leiden. Ik moet doorgaan, hield ze zichzelf voor, maar ze was te bang. Denk aan een leuke plek waar deze weg je naartoe zou kunnen voeren, hield ze zichzelf voor, een plek waar je nog nooit geweest bent. Denk aan die plek en stel je voor dat je daarnaartoe gaat, dan zul je misschien minder bang zijn. Ze probeerde zich de landkaart in het lokaal van juf Stephens voor de geest te halen, maar alle kleuren van de kaart liepen in elkaar over, en algauw besefte Rachel dat die plek toch niet op de kaart zou staan aangegeven. Daarom stelde ze zich een vrouw voor die op het erf voor haar huis stond en Rachel over de weg zag aankomen en haar ook na al die jaren zou herkennen en haar naam zou roepen, een vrouw die op een holletje naar haar toe zou komen om haar te helpen.

Loop in een rechte lijn, hield Rachel zichzelf voor. Ze nam langzame stapjes, net zoals ze zou doen wanneer ze door een maïsveld liep en haar voeten de smalle voren volgden. Rachel stelde zich haar moeder voor in een jurk zo wit als de bloem van de kornoelje, een jurk met knopen die fonkelden als edelstenen om haar en Jacob door het donker te loodsen.

Na een paar meter was de hemel weer terug, steeds weidser naarmate de weg steiler omhoog begon te lopen, en Rachel zag dat ze toch niet verdwaald was. Ze bleef staan om op adem te komen en terwijl de tranen haar over de wangen stroomden, pakte ze een zakdoek uit haar rokzak om zich het zweet van het voorhoofd te wissen. Ze keek naar de sterren, die op het ritme van haar ademhaling oplichtten en vervaagden, alsof ze allemaal met één keer hard blazen als kaarsen konden uitdoven. Ze liep verder en bij elke stap was het alsof ze door kniehoog zand moest ploeteren. Rachel hield zichzelf voor niet aan uitrusten te denken, want als ze dat deed zou haar lichaam zich aan die gedachte vastklampen en hem pas loslaten als ze er gehoor aan gaf. Nog een klein stukje, dan heb je het hoogste punt van de heuvel bereikt, hield ze zichzelf voor. Ze deed een stap en toen nog een, en eindelijk werd de weg vlak.

Rachel kon nu de lichtjes van de stad zien. Heel even vloeiden de lichtjes van de stad en de sterrenlichtjes in elkaar over, en Rachel kreeg het gevoel dat Jacob en zij waren losgekomen van de aarde. Ze omklemde het kind nog steviger en sloot haar ogen. Toen Rachel ze weer opendeed, keek ze naar haar voeten. Ze was blootsvoets, iets wat ze tot dat moment niet had beseft, maar waar ze blij om was, omdat ze het laagje kiezelachtig zand en de aangestampte aarde kon voelen, kon voelen hoe ze daarmee met de wereld was verankerd.

Rachel sloeg haar ogen langzaam op en nam telkens een paar meter in zich op van de weg die voor haar lag, alsof haar blik een hefboom was die de weg en de wereld weer op één lijn bracht. Ze zette zich weer in beweging. De sterren veerden terug naar de hemel en de lichtjes van de stad zweefden omlaag en hechtten zich weer aan de aarde. De schemerige contouren van de brug werden zichtbaar. Jacob werd wakker en begon te jengelen, maar hij was zo zwak dat hij nauwelijks meer geluid voortbracht dan een miauwend poesje. We moeten doorzetten, zei ze tegen hem, nog één heuvel en we zijn er.

Rachel liep de helling af naar de brug die ze, anders dan de overdekte brug, wel herkende. De vele bomen op het laagliggende land naast de rivier waren hoger, hun takken versmalden de horizon en verduisterden de verweerde planken en de brugleuning. Ze waren nog maar enkele meters van de beek verwijderd toen Rachel beweging op de brug zag, kolkingen als mistflarden, alleen vaster. Rachel deed nog een stap dichterbij en zag dat er drie wilde honden aan het grommen en grauwen waren over een bebloed wit overhemd. Twee van de honden grepen elk een mouw en toen de stof zich ontvouwde, zag Rachel dat het haar vaders overhemd was.

Rachel deed voorzichtig twee stappen achteruit en bleef toen staan. Jacob begon te jammeren en ze boog zich naar zijn oor en probeerde hem met zachte woordjes te sussen. Toen Rachel opkeek, hadden de honden de strijd om het overhemd gestaakt. Ze keken naar haar en Jacob, schouder aan schouder, de nekharen overeind en de tanden ontbloot. Ze zijn niet echt, zei ze, en ze wachtte tot de woorden waarheid zouden worden. Maar de honden verdwenen niet.

Rachel liep naar de kant van de weg en vroeg zich af of ze door het riviertje zou kunnen waden. Er lagen grote brokken kwarts en graniet aan de wegrand die haar deden terugdeinzen toen ze keek of er een doorgang tussen de bomen was. Maar er was geen pad naar het water, er stonden alleen nog meer bomen, en er heerste een duisternis zo diep dat ze er haar weg niet zou kunnen vinden. Ze dacht aan de lantaarn, maar het was te ver teruglopen om die te gaan halen. Ze kreeg kramp in de arm waarmee ze Jacob droeg, zodat ze hem op haar andere arm nam. Rachel voelde stenen onder haar voeten en dat bracht haar op een idee. Ze stapte van de weg en tastte met haar voet tussen de distels en de bezemzegge tot ze eindelijk een vuistgrote steen voelde. Ze bukte zich om hem op te rapen en liep toen terug naar de brug.

'Maak dat je wegkomt', zei ze, maar toen ze de steen gooide, bleven de wilde honden gewoon waar ze waren.

Ze voelde aan Jacobs voorhoofd, maar hij gloeide onverminderd van de koorts. Ze zijn niet echt, en ook al zijn ze wel echt, ik heb geen andere keus dan erlangs te gaan, hield ze zichzelf voor. Gewoon naar je voeten kijken, niet je ogen opslaan en niet bang zijn, want een hond kan ruiken dat je bang bent. Rachel deed een stap, bleef staan, deed toen nog een stap en voelde de steentjes en het zand verschuiven onder haar voeten. Nog vier stappen en toen belandde haar rechtervoet op een plank. Voel hoe stevig deze brug is, hield ze zichzelf voor. Die honden zijn niet echt, maar deze brug wel, en die zal ervoor zorgen dat ik met die kleine hier in de stad kom.

Rachel deed nog een stap en stond met beide voeten op het ruwe hout. Ze keek niet op. De honden hielden zich koest; het enige geluid kwam van het snelstromende riviertje onder de planken. Heel even sloot ze haar ogen, niet om zich voor te stellen dat Jacob en zij op een vlot zaten zoals eerst, maar dat het de honden waren die wegdreven, dat ze door de rivier steeds verder werden weggevoerd. Ze opende haar ogen, deed nog een paar stappen en toen stond ze weer op een aarden ondergrond en liep de weg omhoog.

Rachel keek pas op toen ze de laatste heuvel over was en in de hoofdstraat van Waynesville was aangekomen. Bij het eerste het beste huis ging ze vragen waar dokter Harbin woonde. De man die de deur opendeed, wierp één blik op haar en Jacob en hielp hen naar binnen. Zijn echtgenote nam Jacob in haar armen terwijl haar man de dokter ging bellen. Ga maar op de bank liggen, zei de vrouw tegen haar, en Rachel was te moe om te protesteren. De kamer begon te tollen en vervaagde. Ze sloot haar ogen. Het donker achter haar oogleden lichtte heel even op en werd toen weer donker, alsof er iets was onthuld, maar slechts voor een kort moment.

Toen Rachel bijkwam, was het ochtend. In eerste instantie wist ze niet waar ze was, alleen dat ze nog nooit zo moe was geweest, zelfs niet na een hele dag schoffelen op de akker. Er zat een man op een stoel naast de bank; zijn gezicht werd geleidelijk minder vaag, tot ze dokter Harbin herkende.

'Waar is Jacob?' vroeg Rachel.

'In de achterslaapkamer', zei dokter Harbin terwijl hij opstond. 'De ergste koorts is geweken.'

'Dus het komt weer goed met hem?'

'Ja.'

Dokter Harbin kwam naar haar toe en legde zijn hand even op haar voorhoofd.

'Maar jij hebt nog steeds koorts. Meneer en mevrouw Suttles zeiden dat je hier vandaag kon blijven. Ik kom vanmiddag nog even bij je kijken. Als je beter bent, zal meneer Suttles jullie naar huis brengen.'

'Ik kan u niet betalen,' zei Rachel, 'nu niet in elk geval.'

'Daar maak ik me geen zorgen over. Dat regelen we later wel.'

De dokter knikte naar Rachels voeten, en ze zag dat ze in het verband zaten.

'Je hebt je voeten behoorlijk opengehaald, maar niet zo diep dat het gehecht moest worden. Je hebt bijna twee kilometer gelopen terwijl jij net zo ziek was als je kind, en dat ook nog eens op blote voeten. Ik begrijp niet hoe je dat voor elkaar hebt gekregen. Je moet wel zielsveel van dat kind houden.'

'Dat wou ik helemaal niet', zei Rachel. 'Maar het ging gewoon vanzelf.'

DEEL II

Tien

De aanhoudende kou tartte de seizoenen. Van oktober tot mei bleven de bergtoppen bedekt met sneeuw en ijs. Verscheidene mannen kwamen om doordat ze uitgleden bij het ontwijken van een vallende boom of tak. Een ander tuimelde van een rotsachtige helling, weer een ander werd door zijn eigen bijl gekliefd toen hij erbovenop viel, en nog weer een ander werd onthoofd door een geknapte kabel. In januari verdwaalde er een kapploeg tijdens een sneeuwstorm en werd pas dagen later gevonden; toen de mannen van de reddingsploeg de bijlstelen uit hun bevroren handen probeerden los te wrikken, kwam de huid van de handpalmen mee. Vingers of tenen die door bevriezing verloren gingen, behoorden tot de geringere gevaren van het jaargetijde.

De strengheid van de winter leverde tal van verhalen op onder de arbeiders die hem overleefden. Een man die ooit een winter in Alaska had doorgebracht, beweerde dat deze hier erger was en trok ten bewijze zijn werkschoen uit om vijf zwarte stompjes te laten zien. Uilen die stijfbevroren op een boomtak zaten, de maan die zich in wolken hulde om het warm te krijgen, de grond zelf die beefde van de kou – allerlei wilde verhalen deden de ronde en werden bijna geloofd. Sommige arbeiders beweerden dat de winter zich door de ontbossing dieper in het dal kon nestelen, zo diep dat hij nu net zo gevangenzat als een dier in een vangkooi of een val. De mannen speurden dag en nacht de hemel af naar aanwijzingen die op het einde van de winter duidden, een liggende maan, ganzen die naar het noorden vlogen, ontluikend groen op de oevers van de rivier.

De betrouwbaarste aanwijzing kwam eind mei, toen Campbell tijdens een inspectie van Shanty Mountain een bosratelslang doodde. Toen Serena dat hoorde, gelastte ze de mannen alle dode ratelslangen in een oude handkar naast de deur van de paardenstal te leggen. Niemand wist waarom. Een van de houthakkers beweerde uit eigen ervaring te weten dat er in Colorado ratelslangenvlees werd gegeten, en al vond hij het zelf niet lekker, er waren mensen die het als een delicatesse beschouwden. Een andere arbeider vermoedde dat de slangen aan de arend werden gevoerd omdat ze in Mongolië deel uitmaakten van het natuurlijke voedingspatroon van de vogel. Toen een ploegbaas dokter Cheney vroeg wat mevrouw Pemberton met de slangen aan wilde, antwoordde de arts dat ze de giftanden melkte en een laagje van het gif op haar tong aanbracht.

In de weken die volgden, liep Serena elke dag bij zonsopgang naar de achterste box van de paardenstal en maakte ze de arend los van het zitblok. Ze ging elke ochtend met de vogel naar de kaalgekapte vlakte onder Half Acre Ridge. De eerste vier dagen reed Serena ernaartoe met de arend op een oud karretje in de met een deken afgedekte kooi. De vijfde dag zat de vogel op Serena's rechteronderarm, de kop zwartgehuifd als een beul, met de langveter van anderhalve meter vastgebonden boven Serena's rechterelleboog en de leren riempjes om de poten van de roofvogel. Campbell construeerde een armsteun uit een Y-vormige tak van een witte eik en bevestigde die aan de zadelknop. Vanuit een bepaalde hoek leek het of de arend zelf in het zadel zat. Van een afstand leken paard, arend en mens tot één wezen samen te smelten, alsof ze door een metamorfose waren veranderd in een gevleugeld zespotig creatuur uit oude mythen.

Het was half juli toen Serena de arend van het zitblok losmaakte en in westelijke richting naar Fork Ridge reed, waar Galloway en zijn ploeg op de nabijgelegen helling aan het werk waren. Het was een warme dag en veel van de mannen werkten met ontbloot bovenlijf. Ze trokken geen hemd aan toen Serena verscheen, want ze wisten inmiddels dat het haar niet kon schelen.

Serena trok de leren veters van de huif los, schoof die van de kop van de arend en maakte vervolgens de langveter los van de riempjes om zijn poten. Ze tilde haar rechterarm op. Alsof ze een krachtig saluut gaf, wierp Serena haar onderarm met de arend omhoog. De vogel steeg op en cirkelde met de vleugels in een ondiepe V boven de tien hectare vol stronken achter Galloways kapploeg. Tijdens zijn derde rondgang stopte de arend. Een ogenblik lang bleef de vogel stil in de lucht hangen, ogenschijnlijk los van het langzame draaien van de wereld. Vervolgens leek hij niet zozeer te vallen als wel de lucht te doorklieven toen zijn pijlvormige lichaam als een bijlblad omlaag kwam suizen. Eenmaal op de grond tussen de stronken en het kapafval spreidde de arend zijn vleugels uit als een zwierige cape. De vogel waggelde naar voren, bleef staan en liep toen weer naar voren, terwijl de gele klauwen vochten met een beest dat in het hout verscholen zat. Even later dook de kop van de arend omlaag en kwam toen weer omhoog met een streng zenig, roze vlees in zijn snavel.

Serena opende haar zadeltas en haalde er een metalen fluitje en een lijn uit. Aan een uiteinde van het touw zat een stuk bloederig rundvlees. Ze blies op het fluitje en de nek van de vogel keerde zich razendsnel in Serena's richting terwijl zij de loer door de lucht draaide.

Godallemachtig, zei een arbeider toen de arend opsteeg, want in zijn klauwen hield hij een ratelslang van een meter. De vogel vloog naar de bergkam en kwam in een boog omlaagzweven naar Serena en Galloways kapploeg. Op Galloway na zochten alle mannen een veilig heenkomen, alsof er dynamiet tot ontploffing werd gebracht, in hun vlucht struikelend en vallend over stronken en kapafval. De arend landde met een elegant soort onbeholpenheid, de slang nog steeds kronkelend in zijn snavel, al herinnerden zijn bewegingen nog maar vagelijk aan wat ze waren geweest toen hij nog leefde. Serena steeg van haar paard en bood de arend de homp vlees aan. De vogel liet de slang los en stortte zich op het vlees. Toen hij klaar was met eten schoof Serena de huif weer over de kop van de vogel.

'Mag ik de huid en de ratels hebben?' vroeg Galloway.

'Ja,' zei Serena, 'maar het vlees is voor de vogel.'

Galloway zette zijn laars op de kop van de slang en sneed die met een snelle haal van zijn mes los van het lijf. Toen de andere mannen terugkwamen had Galloway de slang al van zijn ingewanden ontdaan en de huid en ratels in zijn broodtrommel gestopt.

Aan het eind van de maand had de arend zeven ratelslangen gedood, waaronder een enorme diamantratelslang, die de kapploeg van Snipes de stuipen op het lijf had gejaagd toen hij in de lucht uit de klauwen van de vogel was geglipt en naar beneden was gekomen. De mannen hadden niet gezien dat de arend boven hen vloog, en de slang viel tussen hen neer als een laatste overblijfsel van Satans rebellie dat de hemel uit werd gesmeten. De slang kwam het dichtst bij McIntyre terecht en had nog net genoeg leven in zich om een klein stukje verder te kronkelen en zijn kop op de neus van de werkschoen van de lekenprediker te leggen, waardoor McIntyre achterover in katzwijm viel.

Dunbar gaf de slang met een bijl snel de genadeslag, terwijl Stewart zijn geestelijk leidsman bij bewustzijn bracht door diens breedgerande predikantenhoed met rivierwater te vullen en dat over de bewusteloze man uit te gieten. Er werden verscheidene weddenschappen afgesloten en vervolgens uitbetaald toen het meetlint van Snipes één meter zestig aanwees, van de driehoekige kop tot de laatste ratel van de slangestaart.

'Met een grotere als deze zal dat beest toch niet meer komen aanzetten', veronderstelde Ross, de winnaar van de weddenschap.

'Of hij moet al naar de jungle van Zuid-Amerika flapperen en met een anaconda op de proppen komen', merkte Snipes op voordat hij het meetlint in zijn zak stopte, samen met zijn stalen brilletje, waar weliswaar geen glazen in zaten, maar dat volgens de ploegbaas niettemin hielp omdat hij zijn ogen beter scherp kon stellen als hij door de ovaaltjes van het montuur keek.

'Ze zal het toch niet in haar hoofd halen om een hele zwik van die vogels af te gaan richten?' vroeg Dunbar.

'Dan zouden die slangen 'm smeren alsof de heilige Patricius zelf ze op de hielen zat', zei Snipes.

'Het zou wel een zegen zijn,' zei Dunbar, 'om niet de hele tijd in je broek te schijten als je een blok of een tak optilt.'

Ross stopte het handjevol kleingeld dat hij had opgestreken in zijn zak.

'Als ik het voor het zeggen had, zou ik die ratelslangen laten waar Onze-Lieve-Heer ze bedoeld heeft', zei hij. 'Dan hoefde je 'm in elk geval niet te zitten knijpen dat ze op je neer kwamen regenen.'

Stewart en Dunbar keken angstig omhoog.

'Je verstoort de natuurlijke orde, dat is 't hem', zei Snipes op zijn beurt. 'Net zoiets als dat Pemberton een goudstuk van twintig dollar uitlooft wanneer je hem die poema op een presenteerblaadje geeft. Als hij al bestaat, heeft hij tot nu toe alleen maar een paar mensen de stuipen op het lijf gejaagd, maar als je zo'n beest gaat opjagen, weet je maar nooit wat voor ellende ervan komt.'

'Maar toch', zei Dunbar verlangend terwijl hij omlaagkeek naar de bergen van Oost-Tennessee. 'Als ik die poema zou vinden, ging ik met dat goudstuk een nieuwe hoed kopen, zo'n echte knappe met een kanariegele band eromheen en als het effe kan ook nog een veer erop. En dan zou d'r ook nog wel wat overschieten voor een net kloffie.'

'Als je het tenminste kon navertellen', merkte Ross op. 'Het zou ook best weleens het kloffie kunnen worden waar je de kist mee ingaat.'

McIntyre, inmiddels weer bij zijn positieven, maar nog steeds languit op de grond, keek nu ook op. Er leek een beangstigende, nieuwe gedachte bij hem op te komen. Hij deed een poging tot spreken, maar er kwamen alleen wat onverstaanbare klanken uit zijn keel voordat hij met zijn ogen rolde en opnieuw van zijn stokje ging.

'Ik heb gehoord dat Campbell in de paardenstal een zitblok

heeft gemaakt voor die arend', zei Dunbar.

'Ik heb het gezien', zei Snipes, die bewonderend met zijn hoofd schudde. 'Hij heeft hem gemaakt van een looien pijp en ijzerwerk van een oude goederenwagon. Dat, en een groot blok hickory met wat sisal eromheen waar dat beest zijn klauwen in kan zetten. Volgens mij zou Campbell van een conservenblikje en een glimworm nog een zaklantaarn kunnen fabrieken. Die vogel zit daar op dat blok als een dooie kalkoen. Zal nog niet eens met zijn ogen knipperen. Zit maar het liefst in de donkerte van die stal. Dat houdt hem kalm, net als die huif die ze over zijn kop trekt.'

McIntyre kreunde en deed heel even zijn ogen open voordat hij ze weer sloot. Stewart haalde nog wat water, leek zich toen te bedenken en zette de hoed neer in plaats van hem over de lekenprediker leeg te kiepen. Hij trok zijn zwaarbeproefde leidsman de jas uit en maakte de bovenste knoopjes van zijn hemd los, doopte vervolgens een smoezelige zakdoek in het water en drukte die tegen McIntyres voorhoofd alsof het een kompres was. De andere mannen zagen dat McIntyres oogleden even trilden en toen opengingen. Ditmaal deed hij geen poging tot spreken. In plaats daarvan trok McIntyre doodernstig zijn halsdoek los en bond hem als een blinddoek om zijn hoofd.

'Zo heb ik hem nog nooit meegemaakt', zei Stewart bezorgd, en hij hielp McIntyre overeind. 'Ik breng hem terug naar het kamp, dan kan dokter Cheney eens naar hem kijken.'

Stewart hielp McIntyre met voorzichtige stapjes de helling af terwijl hij zijn leidsman stevig bij de bovenarm vasthield, alsof hij een medesoldaat die zojuist het licht in de ogen had verloren van het slagveld leidde.

'Jij denkt zeker dat die slang niet op jou is gevallen vanwege die uitdossing van jou', zei Ross tegen Snipes.

'Dat dénk ik niet alleen', zei Snipes. 'Je hebt zelf toch ook gezien waar hij is neergekomen.'

'Tja', zei Dunbar met een blik op zijn eigen grauwe kleding.

'Ik heb zelf ook een hemd in het tomaatrood, maar dat trek ik hierbuiten mooi niet aan. Ik moet er toch een beetje knap bij kunnen lopen, willen de meiden me zien staan.'

De mannen zwegen en keken hoe McIntyre door Stewart naar beneden werd geholpen, die om de paar stappen even bleef staan om zenuwachtig de hemel af te speuren.

'Die vogel komt niet van hier', zei Snipes en toen zweeg hij even om zijn pijp te stoppen. 'Hij komt uit Azië, Mongools is-ie, en hij is vijfhonderd dollar waard, dus je kunt hem maar beter niet als schietschijf gebruiken. Het is net zo'n soort arend als waar die Kubla Khan destijds mee ging jagen, dat zei Campbell tenminste.'

'In dat onderonsje dat je met Campbell hebt gehad, was hij wel langer van stof dan ooit', merkte Dunbar op. 'Meestal houdt hij zijn gedachten voor zijn eigen.'

'Een wijs man houdt zijn meningen altijd voor zich', zei Snipes.

'Dat is ons anders nooit opgevallen', zei Ross.

'Een van de koks beweert dat hij mevrouw Pemberton een keer bezig heeft gezien toen ze de vogel aan het africhten was', zei Stewart. 'Dat ze een dooie slang rondsleepte aan een touw en elke keer dat de vogel zich op die slang stortte, kreeg hij een biefstuk.'

Ross had net zijn middagmaal uitgepakt en keek wantrouwig naar zijn boterham. Hij trok langzaam twee kleffe sneetjes witbrood van elkaar, net zoals je een korstje van een wond zou lospeuteren, en onthulde een grijze plak vlees, die overdekt leek met slijm. Een paar tellen lang zat hij alleen maar naar het rugspek te staren.

'Ik zou haast zelf achter een dooie slang aangaan voor een lekkere biefstuk', zei Ross weemoedig. 'Het is al een eeuwigheid geleden dat ik een goed stuk rundvlees heb gegeten.'

'En dan op een dikke snee brood, dat is toch de hemel op aarde', zei Dunbar.

De vleugelschaduw van een overvliegende raaf gleed als een sombere gedachte over de mannen. Dunbar dook in elkaar toen hij de schaduw van de vogel zag en keek op.

'Volgens mij heb je gelijk, Ross', zei Dunbar, nog steeds naar de hemel turend. 'Het onheil komt van alle kanten.'

De mannen keken de raaf na, die boven Balsam Mountain uit het zicht verdween.

'Dat ze die arend de hele nacht in de stal laat', zei Stewart. 'Is ze dan niet bang dat een vos of ander ongedierte hem te pakken krijgt?'

Ross keek op van zijn boterham en knikte naar de dode slang.

'Als dat beest zo'n kanjer van een slang aankan, dan kan-ie alles op vier poten aan en zelfs alles op twee benen. Ik zou net zomin ruzie zoeken met die arend als met degene die zo'n beest kan temmen', besloot Ross.

Elf

Campbell was degene die Pemberton vertelde dat de dochter van Harmon terug was in het kamp.

'Ze staat te wachten bij de kantine', zei hij. 'Ze wil haar oude baan in de keuken terug.'

'Waar is ze al die tijd geweest?' vroeg Pemberton.

'In het huis van haar vader op Colt Ridge.'

'Heeft ze het kind bij zich?'

'Nee.'

'Wie zorgt er dan voor het kind als zij naar haar werk is?'

'Een weduwvrouw die bij haar in de buurt woont. Ze zei dat ze daar blijft wonen en met de trein naar het kamp komt.' Campbell zweeg even. 'Al die tijd dat ze hier heeft gewerkt, tot afgelopen zomer, heeft ze laten zien dat ze van aanpakken weet.'

'Jij vindt zeker dat ik haar een baan verschuldigd ben?' zei Pemberton en hij keek Campbell aan.

'Ik zeg alleen maar dat ze van aanpakken weet. En ook al hebben we haar nu niet nodig, aan het eind van de maand vertrekt een van onze bordenwassers.'

Pemberton keek omlaag naar zijn bureau. Het briefje om zichzelf eraan te herinneren dat hij Harris moest bellen, wat hij inmiddels had gedaan, lag verfrommeld op het vel klein-foliopapier met daarop Serena's plannen voor een nieuwe aftakking van de spoorlijn. Pemberton staarde naar de houtskooltekening met de precieze weergave van de topografie, de zorgvuldig berekende hellingsgraad, allemaal van Serena's hand.

'Dat moet ik eerst met mevrouw Pemberton bespreken', zei hij tegen Campbell. 'Ik ben over een uur terug.'

Pemberton haalde zijn paard en verliet het kamp. Hij stak Rough Fork Creek over en reed zigzaggend tussen kapafval en boomstronken door de berghelling op. Hij vond Serena op een lagergelegen helling, waar ze instructies gaf aan een kapploeg. De mannen zaten onderuitgezakt in allerlei rusthoudingen, maar ze luisterden allemaal aandachtig. Nadat de ploegbaas nog een laatste vraag had gesteld, begon de hoofdhouthakker een valkerf aan te brengen in een reusachtige tulpenboom, de enige loofboom die nog overeind stond op de helling. Serena bleef toekijken totdat de zagers aan het werk gingen en reed toen naar de plek waar Pemberton wachtte.

'Wat brengt jou hier vanochtend heen, Pemberton?'

'Ik heb Harris gesproken. Minister Albright heeft dit weekend gebeld en wil een afspraak maken. Harris zegt dat hij bereid is hierheen te komen.'

'Wanneer?'

'Albright maakt het ons ook in dat opzicht gemakkelijk. Hij zei ergens tussen nu en september.'

'In september dan', zei Serena. 'Wat de uitkomst ook mag zijn, hoe langer we kunnen doorgaan met kappen hoe beter.'

Serena knikte en haar blik ging van de tulpenboom naar de helling daarachter, waar kapploegen voor het eerst aan het werk waren boven Henley Creek.

'We zijn het afgelopen half jaar flink opgeschoten, zelfs met dat slechte weer.'

'Dat zijn we zeker', beaamde Pemberton. 'We zouden hier over anderhalf jaar klaar kunnen zijn.'

'Wel eerder, denk ik', zei Serena.

De ruin snoof en stampte met zijn voet. Serena boog zich iets voorover om met haar linkerhand de hals van de arabier te strelen.

'Ik moest maar eens een kijkje gaan nemen bij de andere ploegen.'

'Er is nog iets', zei Pemberton. 'Campbell zegt dat de dochter van Harmon in het kamp is. Ze wil haar oude baan in de keuken terug.'

'Vindt Campbell dat we haar moeten aannemen?'

'Ja.'

Serena bleef de hals van de arabier strelen, maar nu keek ze Pemberton aan.

'Op het station heb ik gezegd dat ze verder niets van ons krijgt.'

'Haar loon blijft hetzelfde,' zei Pemberton, 'en net als vroeger blijft ze buiten het kamp wonen.'

'Wie zorgt er voor het kind als zij aan het werk is?'

'Een buurvrouw zorgt voor hem.'

'Hem', zei Serena. 'Het is dus een jongen.'

Het zagen werd even gestaakt toen de hoofdhouthakker nog een velwig achter het blad plaatste. Serena hief haar linkerhand op en legde hem op de voorste zadelboog. Ook haar rechterhand, waarin ze de teugels had, legde ze erop.

'Jij moet haar zelf vertellen dat ze is aangenomen', zei Serena. 'Maak haar duidelijk dat ze nergens aanspraak op kan maken. Haar kind evenmin.'

Het werk met de trekzaag werd hervat – de snelle, heen en weer gaande beweging van het blad klonk als inademen en uitademen, alsof de boom zelf aan het hijgen was. De arabier stampte weer op de grond en Serena klemde haar vuist steviger om de teugels en stond op het punt om het hoofd van de ruin in de richting van de kapploeg te wenden.

'En nog iets', zei Serena. 'Zorg ervoor dat ze uit de buurt van ons eten blijft.'

Daarop reden paard en ruiter door de vlagerige sneeuw weer terug het bos in. Serena zat kaarsrecht, haar houding onberispelijk, en de ruin zette zijn hoeven bijna laatdunkend op de wit geworden aarde. Fier, dacht Pemberton.

Toen Pemberton terugkwam in het kamp, ging hij naar de kantine, waar Rachel Harmon in haar eentje aan een tafel zat te wachten. Ze had een paar gepoetste, maar versleten zwarte veterschoenen aan en een verschoten blauw met wit katoenen jurk, waarschijnlijk de netste die ze had, dacht Pemberton. Toen hij zijn zegje had gedaan, vroeg Pemberton of ze het begrepen had.

'Jawel, meneer', zei ze.

'En wat er met je vader is gebeurd? Je hebt het met eigen ogen gezien, dus je weet dat het zelfverdediging was.'

Een paar seconden bleef het stil tussen hen. Na een poosje knikte ze zonder hem aan te kijken. Pemberton probeerde zich weer voor de geest te halen waardoor hij zich tot haar aangetrokken had gevoeld. Misschien door haar blauwe ogen en blonde haar. Misschien omdat ze de enige vrouw in het kamp was die er nog niet afgetobd uitzag. Hier in de bergen trad het verouderingsproces al vroeg in, vooral bij vrouwen. Pemberton had hier vrouwen van vijfentwintig gezien die in Boston voor vijftig zouden zijn versleten.

Ze hield haar hoofd licht gebogen toen Pemberton een onderzoekende blik liet gaan over haar mond en kin, haar boezem en taille, en het bleke stukje enkel dat onder haar tot op de draad versleten jurk uitstak. Wat het ook was geweest dat hij aantrekkelijk had gevonden, het was er niet meer. Dat gold evenzeer voor wat hem had aangetrokken in andere vrouwen dan Serena, besefte hij, want hij kon zich de laatste keer niet heugen dat hij een gedachte aan een voormalig liefje had gewijd of naar een jonge schoonheid in Waynesville had gekeken en zich had voorgesteld hoe het zou zijn wanneer haar lichaam zich met het zijne verenigde. Hij wist dat dergelijke standvastigheid zeldzaam was, en hij zou het voordat hij Serena had ontmoet uitgesloten hebben geacht voor iemand zoals hij. Nu leek het onontkoombaar, wonderbaarlijk, maar ook verontrustend omdat het zo definitief was.

'Je kunt de eerste van de maand beginnen', zei Pemberton.

Ze stond op om weg te gaan en was al bijna bij de deur toen hij haar tegenhield.

'Het kind, hoe heet hij?'

'Jacob. Dat komt uit de Bijbel.'

Het verbaasde hem niet dat de naam aan het Oude Testament

was ontleend. Campbells voornaam was Ezra, en er was ook een Absalom en een Salomo in het kamp. Maar geen Lucas of Mattheus, had Buchanan eens opgemerkt en hij had Pemberton verteld dat uit zijn onderzoek was gebleken dat mensen in deze bergachtige contreien meer naar het Oude dan naar het Nieuwe Testament leefden.

'Heeft hij een tweede voornaam?'

'Magill, dat is een naam die bij ons in de familie voorkomt.'

Heel even beantwoordde het meisje zijn blik.

'Als u hem wilt zien ...'

Haar woorden stierven weg. Er kwam een keukenhulp de zaal binnen, met een emmer en een dweil.

'De eerste van de volgende maand', zei Pemberton en hij liep de keuken in om de kok een late lunch voor hem te laten klaarmaken.

Twaalf

In de daaropvolgende weken was het grootste deel van Noland Mountain kaalgekapt en hadden de ploegen hun werk naar het noorden voortgezet in de richting van Bunk Ridge, voordat ze naar het westen afsloegen en een zijspoor volgden dat door Davidson Branch liep naar de immense uitgestrektheid tussen Campbell Fork en de bovenloop van Indian Creek. De mannen werkten sneller nu het volop zomer was, deels ook doordat er sinds de komst van de arend niemand meer door een ratelslang was gebeten. Naarmate de kapploegen vorderden, lieten ze een steeds breder wordende woestenij achter van stronken, kapafval en bruine, dichtgeslibde riviertjes die vol lagen met dode forellen. Zelfs de taaiere kleine karperachtigen, de zogenaamde knotskopjes en glanzertjes, bezweken uiteindelijk, ook al lagen sommige op de oevers te spartelen alsof zelfs de niet te verkieuwen lucht meer hoop op overleving bood. Hoe meer bos er verdween, des te vaker werden er waarnemingen gemeld van de poema, gedeeltelijk ingegeven door de hoop Pembertons goudstuk te kunnen opstrijken. Niemand kon een overtuigend spoor of een stukje vacht laten zien, maar iedereen had zijn eigen verhaal, ook Dunbar, die tijdens de schaft beweerde dat hij daarnet vlakbij iets groots en zwarts tussen de bomen door had zien wegschieten.

'Waar?' vroeg Stewart, die zijn bijl oppakte terwijl hij en de rest van de ploeg van Snipes het nabije bos afspeurden.

'Daarzo', zei Dunbar en hij wees naar links.

Ross liep naar de plek die Dunbar had aangewezen en onderwierp daar de grond, die nog vochtig was van een ochtendbui, aan een kritisch onderzoek. Ross kwam terug en ging op een houtblok zitten naast Snipes, die inmiddels alweer zijn krant zat door te lezen.

'Misschien was het de arend,' zei Ross, 'want sporen zijn er niet. Je zit alleen maar op die poenige hoed te vlassen.'

'Nou, ik dacht echt dat ik hem zag', zei Dunbar mistroostig. 'Ik denk dat je soms zo erg op iets kunt hopen dat je je van alles gaat verbeelden.'

Ross keek naar Snipes, omdat hij verwachtte dat Dunbars commentaar hem ongetwijfeld een filosofische verhandeling zou ontlokken, maar de voorman was in zijn krant verdiept.

'Wat staat er in de krant dat je zo zorgelijk zit te kijken, Snipes?'

'Over twee weken gaan ze met allemaal hoge pieten vergaderen over dat park', zei Snipes vanachter zijn scherm van krantenpapier. 'Volgens redacteur Webb met de minister van Binnenlandse Zaken van de hele Verenigde Staten erbij. En die komt samen met die louche advocaat van John D. Rockefeller. Hij zegt dat ze Houtbedrijf Boston en Ertsbedrijf Harris zover willen krijgen dat die hun land verkopen, zo niet, dan wordt het onteigend.'

'Denk je dat ze dat kunnen doen?' vroeg Dunbar.

'Het zal niet zonder slag of stoot gaan,' zei Snipes, 'daar kun je donder op zeggen.'

'Die lui laten zich niet inpakken', zei Snipes. 'Als ze alleen maar met Buchanan en Wilkie van doen hadden, zou het ze misschien nog lukken, maar niet met Harris en Pemberton erbij, en met haar erbij al helemaal niet.'

'Laten we maar hopen dat je gelijk krijgt', zei Dunbar. 'Als dit kamp opgeheven wordt, zijn wij mooi de sigaar. Dan kunnen we de boer op voor ander werk.'

'Alleen Albright en de advocaat van Rockefeller', antwoordde Pemberton die avond toen hij en Serena zich gereedmaakten om naar bed te gaan. 'Albright wilde geen staatspolitici bij de vergadering. Hij zei dat wij, zelfs als zij Webb en Kephart erbij hebben, nog steeds met vijf tegen vier in de meerderheid zijn.'

‘Mooi, dan gaan we dit voor eens en altijd regelen’, zei Serena, die haar blik naar de grote hutkoffer aan het voeteneinde van het bed liet gaan, een koffer waarvan Pemberton de inhoud nog steeds niet had gezien. ‘Het brengt belangrijker zaken in gevaar.’

Serena trok haar rijlaarzen uit en zette die in de klerenkast. Op het dak luidden een paar voorzichtige tikjes de harde regen in die al de hele middag was aangekondigd door de wolken die laag boven Noland Mountain hadden gehangen. De regen nam toe en algauw roffelde hij op het zinken dak. Pemberton begon zich uit te kleden en bedacht dat hij zijn jachtlaarzen nog uit de gangkast moest gaan halen. Maakt u zich maar geen zorgen als het vannacht regent, had Galloway die middag tegen hem gezegd. Mamma zegt dat het tegen de ochtend opklaart. Daar rekent ze op, net als wij.

Serena draaide zich naar hem om.

‘Wat is dat eigenlijk voor iemand, onze bard uit Appalachia?’

‘Koppig en chagrijnig, net als zijn maatje, sheriff McDowell’, zei Pemberton. ‘Bij onze eerste kennismaking liet Kephart me weten dat het hem veel plezier deed te weten dat ik zou sterven en dat mijn kist uiteindelijk zou gaan rotten, zodat ik de aarde zou voeden in plaats van haar te vernietigen.’

‘Dan heeft hij het alweer bij het verkeerde eind’, zei Serena. ‘Daar zal ik een stokje voor steken, voor ons allebei. Wat nog meer?’

‘Ook heeft hij een erg innige relatie met de fles en is bijlange na niet de heilige die kranten en politici van hem maken.’

‘Maar ze kunnen niet anders’, zei Serena. ‘Hij is hun nieuwe Muir.’

‘Galloway zegt dat we morgen vlak langs Kepharts huis komen, dus je zou de grote man in eigen persoon kunnen zien.’

‘Ik zal hem gauw genoeg ontmoeten’, zei Serena. ‘Bovendien gaan Campbell en ik de piketpaaltjes slaan voor het nieuwe zijspoor.’

Serena stapte uit haar onderkleding. Toen Pemberton zijn blik op haar liet rusten, vroeg hij zich af of het denkbaar was dat er een tijd zou komen dat hij haar naakt kon zien zonder door haar aanblik overweldigd te worden. Hij kon het zich niet voorstellen, vond dat Serena's schoonheid was als bepaalde wetten in de wiskunde of de fysica, vaststaand en onveranderlijk. *In schoonheid wandelt ze.* Woorden die jaren geleden waren voorgedragen met een stem even droog als het verstikkende krijtstof dat in het klaslokaal hing, een fragment van een gedicht waar Pemberton alleen maar naar had geluisterd om de draak te kunnen steken met dat sentimentele gedoe. Maar nu kende hij de waarheid van die woorden, want dát was Serena's schoonheid – iets wat door de wereld met een beschermende ruimte werd omgeven opdat ze in al haar zuiverheid kon voortbestaan.

Nadat ze de liefde hadden bedreven, lag Pemberton in de kluwen van lakens te luisteren naar Serena's zachte ademhaling, die zich mengde met het gekletter van de regen op het dak. Ze sliep goed tegenwoordig, zo diep dat er geen dromen meer waren, beweerde ze. Dat was het geval sinds ze bij de arend in de stal was gebleven, alsof de nachtmerries die tijdens de twee doorwaakte nachten waren gekomen naar elders waren vertrokken toen ze geen droom aantroffen die ze konden betreden, als geesten die opeens ontdekken dat er niemand meer woont in een huis waarin ze hebben rondgespookt.

's Nachts hield het op met regenen en tegen de middag was de lucht blauw en wolkeloos. Galloway had hun uitstapje om te zien of er sporen en uitwerpselen te vinden waren of het verse karkas van een hert waar het hart uitgereten was, een verkenning genoemd, geen jacht, maar Pemberton nam voor de zekerheid toch maar zijn geweer mee uit de gangkast.

Toen Pemberton naar het kantoor liep, trof hij op de veranda niet alleen Galloway aan, maar ook diens moeder. Ze droeg dezelfde sobere jurk als verleden zomer en had een zwartsatijnen bonnet op, waardoor haar gezicht leek terug te wijken alsof het hem aankeek vanuit de mond van een grot. De schoenen van de oude vrouw waren verzoold met roodachtig hout, waarschijnlijk ceder. Ze zag er komisch uit, maar dat was het niet alleen, realiseerde Pemberton zich, er was daarnaast een verontrustend *anders-zijn* dat deel uitmaakte van deze bergen en dat hem altijd een raadsel zou blijven.

'Ze gaat graag naar buiten op zo'n mooie dag als vandaag', legde Galloway uit. 'Ze zegt dat het haar botten opwarmt en dat haar bloed er weer goed van gaat stromen.'

Pemberton ging ervan uit dat het naar buiten gaan zich beperkte tot de veranda van het kantoor, maar toen hij naar de Packard liep, kwam ook de oude vrouw naar de auto toe geschuifeld.

'Ze gaat toch zeker niet mee?'

'Niet mee het bos in,' zei Galloway, 'alleen voor het ritje.'

Pemberton kreeg de kans niet om bezwaar te maken tegen de gang van zaken. Galloway opende het rechterachterportier van de Packard en hielp zijn moeder bij het instappen, waarna hij zelf naast Pemberton ging zitten.

Ze reden een paar kilometer in de richting van Waynesville voordat ze naar het westen afsloegen. De oude vrouw zat met haar gezicht dicht tegen het raampje gedrukt, al kon Pemberton zich niet voorstellen dat ze met haar door ziekte aangetaste ogen ook maar iets kon zien. Ze deelden de weg met gezinnen die naar de kerk waren geweest, de meeste te voet, sommige met paard en wagen. Wanneer Pemberton de bergbewoners passeerde, sloegen ze zoals gewoonlijk hun blik neer om hem niet te hoeven aankijken, een ogenschijnlijk betoon van eerbied dat echter werd gelogenstraft door hun weigering uit te wijken naar de berm om hem gemakkelijker doorgang te verlenen. Toen ze Bryson City in reden, wees Galloway op een winkelpui waar in rode letters DROGISTERIJ EN APOTHEEK SHULER op het raam stond.

'Ik moet hier even zijn', zei hij.

Galloway kwam de winkel uit met een klein papieren zakje,

dat hij aan zijn moeder gaf. De oude vrouw hield de dichtgevouwen bovenkant van het zakje met twee handen stevig vast alsof de inhoud anders wellicht zou kunnen ontsnappen.

'Ze is dol op malrovepastilles', zei Galloway terwijl Pemberton optrok.

'Zegt je moeder weleens iets?'

'Alleen als het de moeite waard is om naar te luisteren', zei Galloway. 'Ze kan u de toekomst voorspellen als u wilt. Ze kan ook uitleggen wat uw dromen betekenen.'

'Nee, dank je', zei Pemberton.

Ze reden nog een paar kilometer door en passeerden kleine boerenhoeves waarvan een groot aantal alleen nog werd bewoond door allerlei gedierte dat daarbinnen, achter de kapotte ruiten en onder de doorzakkende daken, beschutting zocht, en waar de aanzegging van onteigening op de deur of op een balk van de veranda was gespijkerd. Op het erf of de akker was altijd wel iets achtergebleven: een roestige eg of wastobbe, het gerafelde touw van een schommel, als een laatste, troosteloze aanspraak op het bezit. Pemberton sloeg af bij een scheve wegwijzer waar DEEP CREEK op stond en reed dwars door wat wel een droge rivierbedding leek, te oordelen naar alle bochten, stenen en uitgespoelde gaten. Toen Pemberton bij het eind van de weg aankwam, zag hij dat er op de kleine open plek al een andere auto geparkeerd stond.

'Is die van Kephart?' vroeg Pemberton.

'Die heeft geen auto', zei Galloway en hij knikte naar een geelbruine politiehoed die op het dashboard lag. 'Zo te zien van de sheriff. Waarschijnlijk is hij met die oude man op zoek naar mooie insecten of bloemen of zoiets. De sheriff is haast net zo bezeten van de natuur als Kephart.'

Galloway en Pemberton stapten uit de auto en Galloway deed het achterportier open. De oude vrouw zat er roerloos bij, afgezien van haar wangen, die zich als een blaasbalg in- en uitplooiden telkens wanneer ze op haar pastille zoog. Galloway liep om de auto heen en zette het andere achterportier eveneens open.

'Zo krijgt ze tenminste het lekkere briesje waar ze zo naar verlangd heeft', zei Galloway. 'In die keet van ons heb je dat niet.'

Toen ze het pad zo'n honderd meter hadden gevolgd werd het bos minder dicht en zagen de mannen een klein houten huis. Sheriff McDowell en Kephart zaten in rieten stoelen op de veranda. Tussen hen in stond een houten veertigliterton met een gehavende topografische kaart als een tafellaken eroverheen gedrapeerd. McDowell zat aandachtig toe te kijken terwijl Kephart de kaart markeerde met een timmermanspotlood. Pemberton zette een laars op het trapje van de veranda en zag dat het een kaart was van de omliggende bergen en Oost-Tennessee. Hij was overdekt met grijze en rode tekentjes, waarvan sommige elkaar overlapten en andere gedeeltelijk waren uitgegumd, als bij een opnieuw beschreven perkamentrol.

'Een uitstapje aan het voorbereiden?' vroeg Pemberton.

'Nee', antwoordde Kephart, die daarmee voor het eerst sinds Pemberton over de open plek aan was komen lopen, liet blijken dat hij diens aanwezigheid had opgemerkt. 'Een nationaal park.'

Kephart legde het potlood op de ton. Hij zette zijn leesbril af en legde ook die neer.

'Wat doet u op mijn land?'

'Úw land?' vroeg Pemberton. 'Ik ging ervan uit dat u dat al had geschonken aan het park dat u zo graag wilt hebben. Of krijgt het park alleen andermans eigendom?'

'Het park krijgt al het land dat ik bezit', zei Kephart. 'Dat heb ik al in mijn testament laten vastleggen, maar tot het zover is, bevindt u zich op verboden terrein.'

'We steken alleen even door', zei Galloway, die naast Pemberton was komen staan. 'We hebben gehoord dat hier misschien een poema rondzwerft. We willen u alleen maar beschermen.'

McDowell keek strak naar het geweer dat Pemberton in zijn handen had. Pemberton wees met de loop van het geweer naar de kaart.

'Bent u ook voor dat park, sheriff?'

'Ja', zei McDowell.

'Gek, dat verbaast me nou niks', zei Pemberton.

'Loop nou maar door, anders arresteer ik u voor het wederrechtelijk betreden van andermans terrein', zei McDowell. 'En als ik dat geweer hoor afgaan, arresteer ik u voor jagen buiten het seizoen.'

Galloway grijnsde en wilde iets gaan zeggen, maar Pemberton was hem voor.

'Kom, we gaan.'

Ze liepen om het huisje heen en passeerden een houtschuur, waar op twee zaagbokken een roestige raamhor lag. Op de hor lagen pijlspitsen en speerpunten en andere stenen van verschillende grootte en kleur, waaronder een paar die weinig groter waren dan kiezels. Galloway bleef even staan om ze te bekijken en hield er een tegen het licht, waardoor de troebele rode kleur zichtbaar werd.

'Ik vraag me af waar hij jou heeft gevonden', peinsde Galloway hardop.

'Wat is dat?' vroeg Pemberton.

'Een robijn. Deze zijn te klein om iets waard te zijn, maar als je een grotere vond, zou dat een aardige duit opleveren.'

'Denk je dat Kephart hem hier in de buurt heeft gevonden?'

'Ik betwijfel het', zei Galloway, terwijl hij het steentje teruggooide op de hor. 'Waarschijnlijk heeft-ie ze in de buurt van Franklin gevonden. Maar ik zal mijn ogen toch maar openhouden als we bij de beek rondlopen. Misschien houdt zich hier nog iets anders schuil dan een poema.'

Ze liepen langs de houtschuur en volgden het pad naar het bos. Veel loofbomen stonden er niet, en de exemplaren die er stonden, waren klein. Na een poosje kon Pemberton de stroom horen en vervolgens tussen de bomen door ook zien, breder dan hij zich had voorgesteld, eerder een kleine rivier dan een beek. Galloway hield zijn ogen aandachtig op het zand en de modder gericht. Hij wees naar een reeks kleine pootafdrukken op een zandbank.

'Van een nerts. Ik kom van de winter wel terug om een val te zetten als zijn pels dikker is.'

Ze liepen stroomopwaarts. Galloway hield van tijd tot tijd halt om sporen te lezen en soms knielde hij om de indrukken met zijn wijsvinger te betasten. Ze kwamen bij een diepe poel met daarnaast een moerasachtige strook land, overdekt met grotere sporen dan ze tot nu toe hadden gezien.

'Van een kat?' vroeg Pemberton.

'Ja, die zijn van een kat.'

'Ik zou klauwafdrukken hebben verwacht.'

'Nee', zei Galloway. 'Die klauwen komen pas tevoorschijn als het tijd is om te doden.'

Galloway kreunde toen hij zich op één knie liet zakken. Hij legde een vinger langs de zijkant van een prent en drukte ermee op de modder zodat het water eruit trok.

'Een rode lynx', zei Galloway na een paar tellen. 'Maar wel een verdomd grote.'

'Weet je zeker dat het geen poema kan zijn?'

Galloway keek Pemberton aan met een mengeling van irritatie en geamuseerdheid op zijn gezicht.

'Je zou er natuurlijk een staart op kunnen prikken en zeggen dat het een poema is', grinnikte Galloway. 'Er zijn sukkels die het verschil niet zouden zien.'

De bergbewoner stond op en keek naar de zon om te schatten hoe laat het was.

'Tijd om te gaan', zei hij en hij stapte op de oever. 'Jammer dat moeder mee is, anders hadden we langer kunnen blijven. Als die poema hier echt is, zouden we hem bij het vallen van de avond misschien kunnen horen.'

'Wat voor geluid maken ze?' vroeg Pemberton.

'Als een huilende baby,' zei Galloway, 'alleen houdt het na een paar seconden ineens op, alsof iemand zijn keel heeft afgesneden.

Je hoeft het maar één keer te horen om te weten wat het is. Je nekharen gaan ervan overeind staan als de stekels van een stekelvarken.'

Ze liepen de helling weer op terwijl het vallen en stromen van het water achter hen wegstierf. Na een paar minuten kwam Kepharts huisje weer in zicht.

'Moeten we nog uitproberen of die sheriff echt lef heeft of alleen maar praatjes verkoopt?' vroeg Galloway.

'Een andere keer', zei Pemberton.

'Goed', zei Galloway, die naar rechts afboog en een beekje overstak. 'Deze kant op dan. Maar ik ga wel even wat water uit dat koelhuis halen. Moeder zal wel dorst hebben van dat gezuig op haar pastilles.'

Toen ze bij het koelhuis aankwamen, haalde Galloway een tabaksblikje uit zijn achterzak en schudde de paar resterende kruimels eruit. Terwijl Galloway het blikje vulde, keek Pemberton tussen de bomen door naar het huis. Een schaakbord had de plaats ingenomen van de kaart en Kephart en McDowell zaten er aandachtig naar te kijken. Een van Pembertons schermpartners in Harvard had hem met het spel laten kennismaken, want volgens hem was schaken schermen met de geest in plaats van met het lichaam, maar Pemberton was het trage tempo en het gebrek aan lichamelijke beweging algauw gaan vervelen.

De partij verkeerde in de eindfase, want er stond nog maar een tiental stukken op het bord. Met duim en wijsvinger pakte McDowell zijn laatste paard op en deed zijn zet, naar voren en naar links, niet alleen in de richting van Kepharts koning, maar ook in de baan van diens toren. Pemberton dacht dat de sheriff een vergissing beging, maar Kephart zag iets wat Pemberton was ontgaan. Berustend sloeg de oudere man het paard met zijn toren. De sheriff schoof zijn koningin over het bord en toen zag Pemberton het ook. Kephart deed nog een laatste zet, en de partij was beslecht.

'Laten we gaan', zei Galloway, die het blikje voorzichtig vasthield om geen water te morsen. 'Ik heb wel wat beters te doen dan naar volwassen kerels te kijken die zich zoet houden met een spelletje.'

Ze liepen door en troffen Galloways moeder precies zo aan als ze haar hadden achtergelaten. Het enige wat erop duidde dat ze zich ook maar enigszins had bewogen, was het verfrommelde papieren zakje op de vloer van de auto.

'Ik heb wat koel bronwater voor u meegebracht, moeder', zei Galloway en hij zette het tabaksblikje aan de gekloofde, paarsige lippen van zijn moeder.

De oude vrouw maakte slurpgeluidjes terwijl haar zoon het blikje langzaam schuiner hield en weer terugtrok zodat ze kon slikken, waarna hij het opnieuw tegen haar lippen drukte. Dat herhaalde hij een paar keer tot al het water op was.

Toen ze terugreden naar het kamp keek Galloway uit het raampje naar de Smoky Mountains.

'Maakt u zich maar geen zorgen', zei hij. 'Die poema vinden we nog wel.'

Zwijgend reden ze verder over de asfaltweg, die kronkelend het stijgen en dalen van het landschap volgde. Buiten Bryson City rezen de bergen hoog op, alsof ze een laatste keer diep ademhaalden voordat ze vlak bij Cove Creek Valley weer langzaam uitademden.

Toen ze het kamp in reden, zag Pemberton naast de kampwinkel een groene pick-up staan. Op de laadbodem stond een provisorisch houten bouwsel met een spits dak en een brede deur, dat eruitzag als een heel groot hondenhok of een heel kleine kerk. Op de zijkanten stond in zwarte letters R.L. FRIZZELL – FOTOGRAAF. Pemberton keek toe hoe de eigenaar van het voertuig zijn statief en camera uit dat hok haalde en de apparatuur opzette met de behendigheid van iemand die ruime ervaring heeft in zijn vak. Hij schatte de fotograaf op een jaar of zestig; de man droeg een gekreukt zwart pak en een brede donkere stropdas. Aan de zilveren ketting om zijn nek bungelde een loep, een instrument dat hij met dezelfde autoriteit droeg als een dokter een stethoscoop.

'Wat gebeurt daar?' vroeg Pemberton.

'Ledbetter, de zager die gister is omgekomen', zei Galloway. 'Ze laten een foto van hem maken, als herinnering.'

Toen begreep Pemberton het. Nog zo'n plaatselijke gewoonte die Buchanan fascinerend vond – een foto van de overledene laten maken als aandenken voor de nabestaanden, die hem aan de muur hingen of op de schoorsteen zetten. Campbell stond achter de fotograaf, maar waarom hij daar stond, kon Pemberton niet zien, zo er al een reden was.

'Breng dit eens naar het kantoor', zei Pemberton en hij gaf Galloway het geweer, waarna hij naar de kampwinkel liep en naast Campbell ging staan.

Tegen de achterwand van de kampwinkel stond een open grenenhouten doodskist met daarin, rechtop, de overledene. Op het rechthoekige hoofdeinde van de kist was een bordje geplaatst met de woorden RUST IN VREDE, maar die tekst was in schrille tegenspraak met de starheid van het lijk, dat er met opgetrokken schouders bij stond alsof Ledbetter zelfs dood nog op een vallende boom bedacht was. Frizzell drukte de ontspanner in. Naast de kist stond een afgetobde vrouw, Ledbetters echtgenote, veronderstelde Pemberton, die een jongen van een jaar of zes, zeven bij zich had. Zodra de klik bevestigde dat de foto was gemaakt, kwamen twee zagers naar voren om het deksel op de kist te plaatsen en Ledbetter voorgoed op te sluiten in uitgerekend datgene wat hem het leven had gekost.

'Waar is mijn vrouw?' vroeg Pemberton aan Campbell.

Campbell knikte in de richting van Noland Mountain.

'Ze is daarboven met de arend.'

Met knipperende ogen tegen de middagzon kwam de fotograaf onder de doek vandaan. Hij liet het negatief in de beschermende metalen hoes glijden en liep toen naar zijn pick-up om een tenen vismand te halen, die hij over zijn schouder hing voordat hij nog een plaat tevoorschijn haalde. Frizzell schoof de nieuwe plaat in het toestel, waarna hij de camera en het statief in zijn armen nam en zich moeizaam zijwaarts schuifelend naar de kantine begaf, waar een groep parochianen van dominee Bolick tafels buiten had gezet om na de kerkdienst tijdens een gezamenlijke maaltijd van de warme zomerdag te kunnen genieten. Ze waren klaar met eten en de tafels waren afgeruimd, maar veel van de parochianen bleven nog wat na. De vrouwen hadden een goedkoop katoentje aan, de mannen een broek met een kreukelig wit overhemd en sommigen een versleten jas. De kinderen waren uitgedost in van alles, variërend van goedkope bonte jurken tot kielen gemaakt van jute aardappelzakken.

Frizzell stelde zijn camera op en richtte die op een kind dat een blauw katoenen jakje aanhad. De fotograaf verdween onder zijn zwarte doek en probeerde de aandacht van het kind vast te houden met allerlei speeltjes die hij uit zijn vismand haalde. Toen het met een speelgoedvogeltje, een ratel en een draaitol niet wilde lukken, kwam Frizzell onder zijn doek vandaan en vroeg dringend of iemand ervoor kon zorgen dat het kind stil bleef zitten. Vanachter de andere kerkgangers dook ineens Rachel Harmon op. Pemberton had haar niet eerder opgemerkt. Ze sprak het jongetje op zachte toon toe. Ze stapte, nog steeds voorovergebogen, langzaam achteruit alsof ze bang was dat het kind door een plotse beweging zou schrikken en weer van houding zou veranderen. Pemberton nam het kind aandachtig op en zocht naar een gevoel, een gedachte die kon uitdrukken wat hij voor zich zag.

Toen Campbell aanstalten maakte om weg te gaan, greep Pemberton hem bij de arm.

'Wacht nog even.'

De fotograaf dook weer onder de doek. Het kind bewoog niet. Pemberton evenmin. Hij probeerde de gelaatstrekken van de jongen te onderscheiden, maar de afstand was te groot om zelfs maar de kleur van zijn ogen te kunnen zien. Een lichtflits en de foto was genomen. Rachel Harmon tilde het kind op. Toen ze zich omdraaide en Pemberton zag staan, keek ze niet weg. Ze draaide het kind om, zodat hij in Pembertons richting keek. Met haar vrije hand streek ze het haar van het kind achter zijn oren. Toen er een oudere vrouw aankwam, keek het kind haar kant uit, en met z'n drieën liepen ze naar de trein die hen naar Waynesville zou brengen.

Pemberton pakte zijn portefeuille, gaf Campbell een vijfdollarbiljet en vertelde hem vervolgens wat hij wilde.

Die nacht droomde Pemberton dat Serena en hij hadden gejaagd op het grasland waar ze de beer hadden gedood. Iets wat verscholen zat in een verderop gelegen bos maakte een huilend geluid. Pemberton dacht dat het een poema was, maar Serena zei nee, het is een baby. Toen Pemberton had gevraagd of ze hem moesten gaan halen, had Serena naar hem geglimlacht. Dat is de baby van Galloway, niet de onze, had ze gezegd.

Dertien

Ze was vergeten wat een veelvraten houthakkers waren, hoeveel het leek op het stoken van een reusachtig vuur dat het hout sneller verteerde dan je het erop kon gooien om die mannen van eten te voorzien. Rachel draaide de vroege dienst, de zwaarste, omdat het ontbijt de uitgebreidste maaltijd was in het kamp. Elke ochtend stak ze de lantaarn aan en bracht Jacob naar weduwe Jenkins. Dan liep ze naar het station en nam de trein naar het kamp, waar ze om half zes aankwam en ging helpen met tafeldekken: eerst de tinnen vorken en lepels, daarna de tinnen koffiemokken en ten slotte de zware porseleinen borden en kommen die weldra zouden worden volgeschept met eten. Al die tijd stonden de fornuizen te loeien, hun geopende muilen volgestouwd met hickory. De hitte liep door dunne piekijzers naar de dubbele boerenhoutovens die een halve ton wogen. Achter de ovendeuren lagen rijzende slompen brooddeeg bruin te bakken, terwijl de pannen in de ringen van het fornuis als oververhitte machines stonden te klepperen en te dampen. De walm en de hitte maakten het benauwd in de keuken en algauw was het er warmer en klammer dan op de heetste julimiddag. De keukenhulpen parelde het zweet als een olieachtig laagje op de huid tijdens het af en aan lopen. Vervolgens werd het eten zelf van de brede ovenroosters gehaald, opgeschept en uitgeschonken uit de twintig- en veertigliterpannen en met lepels en spatels opgedaan uit zwarte koekenpannen met de doorsnee van een wagenwiel. Er werden grote kommen volgeschept met gestoofde appeltjes en gebakken aardappelen, met grutten en havermout, rieten manden werden gevuld met zachte kadetten, schotels opgetast met pannekoeken en rugspek, vergezeld van dikke plakken boter en halve weckpotten vol bramenjam. Tot besluit de koffie, dienbladen vol dampende potten, met kannetjes room en suiker erbij, hoewel vrijwel alle mannen hem zwart dronken.

Even verkeerde alles in een staat van afwachting: de keukenhulpen, de lange houten banken, de borden, de vorken en mokken. Dan pakte de kok zijn vleeshamer en sloeg ermee op het luid galmende stuk spoorstaaf van een meter lengte dat buiten de toegangsdeur hing. De kapploegen kwamen binnen en twintig minuten lang wisselden de mannen amper een woord met elkaar en al helemaal niet met Rachel en de andere keukenhulpen. Ze staken hun hand op en wezen op lege schalen en schotels terwijl hun kaken doormaalden. Wanneer er twintig minuten waren verstreken, werd de werkbel geluid. De mannen vertrokken zo snel dat hun neergesmeten vorken en lepels zacht leken na te trillen, als vijverwater dat rimpelt na een plons.

De tafels werden onmiddellijk afgeruimd, maar de afwas en de voorbereiding voor de volgende maaltijd werden uitgesteld totdat het keukenpersoneel zelf had gegeten. Dat had voor Rachel altijd tot de beste momenten van de werkdag behoord. De gelegenheid om bij te komen na het gejakker om de mannen van eten te voorzien, een praatje te maken met een paar mensen met wie ze werkte, dat was iets waar ze naar had uitgezien nadat ze maandenlang vrijwel geen andere volwassene dan weduwe Jenkins had gesproken. Maar Bonny was getrouwd en naar South Carolina verhuisd, en Rebecca was ontslagen. Met de oudere vrouwen had ze niet veel contact gehad, en nu nog minder. De vrouw die voor Rebecca in de plaats was gekomen, een zekere Cora Pinson uit Grassy Bald, was ook niet uitgesproken vriendelijk geweest, maar ze was jonger dan de andere vrouwen en een nieuwe kracht. Nadat ze drie weken in haar eentje had gegeten, zette Rachel haar bord neer op de tafel waar Cora en Mabel Sorrels het rijk alleen hadden.

'Vinden jullie het goed als ik erbij kom zitten?' vroeg Rachel.

Mevrouw Sorrels zat haar alleen maar aan te kijken met een blik alsof ze geen antwoord waard was. Cora Pinson was degene die iets zei.

'Ik wil niet met een hoer aan één tafel zitten.'

De twee vrouwen pakten hun bord op, keerden Rachel de rug toe en liepen naar een andere tafel.

Rachel ging zitten en hield haar blik op haar bord gericht. Ze hoorde een aantal van de andere vrouwen over haar praten zonder dat ze ook maar de moeite namen om te fluisteren. Gewoon gaan eten alsof het je niks kan schelen, hield ze zichzelf voor. Ze nam een hap van haar kadetje, kauwde en slikte het weg, ook al bleef het bijna in haar keel steken, als zaagsel. Rachel prikte een stukje stoofappel aan haar vork, maar zat er alleen maar naar te staren, zonder het naar haar mond te brengen. Ze zag Joel Vaughn pas toen hij zijn bord tegenover haar neerzette. Hij trok zijn blauw met zwart geruite duffelse jas uit en hing die over een lege stoel.

'Trek je niks aan van dat stelletje ouwe tabakspruimers', zei Joel terwijl hij een stoel achteruittrok en ging zitten. 'Ik zie ze hierbuiten elke ochtend stiekem een pruim achter hun kiezen schuiven. Ze willen niet dat dominee Bolick dat smerige tabakssap als bruin slijk over hun kin ziet druipen.'

Joel sprak luid genoeg om door de vrouwen te kunnen worden verstaan. Rachel boog haar hoofd, maar er speelde een lachje om haar mond. Cora Pinson en Mabel Sorrels stonden verontwaardigd op en liepen de keuken in met hun dienblad.

Toen Joel zijn grijze pet afzette, werd de bos knalrood krulhaar zichtbaar, die al zolang Rachel hem kende een ontembare warboel was.

'Die kleine van je groeit als kool', zei Joel. ''t Is dat jij hem zondag in de kerk op schoot had, anders zou ik niet geweten hebben dat hij het was. Ik wist niet dat baby's zo hard groeiden, maar ja, daar hebben wij mannen ook niet zo'n verstand van.'

'Ik wist het ook niet', zei Rachel. 'Ik heb eigenlijk helemaal geen verstand van baby's.'

'Hij is stevig en gezond, dus zo te zien heb je er genoeg verstand van', zei Joel en hij pakte zijn vork met een knikje naar

Rachels bord. 'Jij kunt ook maar beter wat eten.'

Hij sloeg zijn ogen neer en at met dezelfde verbeten aandacht als de andere mannen. Rachel keek naar hem en het verbaasde haar hoeveel hij veranderd was en toch dezelfde was gebleven. Als kind was Joel kleiner geweest dan de meeste andere jongens, maar later had hij de schade volop ingehaald en hij was nu niet alleen langer, maar ook breder in de schouders en gespierder dan de anderen. Een man inmiddels, met zowaar een dun snorretje op zijn bovenlip. Maar zijn gezicht was hetzelfde, sproeterig en goedlachs, met nog steeds dat kwajongensachtige. Schrander en vriendelijk, een vriendelijkheid die zowel uit zijn groene ogen als uit zijn woorden sprak. Joel legde zijn vork neer en bracht zijn koffiemok naar zijn mond, nam een slok en toen nog een.

'Jij hebt je zaakjes goed voor elkaar', zei Rachel. 'Als ik de mensen mag geloven word je binnenkort voorman, net als meneer Campbell. Niet dat ik daar van opkijk. Op school was je altijd al de slimste van iedereen.'

Er verscheen een rode blos op Joels gezicht. Zelfs zijn sproeten leken donkerder te worden.

'Ik val gewoon in waar ze me nodig hebben. Trouwens, zo gauw ik een andere baan kan vinden, ben ik hier weg.'

'Waarom wil je weg?' vroeg Rachel.

Joel keek haar in de ogen, ernstig nu.

'Omdat ik ze niet mag', zei hij en hij richtte zijn aandacht weer op het eten.

Rachel keek op de klok bij de deur en zag dat het tijd was om weer aan het werk te gaan. Ze hoorde al het gekletter van serviesgoed en metaal dat werd gespoeld en afgewassen in de tweehonderdliterkuipen, maar ze had geen zin om op te staan. Ze besefte dat hunkeren naar een praatje hetzelfde was als hunkeren naar eten, omdat je in beide gevallen een hol gevoel van binnen kreeg, een leemte die moest worden gevuld wilde je het nog een dag redden. Rachel herinnerde zich dat ze als kind had gedacht dat het wonen op een boerderij met niemand anders dan je vader wel het eenzaamste moest zijn wat er bestond.

'We hebben het dikwijls best leuk gehad op school', zei ze terwijl Joel zijn laatste hap nam. 'Ik begreep pas hoe leuk we het hadden toen ik er weg was, maar zo gaat dat nou eenmaal, denk ik.'

'We hebben best lol gehad,' zei Joel, 'ook al was juffrouw Stephens een chagrijnige ouwe tang.'

'Ik weet nog dat ze een keer vroeg waar we naartoe wilden in de Verenigde Staten, en dat jij zei zo ver mogelijk uit de buurt van haar en de school. Spinnijdig was ze toen.'

Het werd plotseling stil in de kantine toen Galloway de zijdeur opende en naar binnenstapte, zijn hoofd iets naar rechts gebogen terwijl hij zijn blik door de ruimte liet gaan. Toen hij Joel zag, maakte hij een hoofdbeweging naar het kantoor.

'Ik moest maar eens gaan horen wat hij wil', zei Joel en hij stond op.

Ook Rachel stond op en terwijl ze dat deed, vroeg ze hem fluisterend over de tafel: 'Heb je meneer of mevrouw Pemberton weleens iets over me horen zeggen?'

'Nee', zei Joel terwijl zijn gezicht betrok.

Joel keek alsof hij nog iets wilde zeggen, en alsof dat iets niet op speelse toon of met een glimlach op zijn gezicht kon worden gezegd. Maar hij zweeg. Hij zette zijn pet op en trok zijn jas aan.

'Bedankt dat je bij me kwam zitten', zei Rachel.

Joel knikte.

Rachel keek hem na toen hij de deur uit liep en door het brede raam van de kantine zag ze mevrouw Pemberton. Met haar paard reed ze kordaat tussen de laatste kapploegen door, die te voet in de richting van het bos togen. Rachel bleef kijken tot mevrouw Pemberton en haar paard aan de klim naar de bergkam begonnen. Rachel stond op uit haar stoel en wilde zich net omkeren toen ze haar eigen spiegelbeeld in het raam zag. Ze bukte zich niet om het bord op te pakken, maar bleef nog even kijken. Ondanks het schort en het haar, dat ze voor het gemak in een knotje droeg, zag Rachel dat ze nog steeds aantrekkelijk was. Haar handen vertoonden kloofjes en waren rimpelig van het werk in de keuken, maar haar gezicht was glad en rimpelloos. Haar lichaam had nog niet de uitgezakte vormeloosheid aangenomen zoals bij de andere vrouwen in de keuken het geval was. Dat kon zelfs haar smoezelige schort niet verhullen.

Je bent te mooi om aangekleed te blijven, had meneer Pemberton meer dan eens gezegd wanneer Rachel pas als ze in bed lag haar jurk en ondergoed uittrok. Ze herinnerde zich dat het vrijen na de eerste paar keer niet alleen hem, maar ook haar genot had opgeleverd en dat ze op haar lip had moeten bijten om zich niet te schande te maken. Ze herinnerde zich de dag dat ze door het huis was gelopen terwijl hij sliep en ze de ijskast en de stoelen en de vergulde spiegel had aangeraakt, en Rachel wist ook nog wat er had ontbroken: een foto van een geliefde aan de wand of op een commode, of een vrouw die uit Boston was overgekomen, zoals mevrouw Buchanan een keer had gedaan. Zo'n vrouw was er in elk geval niet geweest tot Serena kwam.

Vanuit de keuken riep iemand Rachels naam, maar ze bleef bij het raam staan. Ze herinnerde zich weer de middag op het station toen Serena Pemberton het jachtmes bij het lemmet had vastgehouden en haar de parelmoeren greep had voorgehouden. Rachel overpeinsde hoe gemakkelijk ze de greep had kunnen beetpakken en het lemmet dat haar vader zojuist had gedood op het hart van de andere vrouw had kunnen richten. Terwijl Rachel naar haar spiegelbeeld bleef staren, vroeg ze zich ineens af of ze zich misschien had vergist toen ze dacht dat ze maar één echte keus in haar leven had gehad, dat Serena Pemberton haar op dat moment op het station een tweede keus had geboden, een keus die het bed delen met meneer Pemberton toch tot de juiste keus had kunnen maken, ook al had het haar vader het leven gekost. *Zoiets vreselijks mag je niet denken,* hield Rachel zichzelf voor.

Rachel draaide zich om en liep de keuken in, waar ze haar

bord en vork in het eiken rek voor de vuile vaat zette voordat ze haar plaats innam bij de kuip die het dichtst bij de achterdeur stond. Ze nam de boender in haar rechterhand en het blok Octagonzeep in de linker, doopte haar handen in het grijzige water en borstelde met het stugge boenderhaar over de geelbruine zeep om een sopje te maken. Toen ze het eerste bord pakte om af te wassen, duwde een van de andere keukenhulpen met haar schouder de achterdeur open. In haar handen een zinken teiltje met ontbijtborden en tafelzilver van het kantoor.

'Meneer Pemberton wil nog wat koffie', zei de vrouw tegen Beason, de kok.

Beason liet zijn blik door de keuken gaan en over Rachel glijden voordat hij zijn keus op Cora Pinson liet vallen.

'Ga jij eens een pot koffie brengen', zei Beason tegen haar.

Toen Cora Pinson de achterdeur uit ging, dacht Rachel aan mevrouw Pemberton, schrijlings op het grote paard, met opgericht hoofd en rechte schouders, alleen strak voor zich uit kijkend, zonder ergens oog voor te hebben. Dat was ook niet nodig, omdat ze zich er niet om hoefde te bekommeren of er iemand voor haar en het paard zou stappen. Iedereen die haar en haar ruin voor de voeten liep, zou zonder pardon omver worden gereden, en het zou hun niets kunnen schelen dat ze iemand hadden vertrapt.

Verstandig van haar, dacht Rachel, om me uit de buurt van haar eten te houden.

Veertien

De vergadering met de parkdelegatie was vastgesteld voor maandagochtend elf uur, maar om tien uur waren Pemberton, Buchanan en Wilkie al bijeengekomen in de achterkamer van het kantoor, waar ze sigaren rookten en de lonen bespraken. Ook Harris zat al aan de tafel en las, zichtbaar vertoornd, de *Asheville Citizen* van die ochtend. Campbell stond wat afzijdig tot Pemberton op zijn horloge keek en hem met een knikje beduidde dat het tijd was om Serena te gaan halen.

'Ze zijn vroeg', zei Buchanan een paar minuten later toen de deur van het kantoor openging, maar in plaats van het bezoek waren het dokter Cheney en dominee Bolick. Ze kwamen de achterkamer in en Cheney ging op de dichtstbijzijnde stoel zitten. Bolick had zijn zwarte predikantenhoed afgenomen, maar hij nam plaats zonder daartoe te zijn uitgenodigd en legde zijn hoed op tafel. Pemberton kon een zekere bewondering voor 's mans schaamteloosheid niet onderdrukken.

'Dominee Bolick zou jullie graag even spreken', zei dokter Cheney. 'Ik heb hem gezegd dat jullie het druk hebben, maar hij stond erop.'

Het was een warme ochtend en de dominee bette zijn voorhoofd en rechterslaap met een katoenen zakdoek zonder de linkerkant van zijn gezicht aan te raken, waar de huid verschrompeld en ruw was, er dunner uitzag, alsof hij zich een keer had geschoren met een schaafmachine. Veroorzaakt door een huisbrand in zijn kindertijd, had Pemberton gehoord. Bolick stopte de zakdoek in zijn jaszak en legde zijn gevouwen handen voor zich op tafel.

'Aangezien u zo meteen bezoek krijgt, zal ik het kort houden', zei dominee Bolick, die het tegen hen allemaal had, maar uitdrukkelijk naar Wilkie keek. 'Het betreft de loonsverhoging waar we het over hebben gehad. Zelfs een halve dollar meer per week zou een enorm verschil maken, vooral voor de arbeiders met een gezin.'

'Hebt u al die mannen niet gezien op het trapje voor de kampwinkel?' vroeg Wilkie, in wiens stem ergernis doorklonk die algauw overging in boosheid. 'Wees dankbaar dat uw gemeente werk heeft terwijl er zo veel werklozen zijn. Bewaar uw bekeringsdrift maar voor uw gemeente, dominee, en vergeet niet dat u hier in dienst bent dankzij onze goedgunstigheid.'

Bolick wierp Wilkie een woedende blik toe. De door brand geschonden kant van zijn gezicht leek te gaan gloeien alsof die noodlottige gebeurtenis uit een ver verleden weer opspeelde.

'Het is alleen dankzij Gods goedgunstigheid dat ik mag dienen', zei hij terwijl hij zijn hand uitstrekte naar zijn hoed.

Pemberton had uit het raam zitten kijken zonder iets te zeggen.

'Daar komt mijn vrouw', zei hij nu, en de anderen draaiden zich om en keken ook naar buiten.

Serena hield even halt op het hoogste punt van de berg voordat ze aan de afdaling begon. Door de aanhoudende mist waren de grond en de berg in een dichte nevel gehuld, maar bij de top brak het heldere ochtendlicht in volle glorie door. Glimpjes zonlicht leken zich met Serena's kortgeknipte haar te hebben verweven, zodat het eruitzag als opgepoetst koper. Ze zat kaarsrecht op de ruin, met de arend op de leren handschoen alsof hij met haar arm vergroeid was. Toen Bolick zijn stoel achteruitschoof om op te staan, wendde Wilkie zijn blik af van het raam en hij keek de man recht aan.

'Dat is pas een ware manifestatie van het goddelijke', zei Wilkie bewonderend. 'Het is een beeld waar de Grieken en Romeinen hun goden naar gemodelleerd hebben. Aanschouw dat maar eens, eerwaarde. Zij zal nooit door het gepeupel aan het kruis worden genageld.'

Een paar tellen lang zei niemand iets. Ze keken naar Serena, die afdaalde en in de kolkende mist verdween.

'Zulke godslastering wil ik niet langer aanhoren', zei Bolick.

De predikant zette zijn hoed op en liep snel de kamer uit. Dokter Cheney bleef zitten totdat Pemberton hem te kennen gaf dat zijn diensten niet langer nodig waren.

'Natuurlijk', zei Cheney droog terwijl hij opstond om te vertrekken. 'Ik vergat even dat mijn inbreng alleen gewenst is in kwesties van leven en dood.'

Pemberton liep naar de bar om een fles cognac te pakken die hij op tafel zette en ging toen terug om de kristallen glazen te halen. Buchanan keek naar de fles en trok een bedenkelijk gezicht.

'Wat is er?' vroeg Pemberton.'

'De drank. Het zou kunnen worden opgevat als een provocatie.'

Harris keek op van zijn krant.

'Ik verkeerde in de veronderstelling dat we een vergadering hadden met de minister van Binnenlandse Zaken, niet met Eliot Ness.'

De parkdelegatie kwam twintig minuten te laat, en toen was Wilkie al naar de kampwinkel om een kalmeringsmiddel te halen. Iedereen gaf elkaar een hand en de gasten leken niet verbaasd dat Serena dat ook deed. Pemberton vermoedde dat hun was verteld dat ze een vrouw van weinig egards was en dat ze er hun voordeel mee konden doen als ze dat accepteerden. Afgezien van Kephart, die een schoon flanellen overhemd aanhad en een donkere wollen broek, waren de gasten gekleed in een stemmig pak met stropdas, waardoor de vergadering ondanks de rustieke ambiance van het vertrek een formeel tintje kreeg. Albright en Pemberton gingen tegenover elkaar zitten, ieder aan een uiteinde van de tafel. Davis, de advocaat van Rockefeller, nam rechts van Albright plaats, Kephart en Webb in het midden. Er gingen Cubaanse sigaren en cognac rond. Sommige laatkomers namen een sigaar, maar de hele bezoekende afvaardiging sloeg de alcohol beleefd af, behalve Kephart, die zijn glas volschonk. Algauw stegen er grijsblauwe pluimen sigarenrook op, die zich boven het midden van de tafel samenvoegden tot een dichte wolk.

Harris vouwde de krant op en legde hem op tafel.

'Ik zie dat u de krant hebt opgevouwen bij mijn meest recente redactionele artikel, meneer Harris', zei Webb.

'Ja, en zodra mijn lichamelijke gesteldheid het mogelijk maakt, ben ik van plan mijn gat ermee af te vegen.'

Webb glimlachte. 'En ik ben van plan zo veel artikelen over dit park te schrijven dat u voorlopig vooruitkunt, meneer Harris. En ik zal niet de enige zijn. Minister Albright vertelt me net dat er begin volgende week een verslaggever van de *New York Times* zal komen om te schrijven over het land dat al is aangekocht en om een profiel te voltooien van Kephart en zijn rol in de totstandkoming van het park.'

'Wellicht gaat dat artikel ook in op het feit dat meneer Kephart zijn gezin in de steek heeft gelaten', zei Serena, zich tot Kephart wendend. 'Hoeveel kinderen hebt u ook alweer in Saint Louis achtergelaten die uw vrouw nu in haar eentje moet grootbrengen, vier of vijf?'

'Dat is niet echt relevant', zei Albright, die zijn blik over de tafel liet gaan alsof hij een voorzittershamer zocht.

'Het is wel degelijk relevant', zei Serena. 'Ik weet uit ervaring dat altruïsme zonder uitzondering een middel is om persoonlijk falen te verbergen.'

'Wat mijn persoonlijk falen ook mag zijn, ik doe dit niet voor mezelf', zei Kephart tegen Serena. 'Ik doe dit voor de toekomst.'

'Welke toekomst? Waar is die?' vroeg Serena sarcastisch terwijl ze de kamer rondkeek. 'Het enige wat ik zie is het hier en nu.'

'Met alle respect, mevrouw Pemberton', zei Albright. 'We zijn hier om iets reëels te bespreken, de totstandkoming van een nationaal park, en niet om ons met sofisme bezig te houden.'

‘Het sofisme komt van uw kant’, zei Harris. ‘Zelfs met het land dat u al gekocht hebt, is dit park niet meer dan een utopisch sprookjesbos.’

‘Die vijf miljoen van Rockefeller is anders geen hersenspinsel’, wierp Webb tegen. ‘En de onteigeningswet van dit land al evenmin.’

‘Daar zullen we de dreigementen hebben’, zei Harris.

De deur ging open en Wilkie kwam binnen. Hij verontschuldigde zich uitvoerig bij alle aanwezigen, maar Pemberton zag dat de blik van de oude man onder het spreken gericht was op minister Albright. Albright ging staan en gaf hem een hand.

’U hoeft zich niet te verontschuldigen, meneer Wilkie’, zei Albright terwijl ze elkaar de hand schudden. ‘Ik ben blij u eindelijk persoonlijk te ontmoeten. Henry Stimson is zeer over u te spreken. Hij vindt u zowel een prima zakenman als een echte heer.’

‘Dat is allervriendelijkst van hem’, antwoordde Wilkie. ‘Henry en ik kennen elkaar al jaren, sinds onze studie aan Princeton.’

‘Ik heb ook aan Princeton gestudeerd, meneer Wilkie’, zei Davis, die eveneens zijn hand uitstak.

Pemberton kwam tussenbeide voordat Wilkie kon reageren.

‘We hebben het erg druk, heren, dus misschien kunt u nu iets over uw voorstel vertellen.’

‘Zoals u wilt’, zei Albright, terwijl Wilkie ging zitten. ‘Ik geef toe dat de aanvangsprijs die we Houtbedrijf Boston voor zijn veertienduizend hectare land hebben geboden te laag was, maar dankzij de grootmoedige hulp van meneer Rockefeller kunnen we een veel substantiëler bod doen.’

‘Hoeveel?’ vroeg Pemberton.

‘Zeshonderdtachtigduizend.’

‘Onze prijs is achthonderdduizend’, zei Pemberton.

‘Maar de grond is getaxeerd op zeshonderdtachtigduizend’, sputterde Davis tegen. ‘Ons land bevindt zich in een potentieel langdurige recessie. In deze markt is ons bod meer dan fair.’

‘En mijn tweeënzeventighonderd hectare?’ vroeg Harris.

'Driehonderdzestigduizend, meneer Harris', zei Davis. 'Dat is één dollar vijftig per hectare en, net als bij Houtbedrijf Boston, substantieel hoger dan ons aanvangsbod.'

'Bijlange na niet genoeg', was de reactie van Harris.

'Maar bedenk eens hoeveel winst u hier al hebt gemaakt', zei Webb kwaad. 'Kunt u niet iets terugdoen voor de mensen die hier wonen?'

Serena legde haar wijsvinger tegen haar kin en liet hem daar even rusten, alsof ze het niet meer kon volgen.

'Waar is deze schijnvertoning voor nodig, heren?' vroeg ze. 'We zijn op de hoogte van de onteigeningen. U hebt al tweeduizend boeren van hun land verdreven en dat is volgens uw eigen telling. Wij kunnen mensen niet dwingen om voor ons te werken en we kunnen hun land niet kopen tenzij ze het willen verkopen, maar u berooft ze van hun bestaansmiddelen en van hun huis.'

Davis wilde iets gaan zeggen, maar Albright stak zijn hand op. De minister slaagde erin een uitdrukking van diepe ernst op zijn gezicht te leggen, een aangeboren talent van begrafenisondernemers en beroepsdiplomaten, vermoedde Pemberton.

'Een onfortuinlijk aspect van wat er moet gebeuren', zei Albright. 'Maar net als meneer Webb ben ik van mening dat het uiteindelijk het algemeen welzijn van iedereen hier in de bergen ten goede zal komen.'

'En daarvoor moet iedereen gelijke offers brengen, is dat correct?' vroeg Serena.

'Uiteraard', zei Albright instemmend en terwijl hij dat zei, vertrok Davis' gezicht.

Serena haalde een bundel papieren uit haar zak en legde die op tafel.

'Dit is een deel van de wet die is aangenomen door de wetgevende macht van Tennessee. Daarin zijn bepalingen opgenomen waarin een aantal vermogende landeigenaren is uitgezonderd van het onteigeningsrecht. Ze mogen hun land houden, ook al ligt het binnen het voorgestelde park. Misschien kan uw *New York Times*-verslaggever daar eens een artikel over schrijven.'

'We konden op dat moment niet buiten hun steun', antwoordde Davis. 'Als we dat niet hadden gedaan, zou het park vanaf het allereerste begin tot mislukken gedoemd zijn geweest. Dat was in 1927, niet nu.'

'Het enige wat wij verwachten is hetzelfde te worden behandeld als andere vermogende landeigenaren', zei Serena.

'Dat kan nu niet meer', zei Davis hoofdschuddend.

'Kan het niet meer of willen jullie het niet meer?' spotte Harris.

'We krijgen dit land hoe dan ook,' zei Davis met een stem nu even scherp als die van Harris, 'en als het door middel van onteigening moet, hebt u geluk als u de helft krijgt van wat we nu bieden.'

Albright slaakte een diepe zucht en leunde achterover.

'We hoeven vandaag nog geen definitief antwoord', zei hij met een blik op Buchanan en Wilkie, die gedurende de woordenwisseling hadden gezwegen. 'Bespreek het onder elkaar. En neem in uw overweging mee dat meneer Rockefeller, net als u allemaal, een zakenman is, maar wel vijf miljoen dollar heeft gedoneerd. Bedenk eens hoe weinig we daarmee vergeleken van Houtbedrijf Boston vragen.'

Buchanan knikte. 'We zullen de zaak zeker bespreken.'

'Ja', zei Wilkie. 'We waarderen het dat u helemaal hierheen bent gekomen om persoonlijk met ons te spreken.'

'Graag gedaan', zei Albright, die in een verzoenend gebaar zijn gespreide handen ophief. 'Zoals ik al zei, er hoeft vandaag nog niets besloten te worden. Dit weekend zijn we in Tennessee, maar maandag zijn we weer in Asheville. We beginnen de onderhandelingen met uw collega-houthandelaar, kolonel Townsend. Het gebied dat hij bezit bij Elkmont heeft meer ongerepte loofbossen dan welk ander gebied ook in de Smoky Mountains, en toch bieden we u dezelfde prijs per hectare.'

'En neemt hij uw bod serieus?' vroeg Serena.

'Wis en waarachtig', zei Davis. 'Hij is slim genoeg om te weten dat een kleine winst beter is dan een groot verlies.'

Minister Albright kwam overeind en ook de rest van de delegatie ging staan. Wilkie en Buchanan liepen met hen mee naar de trein.

'Totale tijdverspilling', mopperde Harris op de veranda van het kantoor.

'Dat ben ik niet met u eens, meneer Harris', zei Serena. 'Misschien zijn we iets te weten gekomen over een gebied waar we samen in kunnen investeren.'

'Ah', zei de oudere man met een glimlach, breed genoeg om glimpjes goud in zijn gebit te kunnen zien. 'Dat zou pas een bak zijn! Als we Townsends land voor hun neus wegkapen, zouden we dat hele nationale park pas goed dwarsbomen.'

Harris zweeg even en keek de trein na die terugreed naar Waynesville. Hij haalde zijn autosleuteltjes uit zijn zak en rammelde er losjes mee in zijn hand voordat hij ze met zijn vuist omklemde, alsof hij dobbelstenen ging werpen.

'Laten we contact opnemen met Townsend. Ze hebben koper gewonnen in dat gebied. Ik weet niet hoeveel, maar daar kan ik wel achter komen. Dit zou weleens een zegen kunnen zijn voor ons allebei, ongerepte loofbossen voor jullie, en koper voor mij.'

Harris liep naar zijn Studebaker en reed weg. Toen Pemberton en Serena naar de stal liepen, zag Pemberton dat Buchanan en Wilkie nog steeds bij het spoor stonden, hoewel de trein al achter McClure Ridge was verdwenen.

'Volgens mij verkeert Buchanan in tweestrijd.'

'Nee, hij verkeert niet in tweestrijd', zei Serena. 'Zijn besluit staat al vast.'

'Hoe weet je dat?'

'Door zijn ogen. Hij heeft geen enkele keer onze kant op gekeken.' Serena glimlachte. 'Jullie mannen hebben ook niks in de gaten, Pemberton. Fysieke kracht, dat is het enige voordeel van jullie sekse.'

Pemberton en Serena stapten de stal binnen en bleven even staan om hun ogen aan het donker te laten wennen. De arabier stampte ongeduldig met zijn hoef toen Serena dichterbij kwam. Ze ontgrendelde het houten hek en liet de ruin naar buiten.

'Wilkie was ook niet zo resoluut als gewoonlijk', zei Pemberton.

'Verre van', zei Serena. 'Hij begon te spinnen als een huiskat toen ze hem aaiden.'

Ze bleef even staan, tilde het zadel op en legde het achter de schoften van het paard.

'Dus als Buchanan partij kiest tegen ons,' zei Pemberton, 'denk je dan dat Wilkie ook omgaat?'

'Ja.'

'En wat doen we daaraan?'

Serena leidde de arabier naar het stijgblok en gaf de teugels aan Pemberton.

'We ontdoen ons van Buchanan.'

Ze gespte de handschoen om haar rechteronderarm en opende de aangrenzende box, waar de arend als een soldaat in de houding stil en roerloos zat te wachten. Het is een *berkute*, had Serena Pemberton verteld toen het beest was aangekomen, een soort die veel weghad van de steenarenden waarmee haar vader en zij in Colorado hadden gejaagd, alleen groter en sterker, veel feller. De Kazachen jaagden ermee op wolven en Serena had beweerd dat de berkute zelfs sneeuwpanters aanviel als hij de kans kreeg. Toen hij naar de enorme klauwen en de krachtige borst van de arend keek, wilde Pemberton dat best geloven.

Serena kwam de box uit met de vogel op haar arm. Ze stapte op het stijgblok, stak haar linkervoet in de stijgbeugel en zwaaide zich over het zadel. Voorovergebogen omklemde ze met haar benen de gezadelde romp van het paard, terwijl ze haar evenwicht zocht en overeind kwam. Het was een behendige manoeuvre waarbij evenveel kracht als souplesse kwam kijken. De arend hief even zijn vleugels op en legde ze weer tegen zijn lichaam alsof ook hij zijn evenwicht moest hervinden.

'Ga je zondag nog jagen met Harris?' vroeg Serena.

'Ja.'

'Vraag Buchanan of hij ook meegaat. Zeg tegen hem dat het jullie de gelegenheid geeft om het bod van de minister te bespreken. Pols Harris onderweg nog eens over dat land van Townsend en misschien kun je dan meteen dat gebied in Jackson Country ter sprake brengen, waar Luckadoo je over belde. Na afloop zul je waarschijnlijk niet meer de kans hebben om te praten.'

Hoezo niet? had Pemberton bijna gevraagd, maar toen begreep hij het. Serena keek Pemberton strak aan terwijl haar pupillen groter werden in het schemerige licht van de stal.

'Zondagochtend moet ik ervoor zorgen dat die tweede uitsleper naar boven wordt gebracht en in bedrijf komt, maar ik zou 's middags naar jullie toe kunnen komen. Als je wilt, doe ik het.'

'Nee. Ik doe het.'

'Dan ben ik de volgende keer aan de beurt', zei Serena.

Vijftien

Het gezelschap verzamelde zich zondagochtend voor de kampwinkel. Galloway stelde voor dat ze zouden gaan jagen bij een verlaten boerderij aan de bovenloop van Cook Creek, met een appelboomgaard die de hele winter wild had aangetrokken. Verse sporen toonden aan dat er nog steeds flink wat herten zaten. Voldoende om een poema te lokken als die in de buurt was, had Galloway eraan toegevoegd en hij had tegen Pemberton gezegd dat hij het goudstuk van twintig dollar op zak moest hebben voor het geval dat. Vaughn en Galloway namen de honden mee in de boerenwagen en de andere mannen volgden te paard.

Het jachtgezelschap stak Noland Mountain en daarna Indian Ridge over en trok tot voorbij het laatst ontgonnen bosland. Buchanan en Harris reden naast elkaar. Pemberton volgde. Algauw werden ze omringd door bos, waar pasgevallen bladeren een dikke, zachte laag vormden op het pad. Een paar grote loofbomen trokken Pembertons aandacht, maar afgezien van wat rivierberken bij een beekje bestond het merendeel van het bos waar ze doorheen reden uit dennen en sparren. Pemberton maakte er een opmerking over tegen Buchanan, die knikte, maar strak voor zich uit bleef kijken. Ze begonnen aan de afdaling naar de bergengte. Het pad liep langs een beek en Harris keek aandachtig naar de gelaagdheid van blootliggende rotsen.

'Zou hier iets waardevols te vinden zijn?' vroeg Pemberton.

'Daarboven was alles graniet, misschien voldoende voor een steengroeve, maar dit is interessanter.'

Harris bond zijn paard vast aan een plataan en stak de beek over. Hij streek met zijn vinger over een lichtergekleurde laag die door een rots liep.

'Koper,' zei Harris, 'maar onmogelijk te zeggen hoeveel zonder een stuk op te blazen en sedimentmonsters te nemen.'

'Maar geen steenkool?' vroeg Pemberton.

'Daarvoor zitten we aan de verkeerde kant van de Appalachen', zei Harris. 'Voor steenkool moet je op het Allegheny Plateau zijn. Om op de oostelijke hellingen wat te vinden, zul je naar Pennsylvania moeten.'

Harris knielde op de oever van de beek en liet het zand en slik door zijn vingers glijden. Hij viste er een paar steentjes uit en bekeek die stuk voor stuk voordat hij ze teruggooide.

'Zoek je iets speciaals?' vroeg Pemberton.

'Nee', zei Harris en hij stond op en klopte het natte zand van zijn ribfluwelen broek.

'Ik heb gisteravond kolonel Townsend gesproken', zei Pemberton toen de oudere man weer opsteeg. 'Hij verkoopt net zo lief aan ons als aan Albright.'

'Mooi', zei Harris. 'Ik ken een geoloog die voor Townsend heeft gewerkt. Ik zal vragen of hij me een rapport opstuurt.'

'We hebben ook 3600 hectare in Jackson County gevonden die er veelbelovend uitzien, van een recent faillissement.'

'Veelbelovend voor wíé?' zei Harris nors. 'Dat terrein op Glencoe Ridge was ook "veelbelovend", maar alleen voor jou en je vrouw.'

Ze reden verder. Toen het pad smaller werd, reden ze in een rij achter de boerenwagen aan. Buchanan voorop, gevolgd door Pemberton. Harris vormde de achterhoede en bestudeerde nog steeds de geologie van het terrein. Buchanan droeg een zwarte rijjas met slippen die hij in Londen had besteld, en toen ze over het smalste stuk van het pad reden, vestigde Pemberton zijn blik op de jas van Buchanan en benutte de donkere stof om zich het verleden beter voor de geest te kunnen halen.

Het huwelijk van Buchanan had plaatsgevonden in de Marcuskerk, in het centrum van Boston. In tegenstelling tot het burgerlijk huwelijk van de Pembertons was het een grootse, tot in de puntjes verzorgde aangelegenheid geweest; Buchanan, de bruidsjonkers en de vader van de bruid in smoking, de aansluitende receptie in hotel Touraine. Buchanan en zijn bruid hadden vooraan in de ontvangstrij gestaan toen de gasten de balzaal betraden. Pemberton had zijn compagnon een hand gegeven en Elizabeth omhelsd. Pemberton herinnerde zich hoe smal haar taille was geweest toen ze elkaar omhelsden, een zandloperfiguurtje dat ze had behouden, zoals bleek uit een recent genomen foto in Buchanans kantoor.

Pemberton sloot zijn ogen even en probeerde zich te herinneren wie er na hen in de ontvangstrij hadden gestaan. Buchanans ouders waren overleden, dus moesten het de ouders van Elizabeth zijn geweest. Vaag kwam hem een gezicht voor de geest, niet meer dan grijs haar en een bril, maar dat verdween weer. Van de moeder kon hij zich niets herinneren en al evenmin van broers of zusters van Buchanan. Het was een goed teken dat ze geen blijvende indruk hadden achtergelaten, besefte Pemberton. Hij was er altijd van overtuigd geweest dat hij de kunst verstond om te zien welke mensen hij moest duchten.

'Jij hebt toch een broer en een zus, Buchanan?' vroeg Pemberton.

Buchanan nam de teugels over in zijn rechterhand en draaide zich om.

'Twee broers', zei hij.

'En wat doen ze voor de kost?'

'De een is geschiedenisleraar in Dartmouth. De ander studeert architectuur in Schotland.'

'En de vader van mevrouw Buchanan?' vroeg Pemberton. 'Wat doet hij?'

Buchanan antwoordde niet. In plaats daarvan keek hij Pemberton met een mengeling van nieuwsgierigheid en achterdocht aan. Harris had meegeluisterd en mengde zich in het gesprek.

'Een dergelijke terughoudendheid moet wel betekenen dat hij illegaal drank stookt of een hoerenkast heeft, Pemberton. Wat het ook is, ik zal mijn uiterste best doen om zijn waren te testen als ik weer eens in Boston ben.'

'Het is vast niets onbehoorlijks', zei Pemberton. 'Ik dacht misschien bankier of advocaat.'

'Hij is arts', zei Buchanan kortaf, zonder de moeite te nemen zich om te draaien.

Pemberton knikte. De naderende onderhandelingen zouden gemakkelijker verlopen dan verwacht, goed nieuws, dat hij Serena zo snel mogelijk wilde vertellen. Hij zou vanavond Covington, de jurist, bellen en hem de benodigde documenten laten opstellen om een bod te kunnen uitbrengen op het eenderde aandeel van Buchanan. Hij legde zijn rechterhand even op het geweer dat in het zadelfoedraal zat. Eén welgemikt schot. Dan zouden alleen Serena en hij over zijn.

Weldra lieten de mannen het bos achter zich en kwamen op een in onbruik geraakt stuk grasland. De acaciahouten paaltjes van de omheining met slierten bruin prikkeldraad eraan stonden er nog. De sporen naar de melkplek waren vaag maar zichtbaar en vormden richels in het hellende land, als de brede trappen van een Azteekse ruïne. Hoewel er op beschutte plekjes en in de dalen nog mistflarden hingen, viel er al zonlicht op het grasland.

'Een mooie dag voor de jacht', zei Harris met een blik op de lucht. 'Ik was bang dat het weer zou gaan regenen, maar het ziet ernaar uit dat we tot de avond kunnen doorgaan.'

Pemberton beaamde dat, hoewel hij wist dat ze niet zo lang zouden wegblijven. Aan het begin van de middag zou hij terug zijn bij Serena. *Doe dit ene ding*, hield hij zich voor en hij herhaalde de woorden als een mantra, zoals hij al had gedaan sinds hij bij het krieken van de dag wakker was geworden.

Plonzend doorwaadden ze Cook Creek en ze kwamen weldra bij de boerenplaats. Er graasden geen herten in de boomgaarden, dus lieten Galloway en Vaughn de honden los, die in een grote bocht de boomgaard doorkruisten en al snel in de diepergelegen bergengte verdwenen. Vaughn laadde de wagen uit en sprokkelde hout voor een kookvuur.

'De bovenste boomgaard is voor Harris', zei Pemberton tegen Buchanan. 'Dan nemen wij tweeën de lagere.'

Pemberton en Buchanan liepen naar het uiteinde van de boomgaard waar een verzakte boerderij stond met daarnaast een schuur en een waterbron. De aker bungelde aan een halfvergaan touw en naast de bron lag een roestige scheplepel. Pemberton liet de scheplepel in het donkere gat vallen en het verbaasde hem niet dat hij geen plons hoorde.

'Neem jij deze kant', zei Pemberton. 'Ik ben bij de schuur.'

Pemberton deed een paar stappen, toen bleef hij staan en draaide zich om.

'Dat zou ik bijna nog vergeten, Buchanan. Ik moest je van mevrouw Pemberton zeggen dat je abuis bent met de oorsprong van "tot aan de veer gaan".'

'Hoe dat zo?' vroeg Buchanan.

'Ze zegt dat die uitdrukking wel degelijk uit Engeland komt. De veer verwijst naar de baard van een pijl. Als je bij een tegenstander tot aan de veer gaat, zit de pijl zo diep dat ook de baard in het lichaam is gedrongen.'

Buchanan reageerde met een klein knikje.

Pemberton liep door naar de schuur, waar de geur van hooi en mest nog in het grijze hout zat. De voorkant was ingezakt, maar de nokbalk van het achtergedeelte hield nog. Van opzij gezien deed de schuur denken aan de versteende resten van een reusachtig, knielend dier. Toen Pemberton dichterbij kwam, zag hij iets aan de achterwand van de schuur hangen. Weinig meer dan verschrompelde flarden huid en vacht, bijeengehouden met roestige spijkers, maar Pemberton wist wat het was. Hij raakte even een bruin bolletje vacht aan.

Er ging een half uur voorbij voordat het huilen van de honden met steeds kleinere tussenpozen opklonk. Kort daarna kreeg Harris een hert in zijn schootsveld. Hij loste twee schoten en enkele tellen later kwam er moeizaam wankelend een bok door het middenveld van de boomgaard in de richting van Pemberton en Buchanan. Het dier was in het achterlijf geraakt en toen het neerviel, wist Pemberton dat het niet meer overeind zou komen. Buchanan liep de boomgaard in.

'Bespaar je de kogel', zei Pemberton. 'De honden maken hem wel af.'

'Die ene rotkogel kan er nog wel af', zei Buchanan, die even bleef staan om Pemberton een woedende blik toe te werpen.

Pemberton haalde de veiligheidspal van zijn geweer, wat in de frisse ochtendlucht zo'n luide klik gaf dat hij heel even dacht dat Buchanan het misschien had gehoord. Maar Buchanans blik bleef op het hert gericht. Met rollende ogen tilde de bok zijn kop op. Zijn voorpoten spartelden door de lucht en er spatte bloed uit de romp toen het dier vergeefs probeerde op te staan. Buchanan legde aan, maar doordat het dier zo lag te kronkelen was een zuiver schot in de kop vrijwel onmogelijk. Hij trok het chique Engelse rijjasje uit en legde het achter zich. Weliswaar op het gras, maar keurig opgevouwen, constateerde Pemberton, een man van fatsoen tot het bittere eind. Iets in de overdreven netheid van Buchanan nam Pembertons laatste twijfel weg.

Buchanan plaatste de loop tegen de schedel van de bok en drukte hard genoeg om de kop van het dier stil te houden. Pemberton liep de appelboomgaard in en ook hij legde zijn geweer aan.

Vaughn was op Buchanans paard het gezelschap in vliegende vaart vooruitgegaan naar het kamp, hoewel dokter Cheney alleen maar zou kunnen bevestigen wat Vaughn en de rest van het jachtgezelschap al wisten. Het was vroeg in de middag toen de boerenwagen over de laatste bergkam het kamp binnenreed. Het tafereel deed bijna Egyptisch aan – Buchanan in een stuk zeildoek gewikkeld, de Plotts en Redbones verzameld rond het lijk als de dieren van de oude farao's die hun meester naar het hiernamaals vergezelden. Pemberton en Harris reden achter de wagen en Buchanans zwarte rijjasje was als een rouwvaandel aan de bovenste lat van de achterklep vastgebonden. De boerenwagen hield halt voor het kantoortje.

De stoet was nauwelijks tot staan gekomen toen Frizzells groene pick-up naast de kampwinkel kwam aanhotsen. Pemberton vermoedde dat het de fotograaf ter ore was gekomen dat er een ongeluk was gebeurd en dat hij had aangenomen dat de dode man een van de bergbewoners was. Dokter Cheney en Wilkie stapten de veranda van het kantoor af. Ook sheriff McDowell, die op de stronk van de es had gezeten, stond op en liep naar de wagen.

Enkele ogenblikken lang stonden de drie mannen alleen maar naar het bedekte lichaam te staren. Galloway kwam erbij, tilde de achterklep omhoog en joeg de Plotts en de Redbones uit de wagen. Toen de laatste hond eruit was, klauterde dokter Cheney in de laadbak. Hij sloeg het dekzeil weg van Buchanans lijk, dat ruggelings op de planken wagenvloer lag, en voelde toen waar de kogel het hart was binnengedrongen voordat hij de ruggegraat had verbrijzeld. *Een geweer*, zei Cheney zacht, net zo goed tegen zichzelf als tegen McDowell. Dokter Cheney raapte iets op van de wagenbodem en toen hij het bloed van de ovale vorm had gewreven bleek het dofwit van kleur. Sheriff McDowell legde zijn handen op de zijkant van de wagen en boog zich voorover.

'Is dat een knoop?'

'Nee,' zei dokter Cheney, 'een stukje wervel.'

Wilkie trok bleek weg. Sheriff McDowell draaide zich om naar Pemberton en Harris, die nog steeds te paard zaten.

'Wie heeft hem doodgeschoten?'

'Ik', zei Pemberton. 'Hij was in de boomgaard. Hij hoorde verder weg te zijn, bij de schuur. Anders zou ik niet hebben geschoten.'

'Was er verder nog iemand bij?' vroeg sheriff McDowell.

'Nee.'

McDowell liet zijn blik op de dode man rusten.

'Interessant dat je hem pal in het hart hebt geraakt. Dat zou ik toch een heel bijzondere toevalstreffer willen noemen.'

'Ik zou het een uiterst onfortuinlijke toevalstreffer willen noemen', zei Pemberton terwijl Harris en hij afstegen.

De sheriff sloeg zijn blik op en keek niet naar Pemberton, maar naar Serena, die toekeek vanaf de veranda van hun huis, met in haar rechterhand een laars die ze aan het poetsen was en in de andere hand een doekje met zwarte schoensmeer.

'Mevrouw Pemberton lijkt niet erg van streek door het verlies van uw compagnon.'

'Het ligt niet in haar aard om openlijk emoties te tonen', zei Pemberton.

'En jij, Wilkie?' vroeg McDowell. 'Enig vermoeden waarom je compagnon zou zijn doodgeschoten, anders dan per ongeluk?'

'Ik zou het niet weten', zei Wilkie snel en hij liep naar het kantoor, dwars door een modderpoel die hij pas scheen op te merken toen de zoom van zijn rechterbroekspijp doorweekt raakte.

Sheriff McDowell trok het zeildoek over Buchanans hoofd en romp zodat alleen de benen zichtbaar bleven. Verscheidene houthakkers waren komen aanlopen om een blik in de wagen te werpen. Onaangedaan staarden ze naar het lijk van Buchanan.

'Breng zijn lichaam naar de trein', zei McDowell tegen de houthakkers. 'Ik laat een lijkschouwing doen.'

Terwijl de mannen het lijk uit de wagen tilden, keek de sheriff in de richting van Galloway, die tussen de honden stond.

'Heb jij er nog iets aan toe te voegen?'

'Het was een ongeluk', zei Galloway.

'Hoe weet je dat?' vroeg McDowell.

Galloway knikte naar Pemberton en trok zijn mond in een grijns die, afgezien van een paar bruine en gele stompjes, tandeloos was.

''t Is niet zo'n goede schutter dat-ie het met opzet kan hebben gedaan.'

McDowell richtte zich vervolgens tot Vaughn, die nog steeds op de bok zat. De jongen maakte een angstige indruk.

'En jij, Joel?'

'Ik weet niks, meneer', zei Vaughn terwijl hij naar de bodem van de wagen staarde. 'Ik ben bij de paarden en de wagen gebleven.'

'Verder nog iets, sheriff?' vroeg Pemberton.

McDowell reageerde niet op die opmerking, maar een paar tellen later stapte hij in zijn auto en reed weg. Ook Harris vertrok. Galloway joeg de honden weer de wagen in. Hij nam de teugels over van Vaughn en reed in het stoffige spoor van de politieauto het kamp uit. Dokter Cheney bleef nog even dralen voordat ook hij naar huis ging. Toen Pemberton zich omdraaide en zich bij Wilkie op de veranda wilde voegen, zag hij dat de pick-up van de fotograaf verdwenen was.

Wilkie zat in de rechte stoel. Hij bette zijn voorhoofd met een blauwzijden zakdoek die hij gewoonlijk alleen als pochet gebruikte. Pemberton liep naar de veranda, trok een stoel bij en ging tegenover zijn compagnon zitten.

'Het moet je tot nadenken stemmen om iemand die dertig jaar jonger is zo plotseling te zien overlijden', zei Pemberton. 'Ik kan me zelfs voorstellen dat het je ertoe zou bewegen om jouw eenderde aandeel te verkopen en terug te gaan naar Boston om daar de tijd die je nog rest comfortabel door te brengen in plaats van in dit onherbergzame landschap.'

Pemberton schoof de stoel dichterbij, zodat hun knieën elkaar raakten. Pemberton kon de scheerzeep ruiken die elke maand uit Boston werd opgestuurd en zag een scheerwondje vlak onder Wilkies linkeroorlelletje.

'Misschien overwoog je iets dergelijks al toen de politici donderdagochtend bij je in het gevlij probeerden te komen.'

Wilkie keek niet naar Pemberton, maar naar de zijden zakdoek op zijn schoot. De knoestige vingers van de oude man wreven over de stof alsof de textuur hem fascineerde. Het was een merkwaardig kinderlijk gebaar, en Pemberton vroeg zich af of Wilkie nu ter plekke seniel aan het worden was.

'Mevrouw Pemberton en ik zullen je de helft betalen van wat

de parkautoriteiten je voor je aandeel boden.'

'De helft?' zei Wilkie, en de onrechtvaardigheid van het voorstel bracht hem ertoe Pemberton recht in de ogen te kijken.

'Dat is meer dan genoeg om je levensavond in welstand te kunnen slijten. Beschouw het maar als een soort onteigening.'

'Maar de hélft', zei Wilkie met een klank in zijn stem die het midden hield tussen verbijstering en woede.

De oude man keek langs Pemberton naar een loslopende hond die uit een van de keten naar beneden was gekomen. De hond boog zich over de plek waar de boerenwagen had gestaan en likte met zijn lange tong zand op dat doordrenkt was van Buchanans bloed. Er kwam nog een hond bij, die aan de grond snuffelde en ook begon te likken.

'Goed dan', zei Wilkie op bittere toon.

'We zullen vanavond de papieren opstellen', zei Pemberton. 'Dokter Cheney is beëdigd notaris en Campbell kan als getuige optreden. Ik zorg ervoor dat Campbell de papieren vanavond bij Covington in Waynesville afgeeft. Morgen kunnen we de hele transactie juridisch afhandelen op het kantoor van Covington. En bezegelen met een handdruk natuurlijk. We zijn immers heren, zelfs in dit van god verlaten oord.'

Pemberton stak hem zijn hand toe. Wilkie hief zijn hand ook op, maar heel traag, alsof hij een onzichtbaar gewicht optilde. De handpalm van de oude man was vochtig en hij deed geen moeite om een even zelfverzekerde hand te geven als Pemberton.

Pemberton liet Wilkie achter op de veranda. Hij liep naar huis en ging naar binnen. Hij trof Serena aan in de achterkamer, waar ze uit het raam staarde naar de stronken en het kapafval waar een paar honderd meter land mee was overdekt voordat het terrein omhoogliep naar de bergkam. In een hoek stonden haar laarzen te drogen op een krant. De grijskatoenen kousen die ze had gedragen, had ze ook uitgetrokken. In het schemerige licht waren Serena's enkels en voeten zo bleek als albast.

Pemberton ging achter haar staan en sloeg zijn armen om

haar middel met zijn hoofd dicht naar haar toegebogen. Serena draaide zich niet om, maar leunde tegen hem aan. Hij voelde de welving van haar heupen tegen zijn kruis, en niet alleen zijn lichaam, maar de hele kamer leek zich van begeerte te vervullen. De lucht voelde als geladen met een geringe, maar waarneembare elektrische stroom. Het schaarse licht dat schuin door het raam naar binnenviel gaf de kamer een warme honingkleur.

'Het is dus gebeurd', zei Serena terwijl haar rechterhand de zijne pakte en tegen haar dij drukte.

'Ja.'

'En de sheriff?'

'Achterdochtig, maar hij heeft bewijs noch getuigen om aan te tonen dat het geen ongeluk was.'

'En heeft onze oudste compagnon erin toegestemd zijn aandeel te verkopen?'

Pemberton knikte.

'En wat ben je aan de weet gekomen over de familie van Buchanan?'

'Hij heeft twee broers, de een studeert, de ander is leraar.'

'Niets dan goed nieuws', zei Serena, uit het raam starend. 'Je zult meer tijd in de zagerij moeten doorbrengen, in het begin tenminste, maar we zullen iemand tot voorman bevorderen en een paar nieuwe krachten aannemen. Naar wat ik zo gehoord heb, waren het de voorlieden die voor het dagelijkse reilen en zeilen zorgden, ook toen Wilkie en Buchanan er nog wel waren. Campbell kan op den duur bijspringen, maar hij moet eerst het terrein van Jackson County verkennen, en ook het gebied van Townsend.'

Serena's hand gleed een stukje omlaag en haar vingers plooiden de zijne naar de welving van haar dijbeen. Serena's gouden ring rustte op die van Pemberton. De geladenheid die hij had gevoeld sinds hij de kamer was binnengekomen nam toe, alsof de verbinding tussen het goud een geleiding vormde die de energie rechtstreeks van Serena in hem liet stromen. Enerzijds verlangde

Pemberton er hevig naar zijn hand weg te halen om haar naar het bed te voeren, maar anderzijds wilde hij zich absoluut niet verroeren, opdat de elkaar rakende ringen niet gescheiden werden en de stroom niet zou verzwakken. Serena voelde kennelijk dezelfde energie, want haar hand bleef waar hij was. Ze ging iets verstaan en drukte haar lichaam dichter tegen het zijne aan.

'Je hebt hem toch niet in de rug geschoten, hè?'

'Nee', zei Pemberton.

'Ik wist dat je dat niet zou doen. Maar dat soort scrupules doet er niet toe. Daar staan we boven, Pemberton.'

'Hij is dood', antwoordde Pemberton. 'Dat is het enige wat ertoe doet. Het is allemaal achter de rug en we hebben alles gekregen wat we wilden.'

'Vandaag in elk geval wel', zei Serena. 'Een start, een echt begin.'

Pemberton boog zijn hoofd en rook het Franse parfum dat hij voor Kerstmis had besteld en dat Serena alleen op deed nadat ze 's avonds een bad had genomen en alleen op zijn verzoek. Hij liet zich in vervoering brengen door die geur en drukte zijn lippen tegen haar nek.

Serena trok haar hand uit de zijne en maakte zich los uit zijn omhelzing. Ze begon zich uit te kleden en liet haar kleren op de grond vallen. Toen Serena volledig naakt was, draaide ze zich om en drukte haar hele lichaam tegen het zijne. De broek die hij aanhad was nog vochtig van toen hij had geholpen om Buchanan naar de wagen te dragen, en toen Serena achteruitstapte, zag Pemberton een kleine rode veeg op haar onderbuik. Serena zag het ook, maar ging niet naar de badkamer om een waslapje te halen.

Pemberton ging op het bed zitten om zijn laarzen en kleren uit te trekken. Hij reikte naar de la van het bedtafeltje om er een condoom uit te pakken, maar Serena pakte zijn pols vast en drukte zijn hand stevig tegen haar heup.

'Het wordt tijd om onze erfgenaam te maken', zei Serena.

kozen uit vislijnen en -haken, hoeden die eerder zwierig dan praktisch waren, sigarettenvloeitjes, pijpen en zakmessen en, discreet neergezet op een van de onderste planken, halveliterkruiken illegaal gestookte sterkedrank. Op een ander stel schappen lagen de spullen voor echtgenotes, vriendinnetjes en de vrouwen uit de keuken – lappen bedrukte katoen en kant, sjaaltjes en parfum, haarlinten en armbanden. Verspreid tussen deze traditionele geschenken lagen Campbells raadselachtiger keuzes. Het waren stuk voor stuk bijzondere spullen: een fluit van teakhout, een paar rood met groene honkbalkousen, een legpuzzel van de Verenigde Staten. Het was de arbeiders niet verboden, maar er was er niet één die de kampwinkel zelf binnenging, omdat niemand in de verleiding wilde komen om zijn vijftig cent aan iets nuttigs te besteden, zoals handschoenen of onderbroeken, een nieuw bijlblad of wollen sokken. In plaats daarvan slenterden ze over de veranda, pakten een voorwerp op, waanden zich een ogenblik lang de eigenaar en zetten het dan weer terug om iets anders te pakken. Af en toe werd er een kwartje in de lucht gegooid, opgevangen en op de rug van de hand gekletst, om zo de uiteindelijke beslissing aan een andere macht over te laten.

Rond een uur of tien waren de schappen halfleeg, maar toch liep er nog voortdurend volk de verandatreetjes op en af, onder wie arbeiders die met de trein uit Waynesville waren gekomen en bewoners van de keten die meer waarde hechtten aan een paar zeldzame uren extra slaap dan aan een welgekozen cadeautje. Snipes en zijn ploeg hadden tot de vroege klanten behoord. Afgezien van Stewart, die bij prediker McIntyre thuis voor de kerstmaaltijd was uitgenodigd, bleef de ploeg op de verandatrap voor de kantine rondhangen om de drukte gade te slaan. Zij liepen al te pronken met hun geschenken. Uit de werkschoenen van Snipes ontsproten de rood met groene honkbalkousen, die de pijpen van zijn overall tot aan zijn knieën bedekten. Dunbar had zijn vilten hoed op, die dan wel vaalbruin van kleur was, maar een zwierig omgekrulde rand had. Ross had de keus op sterkedrank laten vallen, waarvan het grootste deel nu al in zijn maag smeulde.

Ross zette de kruik drank aan zijn mond en nam nog een slok. De tranen schoten hem in de ogen en zijn lippen vormden een vlezige O toen hij met kracht een witte adempluim uitstootte.

'Ik sta ervan te kijken dat de Kerstman het lef had om naar het kamp te komen,' zei hij, 'zeker na wat er met Buchanan is gebeurd.'

'Hij zou ook niet gekomen zijn als Campbell het niet zomaar, zonder iets te vragen, had geregeld', zei Snipes.

'Ieder ander zouden ze ervoor ontslagen hebben,' zei Dunbar, 'als-ie al die cadeaus zonder te vragen gekocht had, bedoel ik.'

'Hij weet dat ze hem harder dan ooit nodig hebben nu Buchanan en Wilkie er niet meer zijn', zei Ross. 'Campbell is een prima vent, maar hij laat niet met zich sollen en redt zijn eigen hachje wel als hij onder vuur komt te liggen.'

'Maar toch,' zei Dunbar, 'd'r zijn niet veel opzichters die zoiets voor ons zouden hebben gedaan.'

'Daar heb je gelijk in', gaf Ross toe.

De mannen lieten hun blik naar de veranda van de kampwinkel gaan, waar Rachel Harmon haar geschenken voor Campbell neerzette.

'Zo te zien heeft ze alleen maar denim en speelgoed voor die kleine van haar gekocht', zei Snipes. 'Ik weet nog dat ze vorig jaar lekkere zeep en een mooie strik voor d'r haar had.'

'En dat ze de hele tijd liep te giechelen en te gekken met de andere keukenmeiden,' zei Dunbar, 'maar zo te zien valt er tegenwoordig niet veel meer te giechelen.'

'Er valt voor een meisje weinig meer te lachen als ze een kind krijgt zonder vader', zei Ross.

'Je zou toch verwachten dat Pemberton dat kind zou erkennen en een beetje zou bijspringen', zei Dunbar. 'Ik snap niet hoe een man zoiets kan doen zonder zich hartstikke schuldig te voelen.'

'Volgens mij heeft de vrouw des huizes daar een aardig woordje in meegesproken', opperde Ross.

'Er is er in elk geval eentje die haar goed behandelt', merkte Dunbar op toen Joel Vaughn het trapje op liep.

De ploeg zag dat Vaughn iets tegen Rachel Harmon zei en dat hij haar toen een speelgoedlocomotiefje gaf waarvan het blanke metaal opblonk in het licht van de late ochtend. Vaughn en Harmons dochter stonden nog even te praten voordat zij vertrok en het locomotiefje meenam in de tas met spullen die ze had uitgezocht. Een paar minuten lang was er verder niemand anders op de veranda van de kampwinkel dan Campbell en Vaughn. Dunbar draaide zich om naar het brede raam van de kantine om zichzelf te bekijken met zijn nieuwe hoed op.

'Ik vind hem wel wat hebben,' zei hij, 'maar toch jammer dat er geen kanariegele band omzit.'

'Als-ie die had gehad, had Snipes hem misschien wel voor je neus weggekaapt', zei Ross. 'Je hoofd, dat is het enige dat nog wat kleur kan gebruiken, hè Snipes?'

'Mijn hoofd en mijn schoenen.'

Dunbar krulde de rand van de hoed nog ietsje omhoog en ging weer zitten.

'Wat denken jullie dat Galloway van de Kerstman heeft gekregen?' vroeg Dunbar. 'Een stel giftanden voor bij de ratels die hij op zijn knar heeft?'

'Misschien wat rattengif om zijn eten mee te kruiden', opperde Snipes.

'Dat had ik waarschijnlijk beter kunnen nemen dan die hoed', zei Dunbar. 'Sinds het zo koud is geworden, is mijn keet zo ongeveer vergeven van de ratten. Het lijkt wel of ze een opwekkingsbijeenkomst houden als je ziet met hoeveel ze zijn.'

'Zou toch niks helpen', zei Ross. 'Ik heb wat van dat Parijs groen gebruikt in mijn keet en dat is het sterkste gif dat er bestaat. De ratten aten ervan alsof het niks sterkers was dan zout op hun popcorn.'

'En die vallen dan die ze in de kampwinkel hebben, waar je kaas in moet stoppen als lokaas?' vroeg Dunbar. 'Heeft iemand die al geprobeerd?'

'Het zijn een stelletje bullebijters', zei Ross. 'Ik zie ze ervoor aan om die vallen terug te slepen naar de kampwinkel en er nog wat meer lokkaas voor te vragen.'

'Om die beesten uit te roeien heb je slangen nodig,' zei Snipes terwijl hij aandachtig naar zijn werkschoenen keek, 'maar die arend heeft de hele yen en yang op zijn kop gezet, zoals de oosterlingen dat noemen.'

'Wat wil dat zeggen?' vroeg Dunbar.

'De manier waarop de dingen met elkaar in evenwicht zijn. Alles in de wereld heeft zijn natuurlijke plaats en als je er iets uit weghaalt of in zet wat er niet uit of in hoort, raakt alles ontregeld en van slag.'

'Zowat als geen verschillende seizoenen hebben', zei Dunbar.

'Precies. Als je het hele jaar door alleen maar winter had, zouden we bevriezen en als je het hele jaar door zomer had, zou het water verdwijnen en zouden alle gewassen doodgaan.'

'Ik zou er niks op tegen hebben als het het hele jaar door lente was', zei Dunbar. 'Het is warm, maar er valt wel regen en alles loopt uit en is springlevend, en de vogels zingen allemaal.'

'Dat zou nou net het probleem zijn', zei Snipes. 'Het zou een beetje al te springlevend worden. Alles zou de hele tijd maar aan het uitlopen zijn en in een mum van tijd zou elke centimeter aarde bedekt zijn met bomen en ranken en gras. Je zou elke ochtend je bijl nodig hebben om een plekje uit te hakken waar je rechtop kon staan.'

Ross sloeg het laatste restje van zijn sterkedrank achterover en liet zijn blik over het grijsbruine dal en de gescalpeerde hellingen van Noland Mountain gaan.

'En als er nou helemaal niks levends meer over is, wat dan?' vroeg hij.

De volgende ochtend ging men in het kamp weer over tot de orde van de dag. Sommige mannen waren uitgerust, sommigen hadden een kater en voor sommigen gold allebei. Serena ging met een ploeg mee die aan het werk was op Indian Ridge. Ze was zwanger, maar dat wist niemand in het kamp, behalve Pemberton. Toen hij haar had gevraagd of ze het wel moest riskeren om paard te rijden, had ze met een lachje gezegd dat een kind van hen best tegen een stootje kon.

Vroeg in de middag belde Harris naar het kantoor. Hij was twee weken weggeweest en had bij terugkomst een telegram van Albright aangetroffen, waarin die Harris en Pemberton de mantel uitveegde omdat ze nog steeds uit waren op de grond van Townsend, zelfs nu het park onvermijdelijk was geworden, net als onteigening voor degenen die niet wilden verkopen.

'Niks geen diplomatie meer', brieste Harris. 'Hij denkt dat we ons wel gedwee overgeven als hij zijn tanden laat zien, net als Champion. Er lag ook nog een boodschap van Luckadoo van de Spaar- en Leenbank. Die zegt dat Webb en Kephart bij hem zijn geweest met vragen over dat gebied in Jackson County waar jij je zinnen op hebt gezet. God mag weten wat dat nou weer te betekenen heeft, maar veel goeds kan het niet zijn.'

Toen Harris had opgehangen, liep Pemberton naar de stal en reed oostwaarts naar Indian Ridge. Toen hij door het kamp reed, zag Pemberton dat aan sommige keten nog een kerstkrans hing. Hier in de bergen vonden sommigen dat het pas op zes januari echt Kerstmis was. Oude Kerst, noemden ze dat, omdat ze geloofden dat de drie koningen op die dag het Kerstkind hadden bezocht. Nog zo'n wetenswaardigheid die Buchanan in zijn opschrijfboekje had genoteerd. Bij de gedachte aan het boekje moest Pemberton ook aan de man zelf denken, maar niet langer dan een paar tellen, want toen keerden zijn gedachten terug naar Serena en het leven dat ze in zich droeg.

Hij vond haar bij een ploeg die hielp bij de aanleg van een nieuw zijspoor, en met zijn vieren stonden ze te kijken naar een reusachtige witte eik die de doorgang van het spoor blokkeerde. Serena deed nog een laatste suggestie en reed toen naar Pemberton. Pemberton vertelde haar van het telegram.

'Als het park onvermijdelijk was, zou Albright zich niet zo druk maken', zei Serena. 'De grond van Townsend moet waardevoller voor hen zijn dan ze ons willen doen geloven, waarschijnlijk vanwege de ongerepte loofbossen. Die willen ze ongetwijfeld gebruiken om het publiek op hun hand te krijgen, net zoals Muir de sequoia's in Yosemite heeft gebruikt. Laat ze maar doorgaan met razen en tieren, dan kunnen wij doorgaan met kappen.'

Er viel een korte stilte in het nabijgelegen bos toen de kerfhakker klaar was met het aanbrengen van de valkerf en een stap achteruit deed. De twee zagers knielden op de bevroren grond, die nog bedekt was met de sneeuw van gisteren, met tussen hen in de vier meter lange trekzaag die alleen voor de allergrootste bomen werd gebruikt. Toen ze de zaag optilden en in de kerf lieten glijden, viel de middagzon op het gepolijste blad en leek het wel alsof het staal opnieuw gesmeed werd om de confrontatie met de witte eik aan te kunnen. Serena en Pemberton keken naar de mannen, die na een paar uitglijers en haperingen hun ritme vonden. De ploegbaas stak zijn hand op naar Serena om aan te geven dat, wat het ook was geweest waar de ploeg zich geen raad mee had geweten, het probleem nu was opgelost.

'Webb en Kephart zijn bij de Spaar- en Leenbank langsgeweest', zei Pemberton. 'Luckadoo heeft Harris verteld dat ze vragen stelden over het gebied in Jackson County. Voor nog meer parkland, denkt Harris. Harris zei dat ze beginnen te denken dat ze zich alles kunnen permitteren.'

Serena had naar de zagers staan kijken, maar draaide zich nu om naar Pemberton.

'Maar dat is onzinnig, want al het andere parkland ligt daar minstens dertig kilometer vandaan.'

'Laat ze daar maar doen wat ze willen', zei Pemberton. 'Volgens Campbell is het land van Townsend de beste koop voor ons. Harris is hoe dan ook zo van slag door dat park dat hij het misschien wel helemaal bij het verkeerde eind heeft wat Webb en Kephart betreft.'

'Maar ze worden wel steeds zelfverzekerder', zei Serena terwijl ze toekeek hoe het blad van de trekzaag zich het harthout in werkte. 'Daar heeft Harris wel gelijk in.'

Zeventien

Op de eerste zondag van het nieuwe jaar reden de Pembertons en Harris naar Jackson County om het stuk land te bekijken dat de Spaar- en Leenbank van Waynesville zes maanden geleden door een faillissement weer in handen had gekregen, land dat Harris ineens coûte que coûte wilde zien voordat hij wilde instemmen met de aankoop van de grond van Townsend. Harris zat achterin en hield zich warm met behulp van een wollen overjas en een heupfles whisky. Het had de vorige dag geijzeld, en hoewel er nu alleen nog een miezerige regen op de voorruit viel, lag er op bruggen en in bochten nog een ijslaag daar waar het asfalt in de schaduw van steile rotswanden lag. Pemberton reed voorzichtig en hield zo veel mogelijk het midden van de weg aan terwijl hij voortdurend betreurde dat Serena per se had willen meegaan.

Harris boog zich naar voren om de heupfles te laten rondgaan, maar de Pembertons bedankten. Harris stak de fles weer in zijn zak, haalde de woensdageditie van de *Asheville Times* tevoorschijn en begon hardop te lezen.

'Hoewel onze aandacht voor het stichten van een nationaal park van cruciaal belang is voor de toekomst van onze regio, dienen we als staat ook handelend op te treden om ons eigen, uitgestrekte, maar bedreigde natuurschoon veilig te stellen. De onlangs door executie beschikbaar gekomen 3600 hectare landbouwgrond in de regio Caney Creek in Jackson County biedt, hoe tragisch ook voor de vroegere eigenaren van het land, een zeldzame kans om een gebied te verwerven dat zich tot de meest ongerepte in onze regio mag rekenen, en wel tegen een zeer redelijke prijs. Deze verscholen parel is rijk aan loofbossen en bruisende beken en kan tevens bogen op een overvloedige flora en fauna. De heer Horace Kephart, de belangrijkste natuurkenner in deze contreien, is de mening toegedaan dat dit gebied zich, wat natuurlijke rijkdommen betreft, kan meten met elk ander in de zuidelijke Appalachen. Niettemin is de heer Kephart van oordeel dat het nu tijd is om handelend op te treden. Doordat het gebied dicht bij Franklin ligt, begint het de aandacht te trekken van speculanten aldaar, wier enige interesse in westelijk North Carolina bestaat uit het vullen van hun eigen zakken. Aangezien de financiële middelen van North Carolina, evenals die van de rest van het land, uiterst beperkt zijn, is het nu de hoogste tijd dat de vermogende inwoners van onze staat het voortouw nemen door een bijdrage te leveren aan dit erfgoed, niet alleen voor henzelf, maar ook voor alle inwoners van North Carolina.'

Harris vouwde de krant op en sloeg ermee op de achterbank. 'Ik wíst dat die hufters zoiets aan het bekokstoven waren. Webb en Kephart zijn vrijdag weer bij de Spaar- en Leenbank geweest. Ze wilden er verdomd weinig over loslaten, maar Luckadoo denkt dat iemand hier uit de omgeving ze wil helpen, iemand met een heleboel geld.'

'Wie zou dat kunnen zijn?' vroeg Pemberton.

'Ik denk dat het Cornelia Vanderbilt is met die Engelse dandy van een echtgenoot, die Cecil', zei Harris. 'Die idiote moeder van haar heeft tweeduizend hectare afgestaan voor dat Pisgahbos, dus dit soort idiotie zit in de familie. Bovendien zijn ze bevriend met Rockefeller.'

Harris zweeg lang genoeg om een slok uit de heupfles te nemen en zat zich steeds meer op te vreten.

'Die moeten het wel zijn', zei hij ziedend. 'Niemand anders heeft zo veel geld. Waarom kunnen ze verdomme niet gewoon het koningspaar uithangen op dat kasteel van ze en zich met hun eigen zaken bemoeien. Van Webb tot Rockefeller, het zijn stuk voor stuk regelrechte bolsjewieken. Ze zijn pas tevreden als deze bergen tot op de laatste hectare staatseigendom zijn geworden.'

'Wanneer de mensen uiteindelijk gaan beseffen dat het neerkomt op de keus tussen banen of een mooi uitzicht, piepen ze wel anders', zei Pemberton.

'Banen of een mooi uitzicht', zei Harris. 'Dat klinkt goed. We kunnen Webb voorstellen dat hij dat als kop boven zijn volgende artikel zet. Ik neem aan dat je zijn zogenaamde open brief aan kolonel Townsend hebt gelezen?'

'Ja, die hebben we gelezen,' zei Serena, 'maar Townsend is een veel te geslepen zakenman om zich door Webbs rijmelarij of de dreigementen van Albright op andere gedachten te laten brengen.'

'Ik had dat gesodemieter over dat park de kop moeten indrukken toen het begon, in 1926', zei Harris. 'Als ik niet zo veel geld in nieuwe machines had gestoken, zou ik allebei die stukken land kopen, gewoon om iedereen te treiteren.'

'Hoe bloemrijk Webb er ook over schrijft, ik betwijfel of dit land beter is dan dat van Townsend', zei Pemberton.

'Misschien niet,' zei Harris, 'maar ik heb er wel een paar uur voor over om het te bekijken, zeker als die lui in Franklin er lucht van hebben gekregen. Die hebben gewoonlijk weinig belangstelling voor iets wat zo noordelijk ligt.'

Harris nam nog een slok en stopte de heupfles weer terug in zijn jaszak. De zon brak door het laaghangende wolkendek. Niet voor lang, vermoedde Pemberton, maar misschien zou het lang genoeg dooien om de terugrit gemakkelijker te maken. Na een poosje kwamen ze bij een kruising. Pemberton stopte om een met de hand getekende kaart te bekijken die hij maanden geleden van Luckadoo had gekregen. Hij gaf de kaart aan Serena en sloeg rechtsaf. De weg beschreef een brede bocht en algauw verscheen links van hen de Tuckaseegee River. Het water zag er glad en traagstromend uit, alsof het futloos was door de kou. De rivier boog naar de weg toe en vóór hen dook een stalen eenbaansbrug op. Vanaf de andere kant kwam er ook een auto op de brug af rijden. Dichterbij gekomen zag Pemberton dat de auto een Pierce-Arrow was.

'Dat is de auto van Webb, die klootzak', tierde Harris. 'Als we elkaar op de brug tegenkomen, duw je hem maar het water in.'

De twee voertuigen leken gelijktijdig de brug op te rijden tot de Pierce-Arrow afremde. Het stalen geraamte van de brug sidderde toen de Packard eroverheen reed.

'Stop', zei Harris tegen Pemberton.

Pemberton hield halt naast de Pierce-Arrow. Webb was niet alleen. Kephart zat naast de journalist en zag eruit alsof hij een vreselijke kater had, ogen bloeddoorlopen, haar ongekamd. Hij zat ineengedoken in een versleten duffelse jas en had een paar doorweekte laarzen op schoot. Kephart keek recht voor zich uit, ongetwijfeld jaloers op de dure scheerwollen overjas van zijn metgezel. Harris draaide zijn raampje omlaag en Webb deed hetzelfde.

'Ik had niet verwacht vandaag nog iemand anders tegen te komen', zei Webb. 'Wat voert jou en je consorten naar Jackson County?'

'We trekken gewoon even een tip na over een goed stuk land', zei Harris. 'Niet dat het je ook maar ene moer aangaat.'

'Maar de bevolking van North Carolina gaat het wel aan, zou ik zo denken', zei Webb.

'Stomme idioot, het gaat ons toch juist om North Carolina', zei Harris. 'Wanneer de mensen hier wortels moeten opgraven in die parken van jou om niet te verhongeren, zullen ze dat ook inzien en dan gebruiken ze die bomen van jou om mensen aan op te knopen. Dat zou ik ook maar aan die vrienden van je vertellen, zeg maar dat ze moeten zorgen dat er een slotgracht en een ophaalbrug bij dat kasteel komt.'

'Ik heb geen idee waar je het over hebt', zei Webb.

'Nee, natuurlijk niet. Er is zeker ook geen enkele reden waarom jij vanochtend zomaar in Jackson County bent.'

'Dit is de reden', zei Webb en hij pakte de Hawkeye-camera van de achterbank. 'Kephart wist waar we een geweldig indrukwekkende waterval konden vinden en daar heeft hij foto's van gemaakt. Ik zet er morgen een van op de voorpagina.'

'Het ziet ernaar uit dat hij er een nat pak aan heeft overgehouden', zei Harris met een knikje naar de laarzen van Kephart. 'Jammer dat hij er niet in gevallen en verzopen is.'

'Leuk even een praatje gemaakt te hebben,' zei Webb, die het raampje al omhoogdraaide, 'maar we hebben een drukke week voor de boeg.'

Webb haalde de auto van de handrem en toen reed de Pierce-Arrow ratelend over de brug.

'Een waterval', mompelde Harris.

Ze kwamen langs een dichte opstand van hickory en es en vervolgens langs een weiland, waar zich in het midden een enkele berkeboom verhief met zilverkleurige bast die als papyrus van de stam afbladderde. Naast de boom stonden een liksteen en een houten trog. De weg eindigde abrupt bij de boerderij, waar ze uitstapten. Er was een aanzegging tot onteigening op de voordeur gespijkerd. Zo te zien met houtskool was eroverheen gekrabbeld: *Hoover kan naar de hel lopen.* Het had er alle schijn van dat de boerderij kortgeleden nog bewoond was geweest: peppelhout op de houtstapel, een zak met pompoenzaad en een rotanhengel met lijn en haak op de veranda. Aan een tak boven de beek hing een scheplepel in het middaglicht te glimmen als om kraaien te verjagen.

'Ze zijn hier geweest', zei Harris, wijzend op een stel verse bandensporen.

Harris bukte zich om een paar stenen op te rapen die naast de bandenafdruk lagen, bekeek ze even en gooide ze weer op de grond. Hij raapte een kleinere steen op die hij aandachtiger bekeek.

'Die zou weleens wat koper kunnen bevatten', zei hij en hij stopte hem in zijn zak.

Serena liep de treetjes van de veranda op en tuurde door een raam naar binnen.

'Zo te zien helemaal van massief eiken', zei ze goedkeurend.

'Als we er een paar tussenwanden uit slopen, zou dit als kantine kunnen dienstdoen.'

'Treffen we elkaar hier om vijf uur weer?' vroeg Harris.

'Prima', zei Pemberton. 'Maar zorg er wel voor dat je niet al te zeer in beslag wordt genomen door de schoonheid van Kepharts waterval en de tijd uit het oog verliest.'

'Dat gaat zeker niet gebeuren,' zei Harris grimmig, 'maar misschien ga ik er wel even in pissen.'

Harris stopte zijn broekspijpen in zijn laarzen en vertrok, stroomopwaarts langs de beek, waar hij al snel in een groene wirwar van rododendrons verdween. Pemberton en Serena sloegen een pad in dat naar de bergkam liep. De middagzon was tevoorschijn gekomen en verspreidde een kil licht over de helling. Onder de grote bomen lag nog sneeuw die de week ervoor was gevallen, en een bron waar ze overheen stapten was bedekt met een dun laagje ijs. Pemberton liep langzaam en zorgde ervoor dat Serena dat ook deed. Eenmaal boven konden ze het hele gebied overzien, ook een gedeelte waar een aantal immense kastanjebomen stonden.

'Campbell heeft gelijk', zei Pemberton. 'Geen slechte koop voor vijftig dollar per hectare.'

'Maar toch niet zo goed als de prijs van Townsend, ook al is die tweeënhalve dollar hoger per hectare,' zei Serena, 'zeker als je daar nog de aanlegkosten van een schraagbrug over de rivier bij optelt. Bovendien is dat een tijdrovende klus en je verliest er altijd een paar man bij.'

'Daar had ik niet aan gedacht.'

Serena legde een hand op haar buik, die bedekt was door de wollen stof van haar jas. Pemberton knikte naar een rots die zo glad en vlak was dat hij prima als bankje kon dienen.

'Ga even zitten om uit te rusten.'

'Alleen als jij dat ook doet', zei Serena.

Ze zaten uit te kijken over het weidse berglandschap dat zich voor hen uitspreidde, sommige bergen kaalgekapt, maar nog veel meer in ongerepte staat. De Tuckaseegee stroomde naar het westen, de oevers aan het zicht onttrokken door laaghangende nevel. Helemaal in het noorden torste Mount Mitchell de lage, grauw wordende hemel die sneeuw beloofde. Uit een dichterbij gelegen bos kringelde blauwe rook op, vermoedelijk het kampvuur van een jager.

Pemberton schoof zijn hand in Serena's jas. Hij legde hem zacht op haar buik en liet hem daar even liggen. Serena wierp hem een spottend lachje toe, haalde zijn hand echter niet weg, maar legde haar hand op de zijne, en toen ze sprak waren haar woorden wit van de kou.

'De hele wereld ligt voor ons, Pemberton.'

'Ja', beaamde Pemberton, het uitzicht in zich opnemend. 'Zover als het oog reikt.'

'Nog verder', zei Serena. 'Brazilië. Mahoniewouden van dezelfde kwaliteit als op Cuba, alleen hebben we ze daar helemaal voor onszelf. Geen enkel ander houtbedrijf is daar werkzaam, je hebt er alleen rubberplantages.'

Het was voor het eerst sinds ze uit Boston waren vertrokken dat Serena in bijzonderheden trad over Brazilië, en Pemberton reageerde nu, net als toen, met goedmoedige ironie op Serena's fantasie.

'Verbazingwekkend dat niemand anders ooit op het idee is gekomen die bomen te oogsten.'

'Ze zijn wel op het idee gekomen,' zei Serena, 'maar ze laten zich afschrikken. Er zijn geen wegen. Hele gebieden die niet eens in kaart zijn gebracht. Een land zo groot als de Verenigde Staten, en het wordt van ons.'

'We moeten eerst afmaken wat we hier zijn begonnen', zei Pemberton.

'Met geld van investeerders dat we voor Brazilië bijeenbrengen kunnen we hier de zaak ook sneller afronden.'

Pemberton zei niets meer. Zwijgend bleven ze nog een poosje zitten en ze keken toe hoe de middag voor hun ogen geleidelijk ten einde kwam, toen liepen ze langzaam de berghelling af – Pemberton voor Serena uit, zodat hij haar arm kon vasthouden als de grond beijzeld was. Het liep tegen vijven toen ze terugkwamen bij de boerderij, maar Harris was nog steeds op onderzoek uit bij de beek en de rotsen.

'Dat hij al zo lang weg is', zei Serena toen ze op het trappetje van de veranda zaten te wachten, 'duidt er vast op dat hij wat gevonden heeft.'

En als bij toverslag dook Harris op uit de rododendrons. Zijn laarzen waren aangekoekt met modder en uit de schaafwonden aan zijn handen viel af te leiden dat hij gevallen was. Maar toen hij de beek overstak, krulde er een raadselachtig lachje onder zijn kortgeknipte snor.

'En, wat vind je ervan, Harris?' vroeg Pemberton toen ze terugreden naar het kamp.

'Voor mijn belangen is dit een beter stuk land', antwoordde Harris. 'Het scheelt niet veel, maar genoeg om doorslaggevend te zijn. Er is hier beslist meer porseleinaarde. Misschien ook wat koper.'

Serena draaide zich om naar de achterbank.

'Ik wou dat wij hetzelfde konden zeggen, maar Campbell heeft gelijk. Er zit goed hout tussen, maar lang niet zo veel hardhout als op het land van Townsend.'

'Misschien kunnen we Luckadoo zover krijgen dat hij de prijs van de Leen- en Spaarbank verlaagt naar vijfenveertig dollar per hectare,' zei Harris, 'vooral als we aanbieden de zaak snel rond te maken.'

'Misschien,' zei Serena, 'maar zevenendertig vijftig per hectare zou nog mooier zijn.'

'Ik ga morgen met hem praten', zei Harris. 'Ik denk dat we de prijs wel omlaag kunnen krijgen.'

Het was na zevenen toen ze terugkeerden in het kamp. Pemberton stopte voor het kantoor, waar Harris zijn Studebaker had geparkeerd. De oudere man kwam moeizaam van de achterbank, wat meer aan de lege heupfles te wijten was dan aan zijn leeftijd.

'Wil je nog wat eten voordat je teruggaat naar Waynesville?' vroeg Pemberton.

'Nou, wat graag', zei Harris. 'Ik heb honger als een paard door al dat op en neer geklauter bij de rivier.'

Pemberton wierp een blik op Serena en zag dat haar oogleden zwaar begonnen te worden.

'Waarom ga jij niet alvast naar huis om uit te rusten? Ik zorg wel dat Harris wat te eten krijgt en breng avondeten voor ons mee.'

Serena knikte en ging weg. Hoewel het zeven uur was, brandde er licht in de kantine. Binnen de muren van het gebouw zongen rauwe stemmen: 'Onwrikbaar staan de bergen die Gij geschapen hebt'.

'Rond Kerstmis en Oud en Nieuw laten we Bolick ook avonddiensten houden', zei Pemberton 'Het is me wel een paar dollar aan elektriciteit waard om de arbeiders godvrezend te houden, maar ik zorg de volgende keer wel voor een minder lastige kamppredikant.'

Harris knikte. 'Religie is zakelijk gezien een geweldige investering. Levert gegarandeerd meer op dan staatsobligaties.'

Pemberton en Harris gingen via de veranda aan de zijkant naar binnen. De keuken lag er verlaten bij, hoewel er nog pannen op het boerenfornuis stonden, en stapels vuile borden naast de tweehonderdliterkuipen met grijzig water. Pemberton knikte naar de deuropening van de grote zaal, waar de zang had plaatsgemaakt voor het sonore stemgeluid van Bolick.

'Ik ga een kok en een keukenmeid halen.'

'Ik kom met je mee', zei Harris. 'Voor mijn jaarlijkse portie godsdienst.'

De mannen liepen de zaal binnen, hun voetstappen luid weerklinkend op de houten vloer. De arbeiders en hun gezinnen vulden de banken die voor de lange houten tafels waren neergezet, vrouwen en kinderen vooraan, mannen achteraan. Dominee Bolick stond achter twee aan elkaar gespijkerde groentekratten die samen een gammel altaar vormden. Daarop lag een reusachtige in leer gebonden Bijbel, de brede bladzijden uitwaaierend over de randen van het hout.

Pemberton speurde de dichtstbijzijnde banken af, vond zijn kok en liep het geïmproviseerde middenpad in om de man te wenken. Hij moest een paar tafels af lopen voordat hij eindelijk een keukenmeid vond, maar de vrouw was zo in vervoering dat Pemberton al bijna naast Bolick stond voordat hij haar aandacht wist te trekken. De vrouw kwam van haar plaats en schuifelde langzaam door een bultig pad van knieën en rompen. Maar Pembertons blik was niet meer op haar gericht.

Het jongetje zat bij zijn moeder op schoot, met een grijs dekentje om zich heen. Hij had een speelgoedlocomotiefje in zijn hand en liet de stalen wielen met ernstige bezonnenheid over zijn been heen en weer rollen. Pemberton nam het gezichtje aandachtig in zich op. Het kind was een stuk gegroeid sinds de dag waarop de foto was genomen, maar dat was niet het belangrijkste. Wat Pemberton meer opviel, was dat het gezicht smaller en uitgesprokener was geworden, dat het vlassige haar nu dikker was. Maar vooral de ogen, donker als mahonie. Pembertons ogen. Dominee Bolick onderbrak zijn preek en er daalde een stilte neer over de kantine. Het kind staakte zijn spel met het treintje, keek op naar de predikant en vervolgens naar de lange man die vlakbij stond. Een paar tellen lang keek het kind Pemberton recht aan.

De gemeente begon ongemakkelijk te verschuiven op de banken, veler ogen op Pemberton gericht terwijl dominee Bolick de brede bladzijden van de Bijbel omsloeg op zoek naar een bepaalde passage. Toen Pemberton doorkreeg dat er naar hem werd gekeken, liep hij naar het achtergedeelte van de zaal waar Harris en de keukenhulpen stonden te wachten.

'Ik dacht even dat je daar zou gaan staan om zelf een preek af te steken', zei Harris.

De kok en de keukenmeid gingen de keuken in, maar Harris en Pemberton bleven nog even dralen. Bolick vond de passage die hij had gezocht en vestigde zijn blik op Pemberton. Even was er niets anders te horen dan de zachte klik van het knipmes van een van de arbeiders die zijn nagels wilde gaan schoonmaken.

'Uit het boek van Obadja', zei dominee Bolick, en hij begon voor te lezen.

'De trotsheid uws harten heeft u bedrogen; hij, die daar woont in de kloven der steenrotsen, in zijn hoge woning; die in zijn hart zegt: Wie zou mij ter aarde nederstoten?'

Harris glimlachte. 'Ik geloof dat de eerwaarde dominee het tegen ons heeft.'

'Kom mee', zei Pemberton en hij deed een stap in de richting van de keuken terwijl Bolick verder las.

Harris greep Pemberton bij de arm.

'Vind je niet dat we de man moeten uithoren, Pemberton?'

'Serena wacht op haar avondeten', zei Pemberton kortaf en hij trok zich los uit Harris' greep terwijl Bolick de passage ten einde las.

De predikant sloeg de Bijbel dicht met trage omzichtigheid, alsof de inkt op het perkamentpapier anders zou vlekken.

'Zo sprak de Heer', besloot dominee Bolick.

Toen Harris na het eten was vertrokken, ging Pemberton met een maaltijd voor hem en Serena naar huis. Hij zette de schalen op tafel en ging naar de achterkamer. Serena sliep en Pemberton maakte haar niet wakker. In plaats daarvan trok hij zachtjes de slaapkamerdeur dicht. Pemberton ging niet naar de keuken om te eten, maar liep naar de gangkast en opende de hutkoffer van zijn vader. Hij zocht tussen de aandelen en obligaties en allerlei andere juridische paperassen totdat hij het in rundleer gebonden fotoalbum vond dat hij op aandringen van zijn tante ook had meegenomen. Zachtjes sloot hij de hutkoffer en liep het kantoor in.

Campbell was in de voorste kamer bezig met de loonadministratie. Hij vertrok zonder een woord te zeggen toen Pemberton zei dat hij alleen wilde zijn. In de open haard verspreidden sintels een oranjegele gloed en hij legde aanmaakhoutjes en een fiks blok essenhout op het rooster. Pemberton voelde de warmte oplaaien tegen zijn rug toen hij Jacobs foto uit de onderste la pakte. De rossige gloed van het vuur nam toe en viel algauw op het bureaublad. Pemberton deed het samengebalde elektrische licht uit en dacht voor het eerst in jaren aan een zitkamer met een brede open haard. Zijn vroegste herinnering was aan die haard, waarvan de warmte hem als een onzichtbare deken omhulde en het licht flakkerend op de marmeren schouw viel, waarop vreemde mannen met bokspoten fluit speelden terwijl langharige vrouwen in zwierige jurken in het rond dansten. Als Pemberton er maar lang genoeg naar bleef kijken, waren de gedaantes altijd tot leven gekomen in de flakkerende vlammen en schaduwen. Toen Pemberton het fotoalbum voorzichtig opensloeg, had hij het gevoel alsof hij op een regenachtige dag een zolder betrad. Het dorre leren omslag kraakte bij elke kartonnen bladzijde die werd omgeslagen en er kwam een geur uit vrij van dingen die lang weggestopt waren geweest. Toen Pemberton bij een foto van zichzelf als tweejarige was aangekomen, stopte hij met bladeren.

Achttien

Midden in de nacht begon het weer te ijzelen, maar in de ochtend was de lucht blauw en onbewolkt. De takken van de resterende loofbomen op Noland Mountain waren overdekt met ijs, als broze mouwen, en toen ze door het volle zonlicht werden beschenen leverde dat een wonderbaarlijk schouwspel van wisselende kleurschakeringen op. De meeste arbeiders schermden hun ogen af toen ze de berg op sjokten, maar een paar bleven kijken tot hun ogen schrijnden van het schelle licht, zo prachtig zag het er uit. Tegen de tijd dat de laatste man boven was aangekomen, begon het dooiende ijs al van de takken te glijden. Eerst kleine stukjes, die tinkelden als belletjes wanneer ze op de bevroren grond terechtkwamen. Daarna volgden kristalheldere lawines, die algauw de ondergroei bedekten en die knisperden en kraakten onder elke voetstap. De mannen liepen erdoorheen als door de restanten van een enorme spiegel die aan diggelen was gegaan.

Pemberton had net zijn kop koffie op het bureau gezet toen Harris belde, zijn stem nog barser dan gewoonlijk.

'Webb en Kephart hebben een bod gedaan op het gebied in Jackson County', zei Harris. 'De bank was amper open of ze stonden al binnen om Luckadoo te vertellen dat ze bereid zijn hem de volle mep te betalen.'

'Waren de Cecils er ook bij?'

'Ben je belazerd! Denk je dat die zich verwaardigen om voor zoiets onbenulligs uit hun kasteel hierheen te komen? Die wachten gewoon tot alles in kannen en kruiken is en laten dan die vervloekte waterval naar zichzelf vernoemen.'

'Je denkt dus nog steeds dat de Cecils erachter zitten?'

'Het maakt geen drol uit wie erachter zit', schreeuwde Harris. 'Die klootzak van een Luckadoo denkt dat Webb en Kephart het geld hebben. Mij belde hij alleen uit belééfdheid.'

'Hoe vast ligt dit, denk je?'

'Ze hebben alle papieren voor de aanbetaling al ondertekend. Er moet alleen nog een overdrachtsakte worden opgemaakt.' Harris zweeg even. 'Verdomme, ik wist dat ik Luckadoo gisteravond had moeten bellen.'

'Het is een mooi gebied, maar dat geldt ook voor dat van Townsend', zei Pemberton. 'Dat zei je gister zelf ook.'

'Maar dit is het gebied dat ik hebben wil.'

Pemberton begon iets te zeggen, maar aarzelde toen omdat hij niet zeker wist of hij het wel wilde riskeren dat Harris' toorn zich tegen hem zou keren, en toch was het een vraag waar Serena en hij een antwoord op moesten hebben.

'Weet je zeker dat je het niet alleen wilt hebben om Webb en Kephart te dwarsbomen?'

Een paar tellen lang gaf Harris geen antwoord. Pemberton hoorde dat de oude man langzamer ademde. Toen Harris sprak, waren zijn woorden afgemetener dan voorheen, maar nog net zo strijdlustig.

'Als we deze koop niet sluiten, Pemberton, dan sluiten we er nooit meer een, en dat geldt ook voor het gebied van Townsend.'

'Maar als zij al zo ver gevorderd zijn ...'

'We kunnen het land nog steeds krijgen als we Luckadoo omkopen. Dat is natuurlijk ook de enige reden waarom hij me heeft gebeld. Het gaat ons alleen meer kosten.'

'Hoeveel meer?'

'Driehonderd', zei Harris. 'Luckadoo geeft ons een uur om te beslissen. Zoals ik al zei, we sluiten deze koop of we sluiten er nooit meer een. Zo staat het ervoor, dus hak de knoop door.'

'Ik moet eerst met Serena praten.'

'Praat dan met haar', zei Harris, en toen wat zachter: 'Ze is slim genoeg om te weten wat op de lange termijn het beste uitpakt voor jullie.'

'Ik bel je zo snel mogelijk terug.'

'Doe dat', zei Harris. 'Als je maar zorgt dat "snel" binnen nu en een uur is.'

Pemberton hing op en liep naar de stal. Serena was achterin bij de arend, haar vingers rood van het rauwe vlees dat ze de vogel voerde. Hij deed verslag van het telefoongesprek. Ze gaf de arend een laatste stuk vlees en trok de huif over zijn kop.

'We hebben het geld van Harris nodig', zei Serena. 'We zullen hem ditmaal ter wille moeten zijn, maar laat notaris Covington in het contract opnemen dat eerst alle bomen in het gebied gekapt moeten zijn voordat Harris kan gaan delven. Harris heeft daar nog iets anders gevonden dan kaolien en wat koper, iets waar wij niets van af mogen weten. We nemen zelf wel een geoloog in de arm om uit te zoeken wat het is en we gaan daar niet kappen voordat Harris ons een percentage geeft, een flink percentage.'

Serena stapte de box uit. Ze gaf het tinnen bord aan Pemberton, lichtte de houten klink op en sloot het hek van de box. Er lagen nog een paar zenige restjes op het bord. Veel van de arbeiders beweerden dat Serena de arend ook het hart van de dieren voerde, om de vogel feller te maken, maar Pemberton had haar dat nooit zien doen en hield het gewoon voor het zoveelste sterke verhaal over Serena dat de ronde deed in het kamp.

'Ik zal Harris maar gaan bellen.'

'Bel Covington ook maar meteen', zei Serena. 'Ik wil hem erbij hebben als Harris met Luckadoo gaat praten.'

'Albright zal ongetwijfeld in zijn handen wrijven dat we het land van Townsend moeten laten schieten,' zei Pemberton, 'maar op deze manier zijn we tenminste op één punt van Webb en Kephart af.'

'Dat weet ik nog zo net niet', zei Serena.

Door de aanschaf van een tweede uitsleper werkten de mannen nu op twee fronten. Op de eerste maandag van april waren de noordelijke ploegen Davidson Branch overgestoken en naar

Shanty Mountain getrokken, terwijl de ploegen in het zuiden Straight Creek in westelijke richting volgden. Recente regenval had de voortgang vertraagd, niet alleen omdat de mannen nu door de modder moesten ploeteren, maar ook omdat er meer ongelukken gebeurden. De ploegen van Snipes werkten aan de westkant van Shanty. Aangezien McIntyre nog niet hersteld was van het voorval met de vallende slang, was er een man, Henryson genaamd, aangenomen om hem te vervangen. Henryson en Ross waren achterneven die samen waren opgegroeid in Bearpen Cove. Beide mannen hadden een kijk op de wereld en haar bewoners die getuigde van een scherpe, pessimistisch getinte intelligentie. Snipes merkte prompt op dat ze die somberheid gemeen hadden en liet doorschemeren dat hij er in de toekomst vast nog wel een filosofische bespiegeling aan zou wijden.

De hele dag viel er al een koude regen en halverwege de ochtend zagen de arbeiders eruit als halfgevormde Adams die uit de modder waren opgedregd, maar nog niet tot mensen waren gekneed. Toen Snipes het sein gaf voor een pauze, namen de mannen niet eens de moeite om de beschutting op te zoeken die bomen met een dicht bladerdak hun wellicht konden bieden. Ze lieten gewoon ter plekke hun gereedschap vallen en gingen op de drassige grond zitten. Zonder uitzondering keken ze in de richting van het kamp met zijn belofte van warmte en droogte aan het eind van de dag, vol verlangen en ogenschijnlijk met enige scepsis, alsof ze er niet zeker van waren of het bestaan van het kamp geen aan hun verregende hoofd ontsproten hersenschim was.

Ross haalde zijn tabak en vloeitjes tevoorschijn, maar die bleken te nat om te branden, zelfs in het onwaarschijnlijke geval dat hij een droge lucifer zou kunnen vinden.

'Er zit genoeg modder aan mijn reet om een schuif maïs op te laten groeien', somberde Ross.

'Alleen al in mijn haar zit genoeg om een huis mee te dichten', zei Henryson.

'Ik zou haast willen dat ik een wild zwijn was, dan zou ik

er tenminste lol in hebben om erin rond wroeten', verzuchtte Stewart. 'Beroerder werk dan dit bestaat er niet.'

Dunbar knikte in de richting van het kamp, waar verscheidene werkzoekende mannen op de verandatrap voor de kampwinkel zaten en de regen verdroegen in de hoop zo te bewijzen dat ze taai genoeg waren om aangenomen te worden.

'Toch zijn er nog mensen die het willen doen.'

'En elke dag komen er meer bij', zei Henryson. 'Ze springen uit de goederenwagons die door Waynesville rijden als vlooien van een hond.'

'En ze komen van wijd en zijd', zei Ross. 'Ik dacht altijd dat zware tijden hier in de bergen het best gedijden, maar deze depressie lijkt overal welig te tieren.'

De mannen zwegen een poosje. Ross zat nors naar zijn verregende sigaret te staren terwijl Snipes modder van zijn overall schraapte in een poging vanonder de smurrie wat kleur te onthullen. Stewart haalde het zakbijbeltje tevoorschijn dat hij in een stuk wasdoek had gewikkeld en hield de lap boven het boek om het tegen de regen te beschutten. Hij bewoog zijn lippen onder het lezen.

'Knapt McIntyre al een beetje op?' vroeg Dunbar toen Stewart de bijbel weer in zijn zak stak.

'Helemaal niet', zei Stewart. 'Zijn vrouw is met hem naar de zenuwinrichting gegaan en daar hebben ze een poos overwogen om hem te elektrocuteren.'

'Elektrocuteren?' riep Dunbar uit.

Stewart knikte. 'Dat zeiden die dokters. Ze beweerden dat het wat nieuws was waar ze in Boston en New York hoog over opgeven. Daar gebruiken ze net zulke kabels voor als waar je een accu mee aan de praat krijgt en die zetten ze met klemmetjes op je oren en dan laten ze de stroom door je hele lijf gaan.'

'Godallemachtig,' zei Dunbar, 'zien ze McIntyre soms voor een gloeilamp aan?'

'Zijn vrouw moet er ook niks van hebben, en daar kan ik haar geen ongelijk in geven', zei Stewart. 'Hoe kan je nou beweren dat zoiets goed is voor een mens?'

'Daar ligt een wetenschappelijk principe aan ten grondslag', zei Snipes, die voor het eerst sinds ze waren gestopt met werken zijn mond opendeed. 'Je lichaam heeft een bepaalde hoeveelheid elektriciteit nodig om aan de gang te blijven, net als een radio of een telefoon of zelfs het universum. Bij iemand als McIntyre is het net of zijn accu leeg is en weer opgeladen moet worden. Elektriciteit is net als de hond een van de beste vrienden van de mens.'

Stewart dacht even na over de woorden van Snipes.

'Hoe komt het dan dat ze het daarginds in Raleigh gebruiken om moordenaars en zo mee dood te maken?'

Snipes keek naar Stewart en schudde zijn hoofd, ongeveer zoals een onderwijzer die weet dat het zijn lot is om altijd een Stewart in de klas te hebben.

'Met elektriciteit is het hetzelfde als met de meeste andere dingen in de natuur, Stewart. Er zijn twee soorten mensen, goeie en slechte, net zoals je twee soorten weer hebt, goed en slecht, of niet dan?'

'En hoe zit het dan met dagen dat het regent, wat goed is voor iemand zijn bonenoogst, maar slecht omdat die iemand net wou gaan vissen?' wierp Ross tegen.

'Dat is niet relevant voor deze discussie', wees Snipes hem terecht en hij wendde zich weer tot Stewart.

'Dus je begrijpt waar ik naartoe wil, dat er goed en slecht is in allerlei dingen.'

Stewart knikte.

'Nou', zei Snipes. 'Dat is dus het wetenschappelijke principe in de praktijk. Hoe dan ook, op McIntyre zouden ze alleen het goede soort elektriciteit gebruiken wat gewoon bij je naar binnen gaat en zorgt dat alles weer goed doorstroomt. Bij wat ze voor die criminelen gebruiken worden je hersens en ingewanden gebraden. Dat is dus het slechte soort.'

’s Middags was de regen nog steeds niet afgenomen, maar ondanks Pembertons tegenwerpingen besteeg Serena de arabier en reed ze naar het zuidelijke front om te zien hoe Galloways ploeg vorderde, die aan het werk was op de helling boven Straight Creek. Op het sterk aflopende terrein was het zelfs op een zonnige dag al lastig om vaste voet te krijgen, maar in de regen waren de arbeiders even onvast ter been als zeelui. Wat de zaak nog meer bemoeilijkte was dat Galloways ploeg een nieuwe kerfhakker had, een jongen van zeventien, die weliswaar stevig gebouwd, maar onervaren was. Galloway wees hem waar hij de valkerf moest aanbrengen bij een witte eik met de omvang van een ton, toen de jongen precies op het moment dat de bijl naar voren zwaaide door zijn knie ging.

Het blad kwam met een zacht, vlezig geluid neer toen Galloway en zijn linkerhand van elkaar gescheiden werden. Eerst viel de hand op de grond, met de palm naar beneden en de vingers naar binnen gekruld als de poten van een stervende spin. Galloway wankelde achteruit en zocht steun bij de witte eik terwijl het bloed uit zijn geheven pols over zijn hemd en denimbroek gutste. De andere zager staarde naar Galloways pols, toen naar de afgehakte hand, alsof hij het niet met elkaar kon rijmen dat het een ooit deel had uitgemaakt van het ander. De jongen liet de bijlsteel uit zijn handen glijden. De twee arbeiders leken niet in staat zich te verroeren, zelfs niet toen Galloways benen het begaven. Met zijn rug leunde hij nog steeds tegen de boom, en de schors schuurde hoorbaar langs Galloways flanellen hemd toen hij in een zittende positie gleed.

Serena steeg af en trok haar jas uit, waardoor de toestand die ze maandenlang verborgen had gehouden zichtbaar werd. Ze haalde een zakmes uit haar zadeltas, sneed de teugel van de arabier door en bond die om de onderarm van de gewonde man. Ze trok het leer zo strak aan dat Galloways pols ophield met bloeden. De mannen tilden hun gewonde voorman op het paard en hielden hem overeind totdat Serena achter hem was opgestegen.

Ze reed terug naar het kamp en hield de arbeider met een arm om zijn middel tegen haar bollende buik gedrukt.

Terug in het kamp tilden Campbell en een andere man Galloway van de ruin en droegen hem dokter Cheneys personeelswagon binnen. Pemberton kwam een paar tellen later binnen en dacht dat hij naar een dode keek. Galloways gezicht was krijtwit, zijn ogen rolden alsof ze op drift waren geraakt en zijn ademhaling ging stotend en hijgend. Cheney goot een fles jodium uit over de wond. Hij veegde het bloed van de onderarm om de tourniquet te controleren.

'Wie dit heeft afgebonden heeft verdomd goed werk geleverd', zei dokter Cheney voordat hij zich tot Pemberton richtte.

'Je zult hem naar het ziekenhuis moeten brengen, wil hij een kans maken', zei de dokter. 'Is het je de moeite waard of niet?'

'We hebben de trein hier nodig', zei Pemberton.

'Ik breng hem wel met mijn auto', zei Campbell.

Pemberton draaide zich om naar Serena, die vanuit de deuropening stond toe te kijken. Ze knikte. Campbell wenkte de arbeider die had geholpen Galloway naar binnen te brengen. Samen tilden ze de gewonde man van de tafel. Ze legden zijn armen om hun schouders en sleepten hem naar de Dodge van Campbell, zodat Galloways schoenneuzen twee smalle voren in de doorweekte aarde trokken. Pas toen ze bij de auto aankwamen, draaide Galloway zijn hoofd om naar de wagondeur, waar Pemberton en dokter Cheney stonden toe te kijken, en slaagde hij erin iets te zeggen.

'Ik blijf leven', bracht Galloway uit. 'Dat is voorspeld.'

Toen Campbells auto in volle vaart wegreed, keek Pemberton waar Serena was en hij zag dat ze alweer op de arabier zat en terugreed naar Straight Creek. Serena's jas was in het bos achtergebleven en Pemberton zag verscheidene mannen stomverbaasd naar haar buik kijken. Hij vermoedde dat de arbeiders dachten dat Serena geslachtloos was, net als bepaalde natuurverschijnselen zoals regen of bliksem. Dokter Cheney had haar zwangerschap evenmin opgemerkt als de rest van het kamp, zodat Pembertons overtuiging dat de medische kennis van de arts niet zoveel voorstelde eens temeer werd bevestigd.

Pemberton wilde juist teruggaan naar zijn kantoor toen hij een blik wierp in de richting van de onderkomens van de arbeiders en Galloways moeder daar voor haar keet zag staan, haar troebele ogen gericht op de plek waar zich zojuist alles had afgespeeld.

Een week later kwam Galloway het kamp weer binnenlopen. Hij had genoeg mannen gewond zien raken om te weten dat Houtbedrijf Pemberton geen liefdadigheidsinstelling was, zeker nu er elke dag mannen aankwamen die smeekten om werk. Pemberton veronderstelde dat Galloway was gekomen om zijn moeder te halen en mee terug te nemen naar hun oude huis in Cove Creek. Maar toen Galloway bij zijn woonkeet kwam, bleef hij niet staan, maar liep door, zijn lichaam enigszins slagzij makend naar rechts alsof het nog niet bereid was het verlies van de hand toe te geven. Hij liep het dal door en stak de bergkam over naar de plek waar de houthakkersploegen aan het werk waren. Even was Pemberton bedacht op de mogelijkheid dat Galloway het verlies van zijn linkerhand wilde wreken, wat misschien niet eens zo verkeerd zou zijn, aangezien het de andere arbeiders in de toekomst misschien wat voorzichtiger zou maken.

Pemberton was in de achterkamer met dokter Cheney toen Galloway terugkeerde, te voet naast Serena op haar ruin. Het was bijna helemaal donker en Pemberton had door het raam staan kijken of ze er al aankwam. Serena en Galloway kwamen langs het kantoor en gingen door naar de stal, en hij zag Galloway zijn tred aanpassen om te zorgen dat hij naast de achterhand van het paard bleef. Toen ze een paar minuten later weer naar buiten kwamen, liep Galloway nog steeds een paar passen achter Serena, als een hond die heeft leren volgen. Ze sprak hem kort toe. Toen liep Galloway in de richting van de keet, waar zijn moeder was.

'We moeten Galloway op de loonlijst houden', zei Serena toen ze ging zitten en haar bord vol schepte.

'Wat hebben we nou aan een man met één hand?' vroeg Pemberton.

'Hij doet alles wat ik hem opdraag. Alles.'

'Een rechtshandige man met alleen een rechterhand', zei dokter Cheney die van zijn eten opkeek. 'En nog wel voor een linkshandige vrouw.'

'U zult verbaasd staan, dokter, wat een man als Galloway met slechts één hand kan doen. Hij is zeer vindingrijk en zeer bereidwillig.'

'Omdat u zijn leven hebt gered?' vroeg Cheney. 'Als iemand die talloze levens heeft gered, mijn beste mevrouw, kan ik u verzekeren dat een dergelijke dankbaarheid van voorbijgaande aard is.'

'Niet in dit geval. Zijn moeder heeft voorspeld dat er een tijd zou komen dat hij veel zou verliezen, maar gered zou worden.'

Dokter Cheney glimlachte. 'Ongetwijfeld een verwijzing naar een opwekkingsdienst waar zijn ziel gered zou worden omwille van de inhoud van zijn portemonnee.'

'Gered door een vrouw,' voegde Serena eraan toe, 'en daardoor de rest van zijn leven aan zijn eer verplicht om die vrouw te beschermen en haar bevelen op te volgen.'

'En u denkt dat u die vrouw bent', zei dokter Cheney op gespeeld teleurgestelde toon. 'Ik had niet verwacht dat zo'n ontwikkelde vrouw als u in waarzeggerij zou geloven.'

'Wat ik geloof doet er niet toe', zei Serena. 'Galloway gelooft erin.'

Negentien

In de week die volgde deden zich nog twee ongelukken voor op Shanty Mountain. Er kwam een arbeider om het leven toen er een boomstam losschoot uit de hoofdkabel, en twee dagen later werd door de zwenkende arm van de uitsleper een stalen grijper van vijftig pond in iemands schedel gedreven. Sommige arbeiders gingen ertoe over een handgesneden houten kruisbeeldje om hun nek dragen, terwijl anderen een konijnepootje, een magneet, zout, een paardekastanje, een pijlpunt of zelfs een hoefijzer van een paar ons op zak hadden. Weer anderen droegen een talisman tegen specifieke gevaren bij zich: bezoar tegen vergiftiging, maretak om een blikseminslag af te wenden, agaat om valpartijen te voorkomen, alle denkbare geluksmuntjes, en speelkaarten, variërend van de twee tot de aas, zwierig achter hun hoedband gestoken. Verscheidene mannen waren Cherokee en brachten hun eigen amuletten mee: kruisen van stauroliet, veren en bepaalde planten. Een enkeling meende dat je de stroom van ongelukken het best het hoofd kon bieden met een whiskyfles achter de hand. Sommigen gingen over tot het dragen van net zulke bonte, felle kleuren als Snipes, zodat ze van grote afstand zichtbaar waren wanneer ze de hellingen beklommen, en er niet zozeer uitzagen als houthakkers, maar eerder als een troepje narren dat de laan uit was gestuurd en op weg was naar een gastvrijer hof. Verscheidene mannen dreigden op te stappen. De meesten werden voorzichtiger, maar weer anderen werden roekelozer, berustend in een gewelddadig einde.

De ploeg van Snipes was aan het werk in een kloof op Big Fork Ridge, die eruitzag alsof de steile helling door een monolithische stenen wig in tweeën was gespleten. Door de kloof stroomde een beekje met bomen erlangs, een paar tulpenbomen, maar voornamelijk platanen, berken en Canadese dennen. Snipes en

Campbell hadden de bomen niet de moeite waard gevonden om te oogsten. Het zou veel tijd kosten en uiterst gevaarlijk zijn omdat ze zo dicht bij elkaar in de buurt moesten werken. Maar Pemberton had erop gestaan.

Toen er opnieuw bijna een ongeluk gebeurde doordat er weer een boomstam losschoot uit de grijper, laste Snipes een pauze in voor zijn mannen. Daar was het nog geen tijd voor, maar de ploegbaas was van mening dat die vijftien minuten Houtbedrijf Pemberton minder zouden kosten dan de tijd die ervoor nodig was om een gewonde man terug te brengen naar het kamp. De arbeiders gingen bij de beek zitten.

Hoewel het vroeg in de middag was, viel er maar weinig licht in de kloof. Om hen heen rezen de schaars bebladerde bomen naargeestig en skeletachtig op, vooral de platanen, die witgebleekt waren door de winter. De mannen waren al sinds halverwege de vorige dag in de kloof bezig, en Snipes was van mening dat de arbeiders door de aanhoudende schemering in een zwaarmoedige, fatalistische gemoedstoestand waren geraakt, minder voorzichtig dan ze normalerwijs zouden zijn. Het leek hem verstandig zijn mensen daarvan bewust te maken.

'Er is een filosofische reden voor dat een positieve instelling ook wel een zonnige kijk op de dingen wordt genoemd', zei Snipes, zijn gezicht als door een tent verborgen onder de krant die hij lag te lezen. 'Iemand die buiten verkeert op een plek waar de zon de hele dag op hem neer schijnt, is zorgeloos en onbekommerd.'

Ross had net tabak uitgespreid op zijn vloeitje en keek Snipes aan.

'Dus als ik midden in de woestijn zat zonder water en er mijlenver geen water te bekennen was, zou ik zorgeloos en onbekommerd zijn', zei Ross, die vervolgens zijn aandacht weer op het draaien van zijn sjekkie richtte.

'Dat is niet precies wat ik bedoel', zei Snipes, die zijn krant liet zakken en zijn blik ook op Henryson richtte. 'Wat ik bedoel is dat de hoeveelheid zon die je krijgt van invloed is op hoe je je voelt. Als je op zo'n sombere plek als hier zit, is het of wat daarbuiten is in je kruipt.'

'Misschien is dat wat prediker McIntyre mankeert', zei Stewart. 'Die is opgegroeid in het meest achterlijke gat van het land. Hij heeft me een keer verteld dat het daar zo donker was dat ze een koevoet nodig hadden om wat licht binnen te laten.'

'Hoe gaat het trouwens met McIntyre?' vroeg Dunbar.

'Tja', zei Stewart. 'Ze hebben hem afgelopen vrijdag ontslagen uit die zenuwinrichting in Morganton. En nou kruipt hij thuis bijna de hele dag weg onder de dekens en zegt hij geen stom woord meer.'

'Zeg maar tegen zijn vrouw dat ze hem op een stok in het maïsveld moet zetten', zei Ross. 'Dan krijgt hij een zonnige kijk op de dingen en houdt hij gelijk de kraaien weg.'

Henryson stond op om zich uit te rekken en wierp een blik op zijn languit liggende ploegbaas.

'Ik zie dat je een lapje hebt gevonden voor de onbedekte plek die je nog op je broekzak had, Snipes', zei Henryson. 'Is het paars of rood? In mijn ogen zit het er een beetje tussenin.'

De arbeiders draaiden zich als één man om en keken naar de krankzinnige regenboogkleuren die de overall van hun ploegbaas nu tot op de laatste centimeter bedekten.

'Het is mauve', zei Snipes.

'Daar heb ik nog nooit van gehoord, van zo'n kleur', zei Dunbar.

'Nou, je kijkt er anders naar', was Snipes' repliek.

'Met alle respect, Snipes, maar ik snap nog steeds niet wat het nut is van die kledij', zei Dunbar. 'Je ziet eruit alsof ze je in een lappendeken hebben genaaid.'

'De theorie daarachter heb ik al uitgelegd, net zoals ik heb uitgelegd wat donkerte met een mens kan doen', zei Snipes met een diepe zucht. 'Zo vergaat het wetenschappers en filosofen nou altijd. De meeste mensen blijven in het donker en beklagen zich er dan over dat ze niks zien.'

Snipes vouwde de krant op en kwam overeind, een verbijsterende, kakelbonte verschijning. Hij keek niet naar zijn ploeg, maar staarde naar het oosten alsof hij in contact stond met de geesten van zijn intellectuele voorvaderen die, net als hij, de lantaarn der verlichting hadden meegedragen onder mensen die hem alleen maar hadden willen doven. Ross streek een lucifer af aan de hak van zijn werkschoen en stak zijn sjekkie op. Hij hield de lucifer voor zich, keek hoe die opbrandde tot aan zijn duim en wijsvinger, doofde hem toen met een snelle beweging van zijn pols en blies het rookpluimpje in de richting van Snipes.

'Galloway is terug', zei Dunbar.

'Nou, Snipes, als je het over duisternis hebt', zei Ross. 'Als hij langskomt is het net of er een zwarte lijkwade over alles neerdaalt.'

'Dat is zo waar als Gods woord', beaamde Dunbar.

'Of dat van de duivel', zei Henryson.

'Ik heb horen vertellen dat die hand van hem toen hij op de grond viel open en dicht bleef gaan alsof hij iemand probeerde te kelen', zei Dunbar. 'En dat bleef-ie haast vijf minuten doen.'

'Dat geloof ik blind', zei Stewart.

'Geen mens wilde die hand aanraken, ook niet toen hij niet meer bewoog', voegde Dunbar eraan toe. 'Het zou best kunnen dat hij nog in het bos ligt, daar waar hij terechtgekomen is.'

'Ik zou hem ook niet hebben opgeraapt,' zei Henryson, 'tenminste, niet zonder een tang en een handschoen.'

'Ik zou nog liever een dolle hond aaien dan die hand aanraken', zei Dunbar. 'Wat Galloway mankeert is een stuk erger dan hondsdolheid.'

'Daar hoor je mij niet tegen ingaan', zei Ross, as van zijn sigaret tikkend. 'Ik ben maar wát blij dat hij aan de overkant werkt, net als de vrouw die hem de moeite van het redden waard vond.'

Verscheidene mannen mompelden instemmend.

'Er zijn er die beweren dat de bloeding niet is gestopt door een tourniquet', zei Dunbar. 'Zij gaf gewoon het bevel dat het moest stoppen en daarna vloeide er geen druppel meer uit.'

Stewarts gezicht was vertrokken van afkeer. 'Ik had liever niks gehoord over Galloways hand die open en dicht ging, en ook niet over de rest. Dat blijft de godganse dag door mijn hoofd spoken.'

'Nou, als we stevig aanpoten, zijn we morgen klaar in deze kloof en dan zullen we ons een stuk beter voelen', zei Snipes met een blik op zijn horloge. 'Tijd om weer aan de slag te gaan.'

Dunbar en Ross volgden hun ploegbaas naar de overkant van de beek, waar een tulpenboom stond, de grootste boom in de kloof. Snipes bracht de valkerf zo aan dat hij niet in de richting van de kapploeg zou vallen en niet achter een uitstekende rots zou blijven haken. Dunbar en Ross gebruikten de tweeënhalve meter lange trekzaag en Snipes koos voor de allergrootste velwig. Toen de tulpenboom viel, schampten zijn takken een naburige plataan en brak er een tak af, zo dik en lang als een hekpaal. Minutenlang bungelde de tak op bijna twintig meter hoogte in de top van de plataan, het ene uiteinde bepluimd met kleine takken, het andere gekliefd tot een vlijmscherpe punt. Toen schoot hij los, maar kwam een stukje lager weer vast te zitten, het scherpe uiteinde schuin naar de grond gericht, alsof de tak nog een paar tellen in tweestrijd verkeerde.

De tak zeilde op Dunbar af, wiens rug gebogen was omdat hij zijn bijl in een boom zette op hetzelfde moment dat de tak van de plataan binnendrong tussen zijn sleutelbeen en ruggegraat. Dunbar sloeg met zijn gezicht tegen de grond toen hij door zijn knieën ging en de rest van zijn lichaam kromde zich. De witte tak was heel gebleven en schoot niet los uit het lichaam. Hij bleef als een verstilde bliksemschicht in Dunbars rug steken, en toen het schuinhangende gewicht van de tak gehoor gaf aan de zwaartekracht, kwam het lichaam van Dunbar langzaam, bijna eerbiedig, omhoog tot een knielende positie, alsof hem een laatste blik op de wereld werd vergund. Snipes ging op zijn knieën naast hem zitten en legde zijn hand op de schouder van de stervende man. Door een beweging van zijn ogen liet Dunbar merken dat hij zich bewust was van Snipes' aanwezigheid, maar toen hij de wereld verliet, uitte hij geen laatste woorden en zelfs geen laatste zucht, er was alleen een traan die in zijn rechterooghoek opwelde en vervolgens langzaam over zijn wang naar beneden biggelde. Toen was hij dood.

'De mannen lijken de afgelopen weken in een buitensporig hoog tempo het loodje te leggen', zei dokter Cheney die avond tijdens het eten. 'Toen Wilkie en Buchanan hier nog waren, leken zich veel minder sterfgevallen voor te doen.'

'De mannen werken nu op steilere hellingen,' zei Serena, 'en door de zware regenval is het glad geworden.'

'Veel meer regen dan in voorgaande jaren', voegde Pemberton eraan toe.

Dokter Cheney nam mes en vork ter hand en sneed een vetrandje van zijn stuk ham.

'O, zit het hem daarin. Hoe dan ook, de aanhoudende malaise garandeert ons vlotte vervanging. Mannen zijn bereid driehonderd kilometer in een goederenwagon te reizen als zich het gerucht voordoet dat er ergens werk is. Gisteren nog zag ik er een stuk of twintig bij het station. Het leken wel vogelverschrikkers, net zo haveloos en bijna even uitgemergeld.'

Er werd aan de deur geklopt en twee jonge vrouwen brachten kop en schotels en een koffiepot binnen. Toen de keukenhulpen weg waren, zag dokter Cheney Galloway staan naast het raam van het kantoor. Er was nog geen licht aan en Galloway stond er zo roerloos bij dat hij een dichtere schaduw te midden van andere schaduwen leek.

'Die laatste aanwinst voor uw menagerie, mevrouw Pemberton, lijkt meer weg te hebben van een hond dan van een man zoals hij u volgt', zei dokter Cheney en met zijn vingers pakte hij een stukje ham dat hij vasthield alsof hij het op de vloer van het kantoor wilde gooien. 'Mag Galloway kliekjes hebben?'

Serena bracht het koffiekopje naar haar mond en hield het even schuin. Pemberton zag dat de gouden vlekjes in Serena's ogen vonken schoten. Ze zette het kopje neer en liet toen pas merken dat ze Cheney had gehoord door zich naar hem toe te wenden.

'Eerst een arend, nu een hond op twee benen', vervolgde dokter Cheney. 'U zoekt de raarste huisdieren bij elkaar, mevrouw Pemberton, maar u richt ze wel uitstekend af. Denkt u dat u een van die schone maagden die zojuist de tafel hebben afgeruimd kunt leren om mij te volgen wanneer ik 's avonds naar bed ga?'

'Met welk doel, dokter?'

'Als remedie voor hun maagdelijkheid.'

Serena sloot haar ogen even en deed ze toen weer open als om Cheney beter in het vizier te krijgen voordat ze het woord nam. Haar blik werd kalm en de grijze irissen onthulden slechts een ingehouden misprijzen.

'Ik denk niet dat u in huis hebt wat daarvoor nodig is, dokter', zei Serena.

'Waarde mevrouw, uw spotternij raakt kant noch wal', zei Cheney die een spottende, archaïsche toon aansloeg. 'En is gespeend van humor.'

'Dat heeft alles met temperament te maken, dokter. Het uwe is cholerisch terwijl het mijne flegmatisch is.'

'Dat is een vreselijk gedateerde diagnosestelling', zei Cheney.

'In bepaalde opzichten,' zei Serena, 'maar ik geloof dat hij nog steeds opgaat voor de essentie van ons karakter. Vuur ontmoette vuur toen Pemberton en ik elkaar leerden kennen, en dat zal het temperament van ons kind zijn.'

'Hoe kunt u daar zo zeker van zijn?' vroeg Cheney. 'Uw eigen ouders hebben uw karakter immers ook verkeerd beoordeeld.'

'Hoe bedoelt u?'

'Gezien uw voornaam.'

'Nog een grapje dat u is ontgaan', zei Serena. 'Mijn ouders hebben me die naam gegeven voordat ik de baarmoeder verliet, omdat ik zo hard schopte om eruit te komen.'

'Maar hoe wisten ze dan dat u een meisje zou zijn?'

'Dat heeft de vroedvrouw ze verteld.'

'Dat heeft een vroedvrouw ze verteld', zei dokter Cheney peinzend. 'Colorado is zo te horen nog middeleeuwser dan West-Carolina.'

Cheney depte zijn mond af met een servet en stond op. Hij wierp een blik uit het raam.

'Het is nog licht genoeg om bij een beekje bloedzuigers te gaan zoeken', zei hij droog. 'Misschien dat ik daarna nog even mijn kennis bijspijker over schedelleer. En dan vroeg naar bed. Er zullen maandag ongetwijfeld nieuwe slachtoffers vallen.'

Dokter Cheney nam staande nog een laatste slok koffie en verliet de kamer. 'Brave hond', zei Cheney tegen Galloway toen hij door het kantoor liep. Pemberton keek naar Serena's opbollende buik. Vuur ontmoette vuur, dacht hij, Serena's woorden voor zichzelf herhalend.

'Was er nog nieuws vandaag, Pemberton?' vroeg Serena.

'Niet veel, behalve dat Harris heeft gebeld', antwoordde Pemberton. 'Het blijkt dat de Cecils niet degenen waren die Webb en Kephart steunden wat betreft het gebied in Jackson County.'

'Hoe is Harris dat aan de weet gekomen?'

'Dat heeft hij weten los te krijgen uit de bankier van de Cecils in Asheville. Maar Harris zweert nog steeds dat hij erachter zal komen wie hen wél heeft gesteund.'

'Ik denk dat ze helemaal geen steun hebben gehad', zei Serena. 'Ik denk dat het allemaal een list is geweest om Harris voor dat gebied te interesseren in plaats van voor het land in Townsend. En het heeft gewerkt.'

Twintig

Er waren reparaties nodig aan het huis, dingen die al gedurende de eerste warme dagen van de lente gedaan hadden moeten zijn, maar Rachel was zo uitgeput geweest door haar werk in het kamp en de zorg voor Jacob dat ze het maandenlang had uitgesteld. Toen ze in de keuken de kalender, die ze cadeau had gekregen bij een laxeermiddel, omsloeg en zag dat het juni was, besefte Rachel dat de reparaties niet langer konden wachten en liep ze de eerstvolgende zondag niet met Jacob naar Waynesville om de trein naar het kamp te nemen. In plaats daarvan kleedde ze Jacob in de kiel die weduwe Jenkins voor hem had genaaid uit overalls die Rachel uit de ladekast van haar vader had gehaald. Vervolgens trok ze zelf haar alleroudste katoenen jurk aan.

Rachel zette Jacob in het gras met het locomotiefje dat Joel hem als kerstcadeautje had gegeven. Ze plaatste de ladder tegen het kleine huis. De sporten waren met rundleren repen aan de twee balken van acaciahout geknoopt en het uitgedroogde leer kraakte bij elke stap die ze naar boven deed. Haar vader had haar geleerd waar ze op moest letten, en eenmaal op het dak ging Rachel daarnaar op zoek. In de topgevel, waar de afgelopen winter de delen die 's nachts waren bevroren in de middagzon weer waren ontdooid, waren er in het raamkozijn tekenen van vroege rot te zien. Ze haalde de aks naar boven en balanceerde het gewicht in haar handen.

Rachel zette haar voeten zo stevig mogelijk neer en tilde de aks voorzichtig op om de brede nieuwe vensterbank te hakken. De aks was zwaar en werd bij elke slag zwaarder. Morgen zou ze wel spierpijn hebben. Na tien minuten liet ze zich op haar knieën zakken om uit te rusten en haar blik viel op de halve zwaluwstaartverbindingen in de gevel, de precisie daarvan. Haar vader had de grootste zorg besteed aan het bouwen van dit huisje en zelfs aan de ligging ervan, had net zo lang gezocht tot hij een dunne plaat graniet had gevonden voor de schouw en een weidebron die niet droogviel, wat oudere mensen blijvend water noemden. Het huis zelf was gebouwd van wit eiken balken en cederhouten dakspanen. Wat haar het beste beviel was dat haar vader de westelijke helling had uitgekozen, waar de zon pas laat kwam, maar lang bleef schijnen, tot vroeg in de avond.

Rachel pakte de aks weer op. Haar armen voelden als lood en haar handpalmen stonden vol dikke blaren. Ze dacht eraan hoe fijn het zou zijn geweest om naar de kerk te gaan, niet alleen vanwege de kameraadschap en de troost die ze uit de woorden van dominee Bolick putte, maar ook gewoon om hoe ontspannen ze daar kon zitten zonder iets anders te hoeven doen dan Jacob vast te houden, en soms zelfs dat niet eens, omdat weduwe Jenkins hem een deel van de dienst altijd op schoot nam. Nog zeven dagen voordat ik die kans weer krijg, dacht ze.

Rachel stopte pas weer toen ze klaar was met het uithakken en daalde toen de ladder af om naast Jacob te gaan zitten. Ze bekeek het huisje aandachtig terwijl de zon eindelijk boven de oostelijke bergkam uit kwam en de laatste ochtendschaduwen uitwiste. Het vulsel tussen de balken vertoonde hier en daar barsten en door sommige vielen straaltjes licht. Niet verwonderlijk trouwens, het kwam doordat het huisje zich zette nadat het een lange winter van vorst en dooi achter de rug had. Rachel liep naar de houtschuur om troffels en een voederemmer te pakken. Ze schepte er oude paardenvijgen in en vervolgens wat modder uit een drassige plas bij de bron en mengde dat door elkaar tot het de stevigheid had van maïsdeeg, net zo klonterig en net zo zwaar. Ze gaf een van de troffels aan Jacob.

'Misschien komt er een tijd dat je moet weten hoe je dit moet doen', zei ze tegen het kind. 'Kijk maar naar mij.'

Rachel schepte met de troffel een deel van de smurrie uit de emmer op een houten plank. Met de plank in haar linkerhand smeerde ze vervolgens een klodder van het vulsel tussen de balken, alsof ze er zalf op aanbracht.

'Probeer jij het nu maar eens.'

Ze legde haar hand om die van Jacob, hielp hem de troffel in de emmer te steken en een klont in evenwicht te houden op het vlakke blad.

'En nu goed smeren', zei Rachel en ze leidde zijn hand naar de spleet tussen twee balken.

Na een poosje was het tijd voor het middageten, dus hield Rachel op met werken en gingen ze naar binnen. Ze maakte voor Jacob een papje van melk en maïsbrood. Zelf at ze ook een stuk maïsbrood, maar dronk er water bij. Met melk erbij smaakte maïsbrood veel lekkerder en Rachel hoopte dat ze het volgend voorjaar genoeg geld zou hebben om een koe te kopen en melk in overvloed te hebben voor Jacob en zichzelf. Het leek mogelijk, want de koffiekan op de bovenste plank van de voorraadkast werd langzaam voller, voornamelijk met kwartjes en dubbeltjes en centen, maar er zaten ook een paar dollarbiljetten bij. Er stonden nu ook acht inmaakpotten vol honing, waarvan ze de helft aan meneer Scott zou verkopen.

Toen Jacob klaar was met eten, gingen ze weer naar buiten. Rachel zette Jacob in het kleine stukje schaduw naast het huisje en klom de ladder op om de kieren tussen de hoogste balken te dichten. Van tijd tot tijd keek ze naar het westen om te zien of er geen regenwolken kwamen, want een verandering in de luchtvochtigheid zou oneffenheden geven in haar werk. Ondertussen zat Jacob beneden tevreden met het vulsel te kliederen, dat hij meer over de balken dan in de kieren smeerde. In het bos achter het huis was het geknor en gepiep van een houtsnip te horen en kort daarop vloog er een vlucht goudvinken over, een duidelijk teken dat de zomer in aantocht was.

Er ging een uur voorbij en Jacob had vast een natte luier, maar hij protesteerde niet en dus besloot Rachel nog even door te gaan en de schoorsteen te repareren. Door de winterse rukwinden waren vier van de platte veldstenen eruit gevallen. Eentje lag in stukken bij de omheining. Rachel haalde een jutezak uit het schuurtje en legde die naast de drie intacte stenen voordat ze naar de beek liep om een vierde te zoeken. Naast een schaduwrijke poel vond ze een passende steen, waarvan het ruwe oppervlak zacht was geworden door het groene mos, dat je eraf kon pellen als oude verf. Schildpadbloemen fleurden de oever op en Rachel rook de wintergroene geur van de bloemen, het heerlijkste dat je op een warme dag kon ruiken, want als je hem opsnoof, leek hij je van binnenuit af te koelen. Rachel bleef heel even talmen. Ze staarde in het water waar ze eerst haar eigen spiegelbeeld zag en daaronder kikkervisjes die als zwarte tranen over de zandige bodem zweefden. Typisch iets wat je als een voorteken kon beschouwen, wist Rachel, maar ze koos ervoor om de bloeiende schildpadbloemen als een voorteken te zien die, net als zij, een strenge winter hadden overleefd. Ze raapte de steen op en liep terug.

Terwijl ze zich met één hand vasthield, klom Rachel met de jutezak over haar schouder de ladder op en ze kromde haar lichaam naar voren toen ze het spitse dak overstak naar de schoorsteen. Het plaatsen van de stenen was als het oplossen van een onvoorspelbare puzzel, want je moest steeds die ene steen zien te vinden die het beste in de holte van de schoorsteen paste. Uiteindelijk klemde ze de laatste steen tussen de andere en was de schoorsteen weer in zijn vroegere staat hersteld.

Rachel ging niet meteen het dak af, maar keek naar het westen. Ze liet haar blik naar de horizon gaan in de richting van de hogere bergen die oprezen waar North Carolina overging in Tennessee. Ze dacht aan de kaart in de klas van juffrouw Stephens, niet aan de keer in de zesde dat Joel zo wijsneuzerig was geweest, maar aan een ochtend in de eerste klas, een paar maanden nadat haar moeder was weggegaan, toen juffrouw Stephens bij de kaart had gestaan, die er met al zijn verschillende kleuren had uitgezien als een lappendeken. De eerste staat die ze hadden geleerd was North Carolina, lang en smal als een aambeeld en helemaal groen gekleurd. En toen Rachel zes was, had dat logisch geleken, want ook als het winter was, waren er nog steeds hulststruiken, dennen en rododendrons en zag je in de grauwe bomen nog lichtgroene wolken maretak. Maar toen juffrouw Stephens had aangewezen waar Tennessee lag, had Rachel gevonden dat het rood niet klopte. Als haar vader naar de bergen wees die in Tennessee lagen, waren die altijd blauw geweest. Behalve bij zonsondergang, wanneer de bergen een rode gloed hadden. Misschien is het daarom, had ze gedacht, terwijl juffrouw Stephens andere staten begon aan te wijzen.

Rachel onderwierp de schoorsteen aan een laatste inspectie en daalde toen voorzichtig de ladder af. Terug op de grond tilde ze Jacob op en bekeek het kleine huis nog eens aandachtig.

'Zo komen we de volgende winter wel weer door', zei ze en ze wilde net naar binnen gaan toen ze weduwe Jenkins aan zag komen, nog steeds gekleed in haar zondagse goed en met een oranjegele mand met een theedoek eroverheen in haar knoestige hand.

Jacob zwaaide al naar de oudere vrouw en Rachel liep haar tegemoet.

'Ik dacht, je moet zo hard werken op je vrije dag, ik maak maar wat te eten voor je', zei weduwe Jenkins met een knikje naar de mand. 'Ik heb hier gebakken okra en spek, en wat maïspap.'

'Dat is erg lief van u', zei Rachel. 'Het was inderdaad een hele klus.'

Weduwe Jenkins bekeek het dak en de schoorsteen.

'Je hebt goed werk geleverd', zei ze. 'Je eigen vader zou het je niet hebben verbeterd.'

Ze liepen naar de veranda. Rachel ging op het trapje zitten, maar de oude vrouw bleef staan toen ze de mand neerzette.

'Met die doek erover moet het eten lang genoeg warm blijven om die kleine boef nog even op te pakken', zei weduwe Jenkins terwijl ze Jacob optilde en hem schudde tot hij lachte. 'Zoals die groeit zullen mijn oude armen dit niet lang meer kunnen doen.'

Ze knuffelde Jacob nog een laatste keer voordat ze het kind aan Rachel teruggaf.

'Ik stap maar weer eens op, dan kan jij wat eten en uitrusten.'

'Kom toch even bij ons zitten', zei Rachel. 'Ik ben blij met wat gezelschap.'

'Nou goed, heel even dan.'

De zon was nu zo ver gezakt dat de lucht aan het afkoelen was en het eerste briesje van die dag streek door de hoogste takken van de witte eik. De brulkikker die boven het koelhuis leefde, liet zijn eerste aarzelende geknor horen. Rachel wist dat de sabelsprinkhanen en veldkrekels algauw zouden invallen. Allemaal geruststellende, vertrouwde geluiden die haar altijd hielpen in slaap te vallen, hoewel ze die vanavond niet nodig zou hebben.

'Joel Vaughn vroeg vandaag naar je na de dienst', zei weduwe Jenkins. 'Hij was bang dat jij of de kleine niet lekker waren. Ik heb hem verteld dat je wat karweitjes te doen had.'

Weduwe Jenkins zweeg even en keek recht vooruit alsof ze iets bestudeerde in het bos achter de stal.

'Het is best een knappe jongeman geworden, vind je niet?'

'Ja, ik geloof van wel', zei Rachel.

'Volgens mij zou hij een goeie vrijer voor je zijn', zei weduwe Jenkins.

Het was het soort opmerking dat haar normaal gesproken aan het blozen zou hebben gemaakt, maar Rachel kreeg geen kleur. Ze verschoof Jacob op haar schoot en streelde met haar vingers over het pluishaar in zijn nek.

'Ik begin stilaan te denken dat wij Harmons niet veel geluk hebben als het op de liefde aankomt', zei Rachel. 'Bij pappa en mamma wilde het niet lukken en bij mij ook al niet.'

'Je bent nog zo jong dat je nog weleens verrast zou kunnen worden,' zei weduwe Jenkins, 'en dat zal op een dag vast ook wel gebeuren.'

Even zwegen ze allebei.

'Weet u waar mijn moeder naartoe is gegaan toen ze wegging?

Pappa heeft het me nooit verteld, zelfs niet toen ik hem ernaar vroeg.'

'Nee', zei weduwe Jenkins. 'Je vader heeft haar leren kennen in Alabama, toen hij in het leger zat. Misschien is ze daarnaartoe gegaan, maar dat weet ik niet zeker. Het enige wat je vader er weleens over heeft gezegd, is dat je moeder niet heeft verteld waar ze naartoe ging. Ze zei alleen dat het leven hier te zwaar was.'

'Wat bedoelde ze met zwaar?'

'Dat de akkers zo rotsig en heuvelachtig waren, en dan die lange winters en de eenzaamheid. Maar wat ze het ergste vond, had ze gezegd, was dat de bergen de zon buitensloten. Ze zei dat het leven hier tussen de bergen leek op leven in een kolenmijn.'

'Wilde ze mij meenemen?'

'Ze heeft het geprobeerd. Ze zei tegen je vader dat hij je moest laten gaan als hij echt van je hield, omdat je een beter leven zou hebben als je hier wegging. Een boel mensen waren het niet met hem eens dat hij je hier hield. Ze dachten er net zo over als zij en vonden dat hij je had moeten laten gaan als hij echt van je hield. Ze dachten dat hij het deed om je moeder dwars te zitten.'

Weduwe Jenkins zette haar bril af en poetste de glazen op aan haar zwarte rok. Het was de eerste keer dat Rachel de oude vrouw zonder bril zag. Haar anders zo bolle ogen weken nu terug in haar gezicht. Weduwe Jenkins had er nooit jonger uitgezien dan op dit moment: de ogen, gewoonlijk wazig achter de dikke brilleglazen, waren lichtblauw, de wimpers lang, de wangen met de hoge jukbeenderen gladder dan wanneer het gouden montuur ze rimpelde. Ze was ooit net zo oud als ik nu, dacht Rachel met een soort verwondering.

'Waarom denkt u dat hij me bij zich wilde houden?' vroeg Rachel.

'Over de doden niets dan goeds', zei de vrouw na een poosje. 'Het enige wat ik kan zeggen is dat hij opvliegend en haatdragend was, net als alle andere Harmons die ik ooit heb gekend.

Je opa was precies zo. Maar je vader hield van je. Daar heb ik nooit aan getwijfeld en dat zou jij ook niet moeten doen. Ik zal je vertellen wat ik nog meer denk. Het zou verkeerd zijn geweest om je uit deze bergen weg te halen, want als je hier geboren bent, zijn ze deel van je. Je zou je op geen enkele andere plek thuis voelen.'

Weduwe Jenkins zette haar bril weer op. Ze glimlachte naar Rachel.

'Misschien is dat ook maar een dom idee van een oude vrouw, over die bergen bedoel ik. Wat denk jij?'

'Ik weet het niet. Ik ben nog nooit ergens anders geweest, dus hoe zou ik dat kunnen weten?'

'Tja, ik ook niet, maar jij bent jong en de jongelui van tegenwoordig worden rusteloos,' zei weduwe Jenkins terwijl ze langzaam opstond, 'dus als je er ooit nog eens achter komt, moet je het me maar laten weten.'

Weduwe Jenkins boog naar voren en aaide Jacob over zijn bol.

'Tot morgenochtend, boef.'

Toen weduwe Jenkins weg was, bleef Rachel nog even op de veranda zitten. De zon was nu achter de bergen verdwenen en het dal leek zich dieper in de aarde te nestelen, zoals een dier zich voor het slapengaan ingraaft in de bladeren om een nest te maken. Naarmate de schaduwen dichter werden, leken de bergen zich naar binnen te vouwen. Rachel probeerde zich voor te stellen hoe het voor haar moeder was geweest om hier te wonen, maar dat was onmogelijk, want wat haar moeder had ervaren als opgesloten zijn, voelde voor Rachel als beschutting, alsof de bergen reusachtige handen waren, harde maar liefdevolle handen die zich om je heen sloten, beschermend en troostend, zoals ze zich de handen van God voorstelde. Weduwe Jenkins had waarschijnlijk gelijk, je moest hier geboren zijn.

Rachel tilde Jacob op.

'Tijd om te gaan eten', zei ze tegen het kind.

Eenentwintig

Inmiddels kwam er een gestage stroom van werkzoekende mannen naar het kamp. Sommigen bivakkeerden te midden van de boomstronken en het kapafval en wachtten dagenlang tot er een verminkte of dode arbeider uit de bossen werd gedragen in de hoop hem te kunnen vervangen. Deze mannen, en anderen die minder lang bleven, verzamelden zich zes ochtenden per week op de veranda voor de kampwinkel, en zonder uitzondering probeerden ze zich van de anderen te onderscheiden wanneer Campbell tussen hen door liep. Sommigen lieten hun hemd uit om te pronken met hun gespierde lichaamsbouw, terwijl anderen rondliepen met een bijl in de hand die ze van de boerderij of een ander houthakkerskamp hadden meegebracht, klaar om ogenblikkelijk te beginnen met kappen. Weer anderen hadden de Bijbel bij zich en lazen daar heel aandachtig in om te laten zien dat ze niet tot het schoelje of de rooien behoorden, maar godvrezend waren. Sommigen hadden ontslagpapieren uit het leger bij zich of een verfomfaaide brief waarin werd getuigd van hun talent en betrouwbaarheid als houthakker, en ze hadden allemaal hun eigen verhaal over kinderen of broers en zussen die hongerig waren of over zieke ouders en zieke echtgenotes, die Campbell met medeleven aanhoorde, al had geen van de arbeiders een idee hoeveel invloed die verhalen hadden op zijn keus.

Serena ging elke ochtend gewoon nog op pad met de kapploegen. Galloway, met zijn armstomp die erbij bungelde als verrot fruit dat zich vastklampt aan een tak, volgde haar als een schaduw. Bij Serena's rondgang langs de werkploegen zei geen man iets tegen haar over het kind dat ze verwachtte en niemand keek naar haar buik. Toch lieten ze allemaal op hun eigen manier blijken af te weten van haar zwangerschap door haar bijvoorbeeld een scheplepel bronwater aan te bieden of een hoed vol frambozen en bramen of een met varenblad omwikkelde raat honing van de zuurboom om uit te zuigen. Anderen gaven Galloway een weckfles van een halve liter met een versterkend drankje van bronwater met asclepia en sassafras, alruin en valeriaanwortel. Een van de houthakkers kwam aanzetten met een dubbelbijl, die onder Serena's kraambed moest worden gelegd om de pijn te bekorten, weer een ander kwam met een bloedsteen om bloedingen tegen te gaan. Voormannen kwamen aandraven zodra Serena verscheen, zodat ze niet de tijd of de noodzaak had om af te stijgen. Op warme dagen voerden de ploegbazen de arabier mee tussen nog ongekapte bomen om Serena schaduw te bieden.

Ze dronk vaak wat van het bronwater en at soms iets van de aangeboden vruchten en honing. De versterkende drankjes stopte Galloway in zijn tas. Niemand wist of Serena ze dronk. Terwijl Galloway Serena van kapploeg naar kapploeg volgde, klingelden de flessen zachtjes tegen elkaar, als een windorgel.

De ploeg van Snipes was inmiddels tot aan de top van Shanty Ridge gevorderd en werkte daar alleen. Tijdens hun ochtendschaft zagen de mannen Serena in zuidelijke richting van kapploeg naar kapploeg gaan. Stewart schudde verbijsterd het hoofd.

'Als prediker McIntyre hier was, zou hij zeggen dat het aan afgoderij grenst hoe ze zich lopen uit te sloven.'

'Dat zou die zeker', beaamde Snipes. 'Gaat het al wat beter, ik bedoel met McIntyre?'

'Ietsje', zei Stewart. 'Volgens zijn vrouw genoeg om hem niet door die dokters te laten elektrocuteren.'

'Dat is nou jammer', zei Ross. 'Ik had gehoopt dat we hem in de rivier konden gooien zodat hij ons een zootje meervallen kon opschokken. Dat hij net zo opgeladen was als een telefoon die je hebt aangeslingerd.'

Snipes vouwde zijn krant open en begon de voorpagina door te nemen.

'Wat staat er voor kletspraat in, Snipes?' vroeg Henryson.

'Nou, die lui van dat park lijken nu helemaal gespitst op dat gebied van kolonel Townsend in Tennessee. Hier staat dat ze bijna overeenstemming hebben bereikt.'

'Na het gebied van Champion dat ze in de wacht hebben gesleept is dit toch het grootste?' vroeg Henryson.

'Hier staat van wel.'

'Ik dacht dat de Pembertons het hadden gekocht', zei Henryson. 'Een tijdlang waren ze er erg op gebeten, tot Harris ze meetroonde naar Jackson County.'

'Ik heb horen vertellen dat Harris een stel geologen naar Jackson heeft gehaald om een grote koperader bloot te leggen', zei Stewart.

'Koper?' zei Henryson. 'Ik heb gehoord dat hij op zoek was naar steenkool.'

'Ik heb van alles gehoord, van zilver en goud tot de ark van Noach en het paradijs op aarde', zei Ross.

'Wat denk jij dat het is?' vroeg Stewart aan Snipes.

'Tja', zei Snipes peinzend. 'Het zou een zoektocht naar een van 's werelds onvergankelijke schatten kunnen zijn, want menig rijk man verlangt ernaar dat zijn naam in de annalen van de geschiedenis wordt opgenomen, maar Harris kennende geloof ik niet dat hij daar veel om geeft.'

Snipes zweeg even, pakte een kiezelsteentje op en wreef er met duim en wijsvinger over zoals hij zou doen met een muntstuk waarvan hij niet zeker wist of hij het wilde uitgeven.

'Wat ik denk is dat Franklin, in elk geval hemelsbreed, maar vijfenveertig kilometer verderop ligt', besloot Snipes. 'Volgens mij heb ik jullie nu genoeg puzzelstukjes gegeven om de rest zelf uit te dokteren.'

De mannen zwegen even. Snipes richtte zijn aandacht weer op de krant terwijl de anderen naar het zuiden bleven kijken. Ze zagen Serena het nieuwe zijspoor volgen dat het bos in liep.

'Ik heb horen vertellen dat ze als ontbijt en avondeten niets dan halfrauwe biefstuk eet', zei Stewart. 'Om die kleine van haar goed driest te maken. En dat is nog lang niet alles. Om de kracht van de straling op te nemen laat ze 's avonds de maan op haar blote buik schijnen.'

'Volgens mij heeft iemand je lariekoek zitten verkopen, Stewart', zei Henryson.

'Kan zijn,' bracht Ross in het midden, 'maar als iemand je een jaar geleden had verteld dat hier nu een arend zou rondvliegen die joekels van slangen van de grond plukt, zou je hem ook niet geloofd hebben.'

'Daar heb je gelijk in', zei Henryson. 'Zo iemand als haar hebben we hier in de bergen nog nooit meegemaakt.'

Het was in de achtste maand van haar zwangerschap dat Serena wakker werd met pijn in haar onderbuik. Pemberton ging dokter Cheney zoeken en vond hem in de personeelswagon, waar hij een arbeider hielp die een acht centimeter lange splinter in zijn oogbol had zitten. De dokter gebruikte een pincet om de splinter eruit te trekken, waarna hij het oog naspoelde met een desinfecterend middel en de man weer aan het werk stuurde.

'Ze heeft waarschijnlijk iets gegeten wat niet goed gevallen is', zei dokter Cheney toen ze naar het huis liepen.

Galloway stond te wachten op de veranda, waar Serena's paard gezadeld en wel aan de onderste balk van de balustrade stond vastgebonden.

'Mevrouw Pemberton blijft vandaag thuis', liet Pemberton hem weten.

Galloway zei niets, maar keek strak naar Cheneys zware zwarte dokterstas toen Pemberton de dokter voorging naar binnen.

Serena zat op de rand van het bed. Haar gezicht was bleek, haar grijze ogen schijnbaar gericht op iets ver weg, haar ademhaling even oppervlakkig als wanneer je iets kwetsbaars of gevaarlijks vasthield. De donkerblauwe zijde van Serena's ochtendjas was in plooien opengevallen en onthulde haar bolle buik.

'Ga maar op uw zij liggen', zei dokter Cheney en hij pakte een stethoscoop uit zijn tas. De dokter drukte het instrument tegen Serena's buik en luisterde een paar tellen aandachtig. Hij knikte bij zichzelf, haalde de glanzende stalen klok van Serena's huid en trok de uiteinden van de stethoscoop uit zijn oren zodat het instrument om zijn nek kwam te hangen.

'Alles is in orde, mevrouw', zei dokter Cheney. 'Voor vrouwen is het normaal om gevoelig te zijn voor geringe, soms zelfs niet-bestaande pijnklachten, vooral wanneer ze zwanger zijn. Wat u voelt is vermoedelijk een lichte darmstoornis of, om het minder tactvol uit te drukken, overmatige winderigheid.'

'Mevrouw Pemberton is geen aanstelster', zei Pemberton terwijl Serena zichzelf langzaam weer in een zittende positie bracht.

Dokter Cheney stopte de stethoscoop terug in zijn dokterstas en knipte de metalen sluiting dicht.

'Dat bedoel ik ook niet. De geest is zijn eigen domein, zoals de dichter ons vertelt, en kent zo zijn eigen, bijzondere realiteit. Een mens voelt wat hij voelt.'

Pemberton zag dat Cheney zijn hand uitstrekte alsof hij zijn patiënte een klopje op de schouder wilde geven, maar de arts bedacht zich wijselijk en hield zijn hand naast zijn zij.

'Ik verzeker u dat ze morgen weer beter is', zei dokter Cheney toen ze weer buiten op de veranda stonden.

'Is er niet iets wat tot die tijd verlichting kan bieden?' vroeg Pemberton met een knikje in de richting van Galloway, die op het trappetje zat. 'Galloway kan naar de kampwinkel gaan, of naar de stad als het nodig is.'

'Ja', zei dokter Cheney en hij richtte zich tot Galloway. 'Ga naar de kampwinkel om een zak pepermuntjes voor je bazin te halen. Bij mij doen die wonderen als mijn maag van streek is.'

Serena bleef de hele dag in bed. Ze drong erop aan dat Pemberton naar het kantoor zou gaan, maar dat deed hij pas nadat ze erin had toegestemd dat Galloway in de voorkamer bleef. Toen Pemberton rond het middaguur en daarna later in de middag terugkwam om te kijken hoe het met haar was, zei Serena dat ze zich beter voelde. Maar ze zag nog steeds bleek. Ze gingen vroeg naar bed en voor het inslapen drukte Serena haar rug en heupen tegen Pembertons borst en kruis, pakte zijn rechterhand en legde die tegen haar onderbuik alsof ze de baby daarmee op zijn plaats wilde houden. Vanaf de veranda van de kantine drong er muziek naar binnen. Pemberton viel in slaap terwijl een arbeider een vrouw bezong die Mary heette en die over de woeste heide liep.

De volgende ochtend werd Pemberton wakker doordat Serena rechtop in bed zat, de dekens teruggeslagen tot aan haar voeten, haar linkerhand tussen haar benen gedrukt. Toen Pemberton vroeg wat er was, zei Serena niets. In plaats daarvan hief ze haar hand naar hem op alsof ze een eed ging afleggen, haar vingers en handpalm glibberig van het bloed. Pemberton schoot een broek en laarzen aan, en een hemd dat hij inderhaast niet dichtknoopte. Hij sloeg de ochtendjas om Serena heen, tilde haar op in zijn armen en griste in het voorbijgaan een handdoek van het rek in de badkamer. De trein stond gereed voor zijn vroege rit naar de zagerij en er groepten mannen bij het spoor. Pemberton schreeuwde naar een stel rondhangende arbeiders dat ze alle wagons behalve de passagierswagon van de Shay moesten loskoppelen. Het hele terrein lag vol modderpoelen, maar Pemberton strompelde er dwars doorheen, terwijl er mannen wegstoven om de wagons los te maken en de stoker koortsachtig kolen in de vuurkist schepte. Campbell kwam aanhollen uit het kantoor en hielp Serena de wagon binnen te brengen en languit op een bankje te leggen. Pemberton droeg Campbell op het ziekenhuis te bellen en ervoor te zorgen dat er een dokter en een ziekenwagen klaarstonden bij het station en daarna Pembertons Packard daarheen te rijden. Campbell liep de passagierswagon uit en toen waren Pemberton en Serena alleen, omgeven door het geschreeuw van arbeiders en het toenemende machinekabaal van de Shay.

Pemberton zat op het randje van de bank en drukte een handdoek tussen Serena's benen in een poging de bloeding te stelpen. Serena's ogen waren gesloten, haar gezicht verbleekt tot de kleur van marmer, toen de machinist zijn hand op de ganghendel legde, de remmen loste en de regulateur openzette. Pemberton luisterde hoe de locomotief schier eindeloze overgangen doorliep die tot beweging moesten leiden; stoom die via de regulateur door de toevoerleidingen naar de cilinders ging, zuigers die tegen de koppelstang duwden, en de koppelstang die de krukas aan het draaien bracht, waarna de hoofdas de kracht via de kroonwielen en tandwielen overbracht naar de assen. Toen pas kwamen de wielen heel langzaam in beweging.

Pemberton sloot zijn ogen en verbeeldde zich dat het stalen binnenwerk van de locomotief vergelijkbaar was met het inwendige van een klok, die de tijd terugbracht die was opgeschort sinds hij het bloed aan Serena's hand had gezien. Toen de trein een gestaag ritme had gekregen, opende Pemberton zijn ogen en keek uit het raam, en het was alsof de trein over de bodem van een diep, helder meer reed. Alles daarbuiten leek vertraagd door de dichtheid van water: Campbell die het kantoor binnenging om het ziekenhuis te bellen, arbeiders die uit de kantine kwamen om de locomotief en de passagierswagon te zien wegrijden, Galloway die uit de stal kwam, de armstomp die er hulpeloos bij bungelde toen hij achter de trein aanholde.

De Shay begon aan de klim over McClure Ridge terwijl het dal achter hen verdween. Eenmaal over de bergkam won de trein aan snelheid en het spoor werd nu omgeven door dichte bossen. Pemberton herinnerde zich wat Serena eens had gezegd, dat alleen het heden echt bestond. *Er bestaat niets buiten het hier en nu*, hield hij zich voor terwijl hij Serena's pols vasthield, haar hartslag zwakjes kloppend onder de huid. Toen de trein door het voorgebergte naar Waynesville reed, drukte Pemberton zijn lippen tegen de krachteloze pols. Blijf leven, fluisterde hij, alsof hij sprak tegen het weinige bloed dat nog in haar aderen restte.

Toen de trein het station binnenreed, was de handdoek doorweekt. Serena had de hele weg geen kik gegeven. Ze spaarde haar krachten om in leven te blijven, had Pemberton gemeend, maar nu was ze buiten bewustzijn geraakt. Twee in het wit geklede ziekenbroeders droegen Serena de trein uit naar een gereedstaande ziekenwagen. Pemberton en de ziekenhuisarts stapten ook in. De dokter, een man van voor in de tachtig, vloekte toen hij de doorweekte handdoek oplichtte.

'Waarom is ze in godsnaam niet eerder gebracht', zei de dokter en hij drukte de handdoek weer tussen Serena's benen. 'Ze heeft bloed nodig, veel en snel. Wat is haar bloedgroep?'

Pemberton wist het niet en Serena kon het niemand meer vertellen.

'Dezelfde als ik', zei Pemberton.

Eenmaal op de eerstehulpafdeling van het ziekenhuis lagen Pemberton en Serena naast elkaar op metalen brancards met een zacht veren kussentje onder hun hoofd. De dokter rolde Pembertons mouw op en stak een holle naald in zijn onderarm en deed toen hetzelfde bij Serena. Ze werden met elkaar verbonden door een rubberslang van een meter lengte met in het midden een olijfvormig opbollende pomp. De dokter kneep in de pomp. Tevreden gebaarde hij dat de verpleegster hem moest overnemen en in de krappe ruimte tussen de brancards moest gaan staan.

'Om de dertig seconden', zei de dokter tegen haar, 'niet sneller, want dan kan de ader het begeven.'

De dokter liep om de brancard heen en ging zich met Serena bezighouden terwijl de verpleegster in de rubberpomp kneep, op de wandklok keek tot er een halve minuut was verstreken, en opnieuw kneep.

Pemberton tilde de arm waar de naald in zat op en greep met zijn hand de verpleegster bij de pols.

'Ik pomp het bloed wel.'

'Ik denk niet ...'

Pemberton verstrakte zijn greep, zodat de verpleegster naar adem hapte. Ze opende haar hand en liet hem de pomp overnemen.

Pemberton keek op de klok en toen er vijftien seconden voorbij waren kneep hij in het rubber. En nog een keer, gespitst op het suizen en zuigen van zijn bloed door het slangetje. Maar het maakte geen geluid, net zomin als hij zijn bloed door de donkergrijze slang kon zien stromen. Telkens wanneer hij kneep, sloot Pemberton zijn ogen zodat hij zich kon voorstellen dat het bloed van zijn arm in die van Serena stroomde, vandaar omhoog door de ader en naar de linker- en rechterkamer van haar hart. Pemberton stelde zich het hart zelf voor, een verschrompeld ding dat langzaam uitzette terwijl het zich met bloed vulde.

Aan de overkant van de straat stond een middelbare school en door het open raam van de eerstehulpafdeling hoorde Pemberton het gejoel van kinderen tijdens de pauze. Er kwam een co-assistent binnen die hielp Serena's benen op te tillen en uit elkaar te houden terwijl de dokter een bekkenonderzoek deed. Pemberton sloot zijn ogen weer en kneep in de pomp. Hij keek niet langer op de klok, maar kneep zijn hand samen zodra hij voelde dat het rubber zich met bloed vulde. Er werd een bel geluid en het gejoel van de kinderen nam af toen ze de school weer binnengingen. De dokter liep bij Serena vandaan en beduidde de co-assistent dat hij Serena's benen kon laten zakken.

'Haal een instrumenttafel en een laparotomienet', droeg de arts de co-assistent op.

De verpleegster legde een mondkapje over Serena's gezicht en druppelde chloroform op de stof en het gaas. De co-assistent reed de instrumenttafel naast Serena's bed, sloeg de witte katoenen doek open en legde het gesteriliseerde staal bloot. Pemberton keek hoe de dokter het scalpel ter hand nam en Serena's lichaam van het schaambeen tot de navel opensneed. Pemberton kneep weer in de pomp toen de rechterhand van de dokter in de incisie verdween en de paarsblauwe navelstreng even optilde voordat hij hem teruglegde. Toen stak de dokter beide handen in Serena's buik en tilde er iets uit wat zo grauw en slijmerig was dat het leek of het niet uit vlees, maar uit natte klei bestond. Bloed waarmee het lichaampje was besmeurd was voor Pemberton de enige aanwijzing dat het ooit leven kon hebben bezeten. De kronkelige navelstreng lag op de borst van de baby. Pemberton wist niet of die nog steeds met Serena verbonden was.

Een paar tellen lang keek de dokter gespannen naar de pasgeborene. Toen draaide hij zich om en gaf hetgeen hij in zijn handen had aan de co-assistent.

'Leg hem daar maar neer', zei de dokter, wijzend naar een tafeltje in de hoek.

De dokter draaide zich weer om naar Serena, maar niet voordat hij de verpleegster had gevraagd hoeveel bloed Pemberton had afgestaan.

'Meer dan 500 cc. Zal ik een poging doen om hem te laten ophouden?'

De dokter wierp een blik op Pemberton, die zijn hoofd schudde.

'Doe maar niet. Hij is dadelijk toch te zwak om nog te kunnen knijpen en anders gaat hij wel van zijn stokje.'

Toen de dokter met donkere draad Serena's huid hechtte, draaide Pemberton zijn hoofd naar haar toe. Pemberton luisterde naar haar zachte inademingen en paste zijn ademhaling precies aan. Hij werd licht in het hoofd en kon zich niet lang genoeg concentreren om op de klok te kunnen kijken of de woorden te volgen die de dokter en de verpleegster met elkaar uitwisselden. Er kwam een nieuwe groep kinderen het schoolplein op hollen, maar hun gejoel vervaagde al snel. Pemberton kneep in de pomp, zijn hand niet in staat zich er helemaal omheen te sluiten. Hij luisterde naar de één geworden ademhaling van hem en Serena, ook toen hij voelde dat de naald uit zijn onderarm werd getrokken en hij aan de wieltjes van Serena's brancard hoorde dat ze werd weggereden.

Pemberton lag nog steeds op de brancard toen hij bijkwam. De dokter torende boven hem uit, met naast hem de co-assistent.

'Laten we u eens overeind helpen', zei de dokter, en de twee mannen brachten Pemberton in zithouding.

Hij voelde de kamer even donker worden, toen oplichten.

'Waar is Serena?'

De woorden kwamen er haperend en schor uit, alsof hij in dagen niet had gesproken. Pemberton keek naar de klok, waarvan de wijzers langzaam scherp werden. Als er een kalender aan de muur had gehangen, zou hij hebben gekeken wat voor dag en maand het was. Pemberton sloot zijn ogen een paar tellen en bracht zijn duim en wijsvinger naar de brug van zijn neus. Toen hij zijn ogen weer opende, leek alles scherper.

'Waar is Serena?' vroeg hij nogmaals.

'In de andere vleugel.'

Pemberton klampte zich aan de rand van de brancard vast en wilde gaan staan, maar de co-assistent legde een hand stevig op zijn knie.

'Leeft ze nog?'

'Ja', zei de dokter. 'Uw vrouw heeft een heel opmerkelijk gestel, dus tenzij er zich iets onverwachts voordoet, zal ze weer herstellen.'

'Maar het kind is dood', zei Pemberton.

'Ja, en er is nog een andere kwestie die ik later met u en uw vrouw wil bespreken.'

'Zeg het me nu maar', zei Pemberton.

'De baarmoeder van uw vrouw is ingescheurd vanaf de baarmoederhals.'

'En wat betekent dat?'

'Dat ze geen kinderen meer kan krijgen.'

Pemberton zweeg een paar tellen.

‘Wat was het geslacht van het kind?’

‘Het was een jongetje.’

‘Als we hier eerder waren gekomen, zou het kind dan nog hebben geleefd?’

‘Dat doet er nu niet meer toe’, zei de dokter.

‘Dat doet er wel toe’, zei Pemberton.

‘Ja, dan zou het kind vermoedelijk nog hebben geleefd.’

De co-assistent en de dokter hielpen Pemberton van de brancard af. De kamer deinde even en kwam toen tot rust.

‘U hebt veel bloed afgestaan’, zei de dokter. ‘Te veel. Als u niet uitkijkt, gaat u nog van uw stokje.’

‘Welke kamer?’

‘Eenenveertig’, zei de dokter. ‘De co-assistent kan even met u meelopen.’

‘Ik vind het wel’, zei Pemberton en hij liep langzaam naar de deur, langs het tafeltje in de hoek waar nu niets meer op lag.

Hij liep de eerstehulp uit naar de gang. De twee vleugels van het ziekenhuis werden met elkaar verbonden door de centrale hal, en toen Pemberton daar doorheen liep, zag hij Campbell bij de ingang zitten. Campbell stond op uit zijn stoel toen hij Pemberton zag aankomen.

‘Laat de auto hier staan en neem de trein terug naar het kamp’, zei Pemberton. ‘Controleer of de kapploegen aan het werk zijn en ga dan bij de zagerij langs om te zien of zich daar problemen hebben voorgedaan.’

Campbell haalde het sleuteltje van de Packard uit zijn zak en gaf het aan Pemberton. Toen Pemberton weg wilde gaan, zei Campbell: ‘Als er iemand vraagt hoe het met mevrouw Pemberton en de kleine gaat, wat wilt u dan dat ik zeg?’

‘Dat het met mevrouw Pemberton weer helemaal goed komt.’

Campbell knikte, maar maakte geen aanstalten om te gaan.

‘Is er nog iets?’ vroeg Pemberton.

‘Dokter Cheney, hij is met me meegereden naar de stad.’

'Waar is hij nu?' vroeg Pemberton, die zijn stem in bedwang probeerde te houden.

'Dat weet ik niet. Hij zei dat hij bloemen ging kopen voor mevrouw Pemberton, maar hij is niet teruggekomen.'

'Hoelang geleden was dat?'

'Bijna twee uur.'

'Ik heb nog iets met hem af te handelen, maar dat komt later wel', zei Pemberton.

'U bent niet de enige', zei Campbell toen hij zijn hand uitstak om de deur open te doen.

Met een stevige hand op zijn schouder hield Pemberton hem tegen.

'Wie nog meer?'

'Galloway. Hij kwam een uur geleden vragen waar dokter Cheney was.'

Pemberton haalde zijn hand van Campbells schouder, en de voorman liep de deur uit. Pemberton liep door de hal naar de andere gang en las de zwarte deurnummers tot hij Serena's kamer had gevonden.

Ze was nog steeds buiten bewustzijn toen hij binnenkwam en dus trok Pemberton een stoel naast het bed en ging zitten wachten. Terwijl de late ochtenduren en de middag verstreken, luisterde hij naar haar ademhaling en hij zag geleidelijk kleur op haar gezicht terugkomen. Door de medicijnen was Serena maar half bij bewustzijn – haar ogen gingen af en toe open, maar stonden glazig. Een verpleegster bracht Pemberton een middagmaal en later avondeten. Pas toen er geen zonlicht meer binnenviel door het enige raam in het vertrek, sloeg Serena haar ogen op en ontmoette ze Pembertons blik. Ze leek goed bij bewustzijn, wat de verpleegster verbaasde omdat er door het infuus nog steeds morfine in Serena's arm druppelde. De verpleegster controleerde het infuus om te zien of het nog goed werkte en ging toen weg. Pemberton ging verzitten om Serena recht aan te kunnen kijken. Hij schoof zijn rechterhand onder haar pols en sloot zijn vingers er als een armband omheen.

Ze draaide haar hoofd naar hem toe om hem beter te kunnen zien, haar woorden een fluistering.

'Is het kind dood?'

'Ja.'

Serena nam Pembertons gezicht een paar tellen aandachtig in zich op.

'En wat nog meer?'

'We kunnen geen kinderen meer krijgen.'

Serena bleef bijna een minuut lang zwijgen en Pemberton vroeg zich af of de medicijnen weer de overhand kregen. Toen ademde Serena in, haar mond open alsof ze ook iets wilde zeggen, maar ze sprak niet, niet op dat moment. In plaats daarvan sloot Serena haar ogen en ademde langzaam uit en terwijl ze dat deed leek haar lichaam dieper weg te zakken in de matras. Haar ogen gingen open.

'Het is alsof mijn lichaam dat altijd al geweten heeft', zei ze.

Pemberton vroeg niet wat ze bedoelde. Serena sloot haar ogen even en opende ze langzaam weer.

'En toch ...'

Pemberton knikte en kneep even in Serena's pols, voelde weer het kloppen van hun bloed. Serena's blik ging naar de blauwe plek aan de binnenkant van Pembertons elleboog, naar het vierkante gaasje dat erop geplakt was.

'Jouw bloed heeft zich vermengd met het mijne', zei Serena. 'Dat is immers alles waar we ooit op gehoopt hadden.'

DEEL III

Tweeëntwintig

Ze verliet het ziekenhuis eerder dan door de dokters en Pemberton wenselijk werd geacht. Ik moet nodig terug naar het kamp, zei ze tegen hen. Op dezelfde manier als Serena het ziekenhuis in was gedragen, werd ze er weer uit gedragen. Campbell en Pemberton tilden haar de passagierswagon van de trein in, waar ze de draagbaar op een dikke laag dekens installeerden om haar te beschermen tegen het horten en stoten van de trein. Toen de trein in het kamp aankwam, droegen ze haar naar het huis. Het was etenstijd en de arbeiders lieten mes en vork vallen en dromden samen op de veranda. De meesten keken vanaf een afstandje toe, maar sommigen, voornamelijk ploegbazen met wie ze had gewerkt, waagden zich dichterbij, de hoed in de hand toen de brancard langs werd gedragen. Serena was bleek, maar haar grijze ogen waren open en staarden naar de hemel die ze zeven dagen niet had gezien. Terwijl Campbell en Pemberton haar door het kamp naar het huis droegen, keken de arbeiders zwijgend toe. En ook vol verwondering, vooral de mannen die een moeder, zus of vrouw hadden gehad die was bezweken aan wat Serena had overleefd.

Vaughn opende de voordeur en Campbell en Pemberton droegen haar naar de slaapkamer. Ze legden Serena voorzichtig in bed en Pemberton sloot de gordijnen in de hoop dat het haar zou helpen slapen. De vooravond was voor de arbeiders het deel van de dag dat ze hun instrumenten bespeelden en zongen of soms, hoe moe ze ook waren, een honkbal- of worstelwedstrijd organiseerden of zich met zijn allen rond een vechtpartij verzamelden. Maar vanavond hing er een stilte over het kamp, een eigenaardige waakzaamheid, als na een heftige storm.

Pemberton controleerde het verbandgaas van haar wond op bloed of wondvocht, gaf Serena wat water en de ijzertabletten die de dokter had voorgeschreven voor haar bloedarmoede. Terwijl de dagen voorbijgingen voerde Pemberton haar zachte kost van eieren en gepureerd vlees tot ze zelf vork en lepel weer kon vasthouden. Hij leegde de beddepan en probeerde vergeefs Serena codeïne te laten slikken tegen de pijn. Ze werd met de dag sterker en kwam algauw uit bed om naar het toilet te gaan en kleine stukjes door het huis te lopen terwijl Pemberton haar bij de arm vasthield. Serena drong erop aan dat hij doorwerkte en vooral dat hij doorging met zoeken naar investeerders, maar dat deed Pemberton pas nadat hij zijn kantoor naar de voorkamer had verhuisd. Terwijl Serena in de verduisterde slaapkamer lag, handelde Campbell, efficiënt als altijd, vanuit het kantoor de dagelijkse zaken af en nam Vaughn de eenvoudiger karweitjes over.

Ondertussen vatte Galloway post op de veranda om iedereen buiten de deur te houden en hij kwam persoonlijk het voedsel, de medicijnen of de beterschapskaartjes binnenbrengen die waren afgegeven. Als de avond viel, maakte hij een kermisbed voor de deur. Op een nacht keek Pemberton uit het raam en zag Galloway op het kermisbed liggen slapen in dezelfde kleren die hij al aanhad sinds de dag dat Serena naar huis was gekomen. Galloway had zijn knieën hoog opgetrokken tegen zijn borst, zijn hoofd naar binnen gebogen, het stompje van zijn pols in een kinderlijk gebaar tegen zijn mond gedrukt, terwijl zijn hand het heft van een opengeklapt springmes omklemde.

Naarmate Serena aansterkte, praatte ze steeds vaker over Brazilië, over daarheen gaan zodra ze in Jackson County klaar waren. Ze lijkt er wel door geobsedeerd, dacht Pemberton, vooral sinds hij in Asheville potentiële investeerders had gevonden. Mannen die alleen geïnteresseerd zouden zijn in plaatselijke investeringen, maakte Pemberton haar duidelijk, maar Serena dacht daar anders over. Ik kan hen overtuigen, zei ze. Wanneer Pemberton met zijn stoel dicht bij het bed getrokken in de verduisterde slaapkamer zat, sprak Serena over de onaangeboorde rijkdommen van Brazilië, de laisser-fairehouding die men daar had ten opzichte van zakendoen en dat Pemberton en zij erheen moesten gaan om gebieden te verkennen zodra het kamp in Jackson County in bedrijf was. Het is niet eens een imperium, Pemberton, maar een hele wereld, zei ze tegen hem, en ze sprak met zo veel hartstocht dat Pemberton aanvankelijk dacht dat ze een infectie had opgelopen en misschien koorts had. Mocht Pemberton al bedenkingen hebben, dan hield hij die voor zich. Ze spraken niet over het dode kind.

Na een week was Serena uit bed en zat ze in een stoel, van waaruit ze Vaughn te paard op pad stuurde om toezicht te houden op de vorderingen van de ploegen en om boodschappen van en naar de voormannen over te brengen. Documenten, statistieken en rapporten over Brazilië, waarvan Pemberton niet eens had geweten dat ze bestonden, werden uit Serena's hutkoffer opgediept. Daarnaast een glyfografische kaart van Zuid-Amerika die, uitgevouwen, de helft van de voorkamer besloeg. Dagenlang lag de kaart op de vloer uitgespreid met een rieten leunstoel erbovenop waar Serena in zat om de hele oppervlakte nog aandachtiger te kunnen bestuderen, en die van tijd tot tijd als een schaakstuk werd opgetild en verschoven naar een ander veld van de kaart.

Het was iets waar ze zich al jarenlang op had voorbereid, besefte Pemberton nu. Serena verstuurde telegrammen en brieven naar informanten en contacten in Washington en Zuid-Amerika. Ook stelde ze zich in verbinding met potentiële investeerders in verre oorden als Chicago en Quebec. Ze pakte dit alles aan met een bezeten enthousiasme, alsof haar geest de inactiviteit van haar lichaam moest goedmaken. Minuten en uren leken sneller voorbij te gaan, alsof Serena zelfs de tijd in een hogere versnelling had gezet. Aan het eind van de tweede week stond ze erop dat Pemberton naar het kantoor terugkeerde, waar de facturen, werkbriefjes en loonlijsten zich opstapelden, hoe capabel Campbell ook was.

Geholpen door de zachte lente zouden ze volgens schema in oktober klaar zijn in Cove Creek Valley, en daarom werden er steeds meer arbeiders naar Jackson County gestuurd, in het oosten, om daar een spoorlijn aan te leggen en aan de bouw van een nieuw kamp te beginnen. Ook Harris had zijn mannen in Jackson County, ploegen die onder leiding van geologen verkenningstochten maakten naar de rotsen en de beekoevers. Harris wilde niets loslaten over waar deze mannen naar op zoek waren, maar hij had ook het aangrenzende gebied van veertig hectare aangekocht dat het bovenste stroomgebied omvatte. Deze bergen zijn net deftige dames, zei Harris tegen Pemberton. Je moet er eerst een hoop tijd en geld aan besteden voordat ze je geven waar je op uit bent.

Op de eerste zaterdag dat Pemberton weer op kantoor zat, kwam een voorman van de zagerij het loonboek brengen. Pemberton haalde een vulpen tevoorschijn en zette een doos enveloppen op zijn bureau, opende de kluis en haalde er een bak met één- en vijfdollarbiljetten uit en een stoffen zak vol rolletjes muntgeld. Toen Pemberton het boek opensloeg, zag hij op de laatste regel een nieuwe naam staan. *Jacob Ballard – vijftien jaar.* Na een paar tellen liet hij zijn blik over de pagina omhooggaan. Hij schreef een naam op een envelop en stopte er twee briefjes van vijf en twee van een dollar in. Maar op het moment dat hij de envelop dichtplakte, dwaalde Pembertons blik weer over de pagina naar beneden, nog steeds aangedaan door het zien van de voornaam van het kind in schrift. Hij bekeek de vijf letters nauwkeurig, de manier waarop de omhoogwijzende *J* en *b* het woord de vorm van een kom gaven die erop wachtte om gevuld te worden. Minuten gingen voorbij eer Pemberton, voor het eerst sinds Serena's miskraam, het fotoalbum uit de onderste la haalde. Hij legde het naast het loonboek en sloeg het open op de laatste twee bladzijden. De foto van hemzelf als tweejarige bevond zich op de linkerpagina, maar het was de foto op de rechterpagina waar zijn aandacht naar uitging. Pemberton schoof het loonboek dichterbij, zodat *Jacob* en de foto van het kind naast elkaar lagen.

Die middag was de ploeg van Snipes aan het werk op Big Fork Ridge toen het snapblok van de hoofdkabel losbrak van een stronk. Als de uitsleepploeg pauze kreeg, hadden zijn mannen daar ook recht op, vond Snipes, dus gingen ze op de stammen zitten die ze net hadden gekapt. Boven hen klonk ineens een schril *wieie wieie*-geroep. De mannen keken omhoog en pal boven hen vloog een vogel over, het lichaam en de spits toelopende staart smaragdgroen en de kop felgeel. De vogel sloeg één keer met zijn vleugels en verdween tussen de nog niet gekapte bomen.

Henryson keek weemoedig naar het bos waarin de vogel was verdwenen. 'Had hij maar een van zijn veren laten vallen', zei hij.

De ploeg van Snipes was inmiddels een kakelbonte troep geworden, want na Dunbars dood had ieder op zijn eigen manier de praal van zijn voorman overgenomen. Henryson stak veren van goudvinken, Vlaamse gaaien en rode kardinalen achter zijn hoedband, waardoor er een veelkleurige vleugelhalo om zijn hoofd was ontstaan, terwijl Stewart groene lapjes op zijn schouders droeg als waren het onderscheidingstekens en op het borststuk van zijn overall een witte zakdoek had genaaid waarop in het midden een vlekkerig rood kruis was getekend. Ross droeg een oranje lapje op zijn kruis, al was hijzelf de enige die wist of dat een daad van hoon of van geloof was. Snipes zelf had zijn uitrusting verder opgefleurd door zijn leren schoenveters te vervangen door oranje dynamietdraad.

De meeste mannen draaiden een sjekkie en rookten tijdens het pauzeren. Snipes pakte zijn pijp en bril uit zijn borstzak en trok vervolgens een katern van de *Asheville Citizen* tevoorschijn uit de kontzak van zijn overall. Hij legde de krant op zijn schoot en nam zijn bril af om de binnenkant van het montuur met zijn zakdoek zorgvuldig op te poetsen voordat hij zich aan de krant wijdde.

'Hier staat dat ze nog steeds geen verdachten hebben voor de moord op dokter Cheney', zei Snipes. 'De staatssheriff in Asheville beweert dat een landloper die bij het station rondhing het gedaan heeft en dat-ie daarna op de eerste de beste goederentrein is gesprongen. Hij denkt niet dat ze de dader ooit te pakken zullen krijgen.'

'Vond de sheriff het niet een beetje zonderling dat die landloper het treinkaartje naar Kansas City niet heeft meegenomen dat ze in de zak van dokter Cheney hebben gevonden, en dat hij ook nog eens zijn portefeuille heeft laten zitten?' vroeg Henryson. 'En zou hij zich niet afvragen waarom een landloper de goeie dokter met uitgesneden tong op een wc heeft neergezet en waarom hij in allebei zijn handen een pepermuntje had?'

'En of de man die nu in de auto van de dokter zaliger rondrijdt er misschien iets mee te maken had?' voegde Ross eraan toe.

'Nee, meneertje', zei Snipes. 'Dat noemt de wet onvoldoende bewijs.'

Ross hief zijn hoofd, keek eens naar de blauwe lucht en blies door zijn getuite lippen een trage rookpluim uit voordat hij sprak.

'Ik denk ook niet dat er nog naar andere bewijzen wordt gezocht aangezien de sheriff is omgekocht door Houtbedrijf Pemberton.'

'Je bedoelt de sheriff van Asheville, niet sheriff McDowell?' vroeg Stewart.

'Ja, die', zei Ross.

'Volgens mij is sheriff McDowell niet om te kopen', zei Stewart.

'Dat zullen we gauw genoeg merken', zei Ross. 'Er gaan steeds meer mensen de pijp uit. En bij hem hebben ze niet eens de moeite genomen om het op een ongeluk te laten lijken, zoals bij Buchanan. Als ze zo doorgaan moeten ze alle wetshandhavers in deze staat omkopen.'

'McDowell hebben ze nooit kunnen inpalmen en we weten allemaal dat ze het wel degelijk geprobeerd hebben. En volgens mij lukt het ze dit keer ook niet', zei Henryson met een voor hem ongekend optimisme.

De vogel die zojuist was overgevlogen riep van een plek diep in het bos. Henryson hield zijn hoofd schuin om beter te kunnen peilen waar de vogel precies was, maar het geroep verstomde en het was weer stil.

'Staat er nog iets nieuws over dat park in die krant van je?' vroeg Ross aan Snipes.

'Alleen dat kolonel Townsend zijn land aan de overheid heeft verkocht', zei Snipes. 'De krant is een en al hoezeegeroep voor Townsend en die parklui.'

'Dat is slecht nieuws voor mijn zwager', zei Henryson, die hoofdschuddend naar het westen keek, in de richting van Tennessee. 'Hij is al bijna tien jaar zager bij Townsend. Mijn zus en hij hebben vier monden te voeden.'

'Is het een goede werker?' vroeg Snipes.

'Hij kan kappen als de beste.'

'Ik zal een goed woordje voor hem doen bij Campbell,' zei Snipes, 'maar er zitten ondertussen zo veel mannen op die trap voor de kampwinkel dat je zowat moet loten om een plaatsje te bemachtigen. Er staan zelfs al bosjes arbeiders bij het nieuwe kamp en dat is nog niet eens in bedrijf.'

'Van wie heb je dat gehoord?' vroeg Henryson.

'Van niemand', zei Snipes. 'Ik heb het afgelopen zondag met eigen ogen gezien. Een van die lui op het trapje pakte zijn bijl op en zei dat hij naar Jackson County ging en er liep zo tien man achter hem aan alsof hij Mozes was die ze voorging naar het beloofde land.'

'Je zwager kan zeker niet dokteren?' vroeg Ross aan Henryson. 'Voor dat baantje hebben ze nog niemand.'

'Nee,' antwoordde Henryson, 'maar zelfs al kon hij het wel, toch zou ik liever zien dat hij het bij houthakken hield. Een boom of een bijlblad kun je misschien nog ontwijken. Ik weet niet of je van Galloway hetzelfde kunt zeggen.'

Drieëntwintig

Er was haar gezegd dat ze zes weken het bed moest houden, maar toen er een maand verstreken was, hervatte Serena haar toezicht op de kapploegen. Toen ze van de veranda stapte, stond Galloway haar al op te wachten. Ze gingen samen naar de stal en Serena kwam op de arabier naar buiten, met de arend op haar arm. In een rustig tempo reed ze het kamp uit, met Galloway op een sukkeldrafje achter zich aan, een altijd aanwezige, vastberaden schaduw. Tussen Rough Fork en Wash Ridge was het land van alle bomen ontdaan. Van een afstand leek het niet zozeer of de bossen in het dal waren gekapt, maar of ze door een gigantische gletsjer met de grond gelijk waren gemaakt. Hoewel de regen was afgenomen, maakten de door slijk gestremde beken het oversteken van het omringende laagland tot een hachelijke onderneming. Mannen struikelden en gleden uit, kwamen vloekend overeind terwijl ze de modder van hun gezicht en kleren veegden. Twee arbeiders braken botten in het miasma en tal van anderen raakten gereedschap kwijt. Een zager die een poos aan de kust had gewerkt zei dat het enige verschil tussen dit dal en een moeras in Charleston County was dat je hier geen watermocassinslangen had.

Pemberton keek vanaf de veranda van het kantoor toe hoe Serena en Galloway zich ploeterend een weg door de woestenij zochten en op Cove Creek uit het oog verdwenen. In de loop van de ochtend handelde hij facturen af en sprak met Harris over een bijeenkomst met twee mogelijke investeerders. Elk half uur kwam Pemberton achter zijn bureau vandaan en keek naar het westen om te zien waar Serena was. Om elf uur was het tijd om langs te gaan bij Scruggs, de man die sinds de dood van Buchanan met het reilen en zeilen van de zagerij was belast. Maar Pemberton aarzelde om het kamp te verlaten, en niet alleen omdat hij zich zorgen maakte over Serena. Voor het eerst sinds hij zich kon heugen was Campbell niet op het werk verschenen. Pemberton ging Vaughn zoeken en zei dat hij op kantoor moest gaan zitten om de telefoon aan te nemen. Toen Pemberton het kamp uitreed, zag hij Serena op haar paard naar de top van Half Acre Ridge rijden. Hij wist nog hoe verbaasd de arbeiders waren geweest dat ze nooit last leek te hebben van de ijle berglucht, zelfs niet toen ze in de begintijd naar de hoogste toppen van het gebied was gereden. Ze vergeten waar ik vandaan kom, had Serena tegen hem gezegd.

Toen Pemberton aankwam bij de zagerij, zag hij Scruggs bij het houtmeer, waar hij toezicht hield op twee arbeiders die de stammen naar de boomezel loodsten. Terwijl de mannen als evenwichtskunstenaars hun tweeënhalve meter lange pikhaak vasthielden, bewogen ze zich in hoog tempo over het oppervlak van het houtmeer en stapten van boomstam naar boomstam met een zelfvertrouwen dat de gevaren van dat werk leek te logenstraffen. Pemberton zag dat de oudste man Ingledew was, een ploegbaas die al sinds de inbedrijfstelling in de zagerij werkte. Ingledew had speciale werkschoenen aan met metalen punten die als klauwen in het hout grepen, maar de jongen die bij hem was, liep nog steeds op blote voeten, hoewel hij al een maand in de zagerij werkte.

'Is dat Jacob Ballard?'

'Ja, meneer', zei Scruggs met lichte verbazing in zijn stem. 'Ik wist niet dat u hem kende.'

'Ik herinner me zijn naam van de loonlijst', zei Pemberton. 'Waarom heeft hij nog geen goede werkschoenen gekocht?'

'Dat heb ik hem wel gezegd,' zei Scruggs, 'maar hij heeft een meisje in Sevierville waar hij elke zondag naartoe gaat. De jonge Ballard verspilt zijn geld liever aan prulletjes voor haar.'

Pemberton en Scruggs keken toe hoe de jongen blootsvoets over het bijna geheel bedekte oppervlak van het houtmeer liep en de pikhaak als een harpoen tegen de stammen stootte om ze in de juiste positie op te drijven naar de boomezel; hij werd gevolgd door Ingledew die eveneens stammen vlot trok. De meeste stremmingen konden gemakkelijk worden verholpen, maar er waren erbij die één grote kluwen vormden, zodat de hele stremming bewoog in plaats van één enkele stam en de mannen moesten hurken om de stammen met de hand vlot te trekken.

'Maar hij is er goed in, vindt u niet, vooral voor zo'n groentje', zei Scruggs. 'Hij scheert over het meer als een waterspin.'

Pemberton knikte terwijl ze toekeken hoe Ballard naar een andere stam holde en nog meer hout in de richting van de boomezel duwde, waar een derde arbeider klaarstond om ze naar de zaagslee te transporteren. Ballard was mager, maar uit de manier waarop hij de boomstammen vooruitduwde, kon Pemberton opmaken dat hij zoals zo veel bergbewoners over een pezige kracht beschikte.

Pemberton wilde net weggaan toen hij zag dat Ingledew nog een stremming ontwarde door de onderstam van een grote populier te bevrijden en hem een duw te geven in de richting van de stam waar Ballard op stond. De stam van de populier botste tegen een kleinere aan, slechts een meter achter de jonge arbeider, en die botste op zijn beurt tegen de boomstam waar de jongen op stond. Het was nauwelijks meer dan een tikje, maar genoeg. De stam rolde om en Ballard gleed uit. Hij schoot met zijn voeten in een nauwe opening tussen de stammen, alsof er een valluik openklapte. In een ommezien waren zijn benen, zijn romp en zijn hoofd onder water verdwenen en was er alleen nog een hand en een klein stukje pols zichtbaar. Op de een of andere manier slaagde Ballard erin met zijn rechterhand de pikhaak te blijven vasthouden. Heel even dacht Pemberton dat dat misschien zijn redding was, omdat allebei de uiteinden van de pikhaak in het hout bleven haken. Pemberton keek naar de hand die de pikhaak omklemde en hoopte vurig dat de jongen zijn greep niet zou verliezen terwijl Ingledew over de stammen sprong om hem te hulp te schieten. Toen Ingledew dichterbij kwam, verschoven onder diens gewicht de stammen vlak bij de plek waar de jongen was ondergegaan, en de opening waar Ballard in was verdwenen was niet groter meer dan de vuist die er doorheen stak en de pikhaak omklemde.

Had de jongen het nog vijf seconden volgehouden, dan had Ingledew hem er misschien uit kunnen trekken, maar Ballards hand liet de pikhaak los in een laatste poging zich vast te klauwen aan een stam, waarvan hij met zijn vingertoppen een stuk doorgezaagde bast losscheurde. Samen met de hand verdween het laatste beetje ruimte. Ingledew probeerde uit alle macht de drijvende stammen uit elkaar te wrikken, maar Pemberton wist net zo goed als de arbeiders dat onder het kalme oppervlak van het houtmeer nog de oude stromingen van de beek kolkten. Ingledew bleef volharden en wist vlakbij nog een paar ruimtes open te wrikken terwijl Pemberton en Scruggs het houtmeer afspeurden op een stremming die begon te schommelen of te deinen omdat Ballard er van onderaf tegenaan duwde. De man die de boomezel bediende was nu ook op het water, maar Ballard was onvindbaar. Na twintig minuten gaven Ingledew en de andere man het op en kwamen aan land.

Scruggs, de enige katholiek in het kamp, en misschien wel in de hele staat, boog het hoofd en sloeg een kruisje.

'De jongen zat gevangen onder die stammen als onder het deksel van een doodskist', zei Scruggs zacht.

Pemberton staarde naar het met stammen overdekte oppervlak van het meer, zo kalm nu dat het leek alsof de stammen op land in plaats van op water lagen. Ineens leek de wereld zich voor Pemberton uit te rekken, zodat de afstand tussen hemel en aarde zich vergrootte, en hij kreeg een licht gevoel in het hoofd, net als de keer dat hij op de brancard in het ziekenhuis het bewustzijn had verloren. Heel even was Pemberton bang dat zijn benen het zouden begeven. Hij zakte iets door de knieën, legde zijn handen op zijn dijbenen en boog het hoofd terwijl hij wachtte tot het gevoel wegtrok.

'Voelt u zich wel goed?' vroeg Scruggs.

'Laat me maar even', zei Pemberton terwijl hij langzaam zijn hoofd weer optilde.

Pemberton zag dat niet alleen Scruggs, maar ook Ingledew en de andere arbeider naar hem stonden te kijken. Scruggs stak zijn hand uit om hem te ondersteunen, maar Pemberton weerde dat gebaar af. Hij ademde langzaam, liet de ruimte tussen hemel en aarde samentrekken, bestendig worden.

'Wilt u misschien even gaan zitten in het kantoor, meneer Pemberton?' vroeg Scruggs.

Pemberton schudde van nee. De lichthoofdigheid had plaatsgemaakt voor misselijkheid en hij wilde zien weg te komen voordat het erger werd.

'Kom morgen naar het kamp, dan zorgen we voor een nieuwe kracht', zei Pemberton terwijl hij al terugliep naar de auto. 'En breng hem dit keer aan zijn verstand dat hij van zijn eerste weekloon beslagen werkschoenen moet kopen.'

'Ja, meneer', zei Scruggs.

Pemberton stapte in de Packard en reed tot hij uit het zicht van de zagerij was. Toen zette hij de auto langs de kant van de weg, opende het portier en wachtte af of zijn maag sterk genoeg was om zijn roerige inhoud binnen te houden.

Terug in het kamp kwam Pemberton tot de ontdekking dat Campbell nog steeds niet was komen opdagen en daarom stuurde hij Vaughn eropuit om te gaan kijken wat het probleem met de tweede uitsleper was. Pemberton ging weer aan de slag met de facturen op zijn bureau, maar toen hij voor de derde keer was opgestaan en naar het raam was gelopen, legde hij het chequeboek terug in de kluis en ging naar de stal. Pemberton besteeg zijn paard en reed door het kapafval en de modder naar Wash Ridge, waar Serena met een ploegbaas in gesprek was. De gehuifde kop van de arend draaide in Pembertons richting toen hij hun kant op kwam.

'Kom je kijken hoe het met me gaat, Pemberton?' zei Serena toen hij zijn paard naast de arabier tot staan bracht.

'Dat zou jij ook gedaan hebben.'

'Daar heb je gelijk in', zei Serena, en ze legde haar hand even tegen zijn wang. 'Maar eigenlijk zie jij nogal bleek. Voel jij je wel goed?'

'Ik voel me prima', zei Pemberton.

Terwijl de ploegbaas Serena nog een laatste vraag stelde, dacht Pemberton aan Ballards hand die de pikhaak omklemde. Hij stelde zich voor hoe de jongen in het troebele water had gehangen, zich afvragend of hij wel of niet moest loslaten, moest proberen zichzelf te redden of wachten tot hij gered zou worden. Die seconden moesten minuten hebben geleken, wist Pemberton, net zoals toen de beer hem in zijn greep had gehad. Gevangen als onder het deksel van een doodskist, had Scruggs gezegd. Zo zou het vast en zeker gevoeld hebben, wist Pemberton, even zwart en uitzichtloos.

De ploegbaas knikte tegen Serena dat hij het had begrepen. Hij lichtte zijn afgedragen vilthoed en ging terug naar zijn mannen.

'Harris heeft gebeld', zei Pemberton. 'We hebben komende zaterdag bij de Cecils een ontmoeting met onze potentiële investeerders.'

'Dan krijg ik eindelijk het kasteel eens te zien', zei Serena. 'Wat zei Harris verder nog over ze?'

'De Calhouns zijn oud geld uit Charleston. Ze brengen de zomer in Asheville door en omdat ze een deel van de tijd bij de Cecils logeren, ontmoeten we ze bij hen thuis. Lowenstein is een zakenman uit New York, een zeer succesvolle.'

'Waarom is hij hier?'

'Zijn vrouw heeft tuberculose.'

Pemberton zweeg even en keek de arbeiders na, die dieper het bos inliepen. Zijn blik bleef op de arbeiders gericht toen hij weer het woord nam.

'Wat Brazilië betreft, Harris zei dat ze alleen investeringen in dit gebied overwegen.'

'Dan zullen we ze op andere gedachten moeten brengen', zei Serena.

Een poosje zeiden ze geen van beiden iets. De riempjes aan de dralen ritselden toen de vogel zijn vleugels hief. Serena streelde de keel van de arend met de achterkant van haar wijsvinger, wat de vogel tot rust bracht.

'We hebben vandaag een man verloren bij de zagerij', zei Pemberton. 'Eentje die onlangs was aangenomen omdat Scruggs hem hoog had zitten.'

'Als Scruggs hem hoog had zitten, is het echt een verlies. Hij weet snel wat voor vlees hij in de kuip heeft', zei Serena en ze zweeg even toen ze naar het noorden keek, waar het kamp lag. 'Is Campbell komen opdagen?'

'Nee', zei Pemberton.

'Dan is het waar.'

'Dan is wát waar?'

'Een van de zagers beweerde dat hij de benen heeft genomen', zei Serena. 'We geven hem nog tot morgenochtend voordat we Galloway achter hem aan sturen.'

'Waarom zouden we hem terughalen? Als hij niet voor ons wil werken, kan hij naar de verdommenis lopen.'

'Hij weet wie we hebben omgekocht en met welk doel,' zei Serena, 'en dat zou een probleem kunnen opleveren. Bovendien moeten arbeiders de noodzaak van loyaliteit leren inzien.'

'Campbell houdt zijn kiezen wel op elkaar. Als Galloway hem wél terughaalt, denken de mannen nog dat we niet in staat zijn om dit bedrijf zelf te runnen.'

'Terughalen is niet de bedoeling', zei Serena, zowel tegen Pemberton als tegen de man achter hem.

Galloway leunde tegen een kastanjeboom waarvan de stam breder was dan zijn smalle schouders. Hoewel hij een blauw denimhemd aanhad, had Galloway er zo stilletjes bij gestaan dat Pemberton hem niet had opgemerkt. Galloway negeerde Pemberton, maar Pemberton wist dat hij al die tijd had meegeluisterd. En nog steeds luisterde. Pemberton sloeg zijn blik even neer. Zijn linkerhand was halfgesloten en hij zag dat zijn duim over het goud aan zijn ringvinger wreef. Er diende zich een beeld uit zijn jeugd aan van een geest met een tulband die over een lamp wreef. Hij sloot zijn hand helemaal en keek op.

'Goed dan', zei Pemberton.

'Het gaat iets beter met McIntyre', zei Stewart die avond toen de mannen hun gereedschap neerlegden en even uitrustten voordat ze aan de terugtocht van een kleine kilometer naar het kamp begonnen. 'Ik en zijn vrouw hebben gedaan wat jullie allemaal voorstelden.'

'Heb je hem op een stok gezet?' vroeg Ross.

'Nee, mee de zon in genomen. Ik en zijn vrouw hebben hem met bed en al naar buiten gesjouwd omdat hij er niet uit wilde komen. We hebben hem in de wei bij de koeien gezet, waar je nooit schaduw hebt.'

'Hielp 't?' vroeg Henryson.

'Even leek het erop', zei Stewart. 'Niet dat hij wat zei, maar hij pakte wel weer zijn bijl om brandhout te hakken, maar toen fladderde er een grote bosuil over het weiland en daarna was-ie weer één bonk zenuwen. Hij beschouwde het als een voorbode van narigheid die op komst is.'

Ross rochelde en spuugde een fluim uit, toen knikte hij in de richting van de paar honderd meter kaalgekapt terrein waar de Pembertons en Galloway waren verschenen. Galloway was te voet, maar de Pembertons gingen te paard, de arend zo stram als een schildwacht op Serena's arm.

'Als je een voorbode van narigheid wilt, word je op je wenken bediend', zei Ross.

Henryson knikte. 'Ze zeggen dat de dood altijd in drieën komt, en als dit er niet het toonbeeld van is, ben ik de koning van Engeland.'

De mannen zwegen en staarden uit over de kaalslag, waar ze

de Pembertons en Galloway beneden hen voorbij zagen trekken – Serena's witte ruin oplichtend tegen de donkere achtergrond, Galloway als hekkesluiter van de processie, de rand van zijn hoed omlaag tegen de avondzon.

'Moet je die ratels op Stompie zijn hoed zien', zei Ross. 'Die staan omhoog als een bosratelslang die elk moment zijn tanden in je kan zetten.'

Henryson boog zich voorover en trok zijn broekspijp op om een vuistgrote blauwe plek te bekijken die hij had opgelopen toen er een tak tegenaan was geslagen.

'Ik vind het zo slecht nog niet dat Stompie die ratels heeft,' zei hij, 'vooral als ze af en toe eens rammelen. Dan weet je tenminste dat hij in de buurt is. Die kerel kan zich nog schuilhouden voor zijn eigen schaduw.'

De mannen zwegen even.

'Campbell is vandaag niet op het werk verschenen', zei Henryson.

'En dat is niks voor hem', voegde Stewart eraan toe.

'Het is ook niks voor hem om een tas vol te stouwen met kleren en zijn voordeur open te laten staan', zei Henryson, die zijn broekspijp terugrolde. 'Vaughn stond gisternacht op om te gaan pissen en heeft hem zijn auto zien inladen en wegrijden. Ik denk dat Campbell het teken aan de wand heeft gezien. Het is altijd al een slimme vent geweest.'

'Dat zei ik toch al,' zei Ross, 'Campbell denkt ook in de eerste plaats aan zichzelf als het hem te heet onder de voeten wordt, net als ieder ander.'

'Ik denk dat hij het zat was om mee te doen aan al die slechtigheid', zei Stewart. 'Je kon merken dat hij het niet met ze eens was, ook al zei hij dat niet hardop.'

'Ze zullen zich er niet bij neerleggen dat hij er zomaar tussenuit geknepen is', zei Henryson met zijn blik op de Pembertons en Galloway gericht.

'Nee', zei Ross. 'Als je de boekhouding doet, weet je waar de cheques heen gaan, ook de cheques die de senators in Raleigh in hun binnenzak hebben gestopt.'

'Hoeveel tijd denk je dat Campbell krijgt voordat ze Stompie opjuint om achter hem aan te gaan?' vroeg Henryson.

'Ik denk een dag,' zei Ross, 'gewoon om het een beetje spannend te maken.'

'Er wordt beweerd dat Galloways moeder hem helpt bij het moorden', zei Stewart. 'Ze hoeft je alleen maar eens een keer goed aan te kijken. Dan vertelt ze Galloway wat hij moet doen. Dat is wat er gezegd wordt.'

'D'r zit wel iets aannemelijks in die conclusie', zei Snipes, die zijn kans schoon zag om zich in het gesprek te mengen. 'Zelfs wetenschappers en dat soort lui zeggen dat sommige mensen dingen weten op een manier die niet te bevatten is.'

'En daarom zul je mij hem ook nooit Stompie horen noemen,' zei Ross tegen Henryson, 'en dat zou ik ook niemand anders aanraden, of je moet de anderen al achterna willen waar hij de pest aan had.'

Waar Rough Fork Creek het dal binnenstroomde, zagen ze het groepje de laagte ingaan. Hun verdwijnende gestalten leken te zinderen en te vervagen, als bij een luchtspiegeling. Toen waren ze weg, alsof ze in rook waren opgegaan.

Vierentwintig

Op zaterdagavond reed Pemberton over de asfaltweg door het voorgebergte naar het dal van de Pigeon River. Een maand eerder waren in het bos aan weerszijden de laatste verwelkte bloemen van de kornoelje gevallen, zodat het onderhout nu twee tinten vertoonde: het lichtgroen van het gebladerte van de kornoeljes en de dwergeiken, en een donkerder groen van de lepelstruiken en de rododendrons. Pemberton vermoedde dat er op een dag een gif zou bestaan waarmee zulke waardeloze bomen en struiken konden worden uitgeroeid, zodat het makkelijker zou zijn om loofbomen te kappen en uit te slepen.

Pemberton trok met zijn wijsvinger de zijden stropdas om zijn kraag wat losser. Hij had zich voor het eerst sinds zijn trouwerij opgedoft. Het witte pak van indiakatoen was weliswaar luchtig, maar toch benauwde het hem. Het was echter de moeite waard om Serena weer in de jurk te zien die ze ook had gedragen op de avond dat ze elkaar hadden leren kennen. Net als toen leek de dunne, soepelvallende, groene zijde die haar van hals tot enkels bedekte mee te bewegen, zodat de jurk alle welvingen en rondingen van haar lichaam onthulde. Pemberton legde zijn rechterhand op Serena's knie. Hij voelde de zachte huid onder de gladde zijde en vergeefs probeerde hij zijn aandacht uitsluitend te richten op de belofte van genot die daarin besloten lag en zijn zorgen opzij te zetten. Toen de weg uit het dal omhoog begon te klimmen, haalde Pemberton zijn hand van haar knie om terug te schakelen.

'Ik hoorde dat McDowell gisteravond in de kampwinkel was', zei Pemberton, die nu zijn hand op de pook liet liggen. 'Hij informeerde bij de mannen naar Campbell.'

'Als hij vragen stelt, heeft hij dus geen antwoorden', zei Serena en ze boog zich naar Pemberton toe. 'Hoe brengt Meeks het eraf?'

'Best goed, gezien het feit dat het zijn eerste week was. Hij heeft moeite met het taaltje dat ze hier spreken, maar de bedragen op de loonlijst klopten.'

Het land werd vlak en daalde toen ze de French Broad overstaken, de rivier bruin en gezwollen door de regen van die middag. Het was al donker en toen de Packard langs Asheville reed, ging daar de straatverlichting aan. Ze staken de Swannanoa River over, reden door de grote toegangspoort het landgoed Biltmore binnen en vervolgden hun weg over de kronkelende, vijf kilometer lange oprijlaan naar het landhuis. Door het dichte bos aan weerszijden van de weg werd elk ander licht dan de koplampen van de Packard aan het oog onttrokken.

Nadat de weg een bocht had gemaakt, zagen ze een met gras begroeid voorplein. Toen Pemberton de laatste bocht had genomen, doemde het huis voor hen op als een steile rots van licht. Een silhouet van torens en spitsen tekende zich af tegen de lucht. Aan de balustraden hingen gargouilles met dreigende gelaatstrekken, die van achteren werden belicht door de gloed die door de ramen naar buiten viel. De kalkstenen afwerking van de muren getuigde van soliditeit, van het vaste geloof dat de familie Vanderbilt een positie in de wereld bekleedde die boven de grillen van beurzen en industrie verheven was.

'Een Frans kasteel, verplaatst naar de binnenlanden', zei Serena spottend toen Pemberton afremde en de Packard liet aansluiten bij de rij wachtende auto's.

Voor de hoofdingang van het huis opende een bediende in zwart jacquet en met een hoge zijden op Serena's portier en nam de autosleutels aan. De Pembertons voegden zich bij de andere gasten die de brede trap bestegen. Toen ze langs de marmeren leeuwen liepen, legde Serena haar hand op Pembertons onderarm en hield die stevig vast terwijl ze zich naar hem toe boog om hem op de wang te kussen. Op dat moment voelde Pemberton iets van zijn onrust wegebben.

Ze moesten wachten tot de drie paren vóór hen naar binnen

waren gegaan. Pemberton sloeg zijn hand om Serena's taille en liet hem omlaagglijden. De zijde voelde koel aan onder zijn vingers en handpalm toen hij de welving van haar heup streelde. Er kwam een beeld bij hem op, zo levendig, dat het wel ingelijst in glas voor hem had kunnen staan – Serena in het vroege ochtendlicht van haar appartement in Revere Street, die haar mantel op de chaise longue legde terwijl Pemberton achter haar de kamer binnenkwam. Ze had hem niet gevraagd of hij iets wilde drinken of wilde gaan zitten, ze had niet eens aangeboden zijn jas aan te nemen. Ze had hem alleen zichzelf aangeboden, zich omgedraaid met haar linkerhand al op het groene schouderbandje van haar jurk, dat ze omlaagtrok en liet vallen, waardoor haar bleke borst werd onthuld en de roze tepel, hard door de kou. De rij bewoog naar voren en Pemberton werd uit zijn dagdromerij gewekt.

In de hal kwam een in smoking geklede butler op hen af en bood hun champagne in flûtes aan op een zilveren dienblad. Pemberton overhandigde een glas aan Serena en nam er toen zelf een, waarna ze verder liepen om de gastvrouw en de gastheer te begroeten.

'Welkom in ons domicilie', zei John Cecil met een buiging nadat ze zich aan elkaar hadden voorgesteld.

Met zijn linkerarm maakte de gastheer een weids gebaar naar de uitgestrekte ruimte achter hem. Cecil gaf Pemberton een stevige hand terwijl hij Serena zedig op de wang kuste. Cornelia Cecil stapte naar hen toe en raakte met haar lippen even licht Pembertons wang aan, waarna ze zich tot Serena wendde en haar omarmde.

'Het spijt me ontzettend voor je, mijn beste. Lydia Calhoun vertelde me over uw recente tegenslag. Zo lang een kind te dragen en het dan verliezen, wat afschuwelijk.'

Mevrouw Cecil verbrak de omarming, maar liet haar hand op Serena's pols rusten.

'Maar u bent er en u ziet er fantastisch uit. Dat is toch ook iets om dankbaar voor te zijn.'

Serena stond er met gespannen schouders bij toen verscheidene andere vrouwen naar haar toe kwamen om hun medeleven te betuigen. Pemberton nam Serena snel bij de arm en zei tegen de vrouwen dat hij even een apartje wilde met zijn echtgenote. Ze liepen naar de andere kant van het vertrek. Zodra ze alleen waren, nam Serena een lange teug uit de kristallen flûte.

'Ik heb er nog zo eentje nodig', zei ze toen ze op weg gingen naar de muziekkamer.

In de muziekkamer was een jazzorkest 'Saint Louis Blues' aan het spelen. Er waren een paar stellen aan het dansen, maar de meeste mensen stonden met een drankje in de hand aan de kant. Serena en Pemberton talmden in de deuropening.

'Mijn partners', zei Harris luid toen hij achter hen kwam staan.

Harris werd vergezeld door een man van ergens in de vijftig, in smoking. Beide mannen bewogen zich nogal onvast, whisky in de hand. Harris greep Pemberton met zijn vrije hand bij de schouder.

'Bradley Calhoun', zei Harris met een knikje naar de man naast hem. 'Ik zal Lowenstein even halen.'

Toen Harris wegliep, gaf Pemberton de man een hand. Calhouns handdruk was stevig en zelfverzekerd, maar dat kon niet verhullen dat zijn hand mollig en zacht was. Calhoun pakte Serena's hand en kuste die, waardoor de whisky bijna over zijn glas klotste. Hij tilde zijn hoofd op en streek zwierig een lok lang, geelgrijs haar naar achteren.

'De vrouw die arenden temt', zei Calhoun met een beschaafd zuidelijk accent. 'Uw reputatie is u vooruitgesneld, mevrouw Pemberton.'

'Ik hoop ook als zakenpartner', zei Serena.

Harris kwam terug met Lowenstein, een man die jonger was dan Pemberton had verwacht. De New Yorker droeg een donkerblauw gabardine pak dat, naar Pemberton veronderstelde, was gemaakt in een van Lowensteins eigen kledingzaken. Anders dan de luidruchtige Calhoun beschikte Lowenstein over de waakzame terughoudendheid van een man die zich op eigen kracht omhoog heeft gewerkt. Met een gezicht dat al rood aangelopen was door de alcohol hief Harris het glas en de anderen volgden hem.

'Op het fortuin dat in deze bergen gemaakt wordt', zei Harris en iedereen nam een slok.

'Maar waarom zouden we ons alleen beperken tot wat we hier hebben,' voegde Serena eraan toe met haar champagneflûte nog steeds geheven, 'vooral als er elders nog zo veel te verdienen valt.'

'En waar dan wel, mevrouw Pemberton?' vroeg Lowenstein, zorgvuldig articulerend, misschien om een licht Europees accent te verhullen.

'Brazilië.'

'Brazilië?' zei Lowenstein terwijl hij Harris verwonderd aankeek. 'Ik dacht dat uw plannen bedoeld waren voor plaatselijke investeringen.'

'Mijn echtgenoot en ik hebben grotere ambities', zei Serena. 'En u ook, vermoed ik, als u eenmaal op de hoogte bent van de mogelijkheden.'

Lowenstein schudde zijn hoofd.

'Ik hoopte op iets hier in de buurt, niet in Brazilië.'

'Ik ook', zei Calhoun.

'Heren, lokale aankopen behoren natuurlijk ook tot de mogelijkheden', zei Pemberton en hij stond op het punt nog iets te gaan zeggen toen Serena hem in de rede viel.

'Acht dollar voor elke dollar die in Brazilië wordt geïnvesteerd, in tegenstelling tot twee dollar voor elke dollar op uw lokale investering.'

'Acht dollar op één', zei Lowenstein. 'Dat kan ik nauwelijks geloven, mevrouw Pemberton.'

'En als ik u van mijn gelijk kan overtuigen door u te laten zien wat de landprijzen daar zijn en de kosten voor machines en arbeiders?' reageerde Serena. 'Ik heb documenten die alles aantonen. Ik breng ze morgen naar Asheville zodat u ze zelf kunt bestuderen.'

'Godallemachtig, mevrouw Pemberton', sputterde Harris op een toon die het midden hield tussen geamuseerdheid en irritatie. 'Deze heren hebben maar nauwelijks een slok van hun drankje genomen of u overvalt ze al met een of ander Zuid-Amerikaans avontuur.'

Calhoun hief zijn hand om Harris het zwijgen op te leggen.

'Ik zou naar een dergelijk voorstel luisteren, of het nu morgen is of welke andere dag dan ook, alleen al vanwege het genoegen van mevrouw Pembertons aanwezigheid.'

'En u, meneer Lowenstein?' vroeg Serena.

'Ik zie mezelf niet in Brazilië investeren,' antwoordde hij, 'onder welke omstandigheden dan ook.'

'Laten we eerst eens horen wat mevrouw Pemberton allemaal te zeggen heeft, Lowenstein', zei Calhoun. 'Harris hier beweert dat zij meer afweet van hout dan alle mannen die hij ooit is tegengekomen. Dat is toch zo, Harris?'

'Zonder twijfel', zei Harris.

'Maar dat nieuwe kamp in Jackson County dan?' vroeg Lowenstein. 'Daarvoor zult u toch nog een hele tijd in North Carolina moeten blijven?'

'We zijn zover dat we met kappen kunnen beginnen', antwoordde Serena. 'En het duurt hoogstens een jaar voordat we daar klaar zijn.'

'Brazilië', mijmerde Lowenstein. 'Hoe zit het met jou, Harris? Heb jij belangstelling voor Brazilië, voor Incagoud misschien?'

'Nee', zei Harris. 'Hoe overtuigend mevrouw Pemberton ook moge zijn, ik denk dat ik maar in North Carolina blijf.'

'Jammer', zei Calhoun. 'Ik vind het heel briljant dat jij en de Pembertons van hetzelfde gebied geprofiteerd hebben door er zowel te kappen als te delven.'

'Ja', zei Harris terwijl hij de kelner wenkte voor nog een drankje. 'De Pembertons krijgen alles wat boven de grond staat en ik wat eronder zit.'

'En wat heb je daar gevonden?' vroeg Lowenstein. 'Ik ben niet bekend met wat er in deze regio wordt gedolven.'

'Daar is meneer Harris nogal terughoudend over geweest', zei Serena.

'Dat klopt,' gaf Harris toe, 'maar aangezien ik nu ook de aangrenzende veertig hectare heb gekocht en eigenaar ben van de hele beek tot aan de bron toe, kan ik wat meer openheid verschaffen.'

'U bedoelt toch zeker niet dat er goud zit?' zei Calhoun.

Harris dronk zijn glas leeg en glimlachte breed.

'Beter dan goud. In de buurt van Franklin hebben ze robijnen gevonden van een behoorlijk gewicht. Ik heb er zelf eentje gezien zo groot als een appel. En ook saffieren en amethisten. Allemaal gevonden binnen een straal van vijftig kilometer van ons gebied in Jackson County.'

'Dus uw gebied belooft soortgelijke vondsten?' vroeg Lowenstein.

'Eigenlijk,' zei Harris terwijl hij een hand in zijn zak stak, 'doet het meer dan alleen beloven.'

Harris opende zijn hand als een goochelaar die een verdwenen munt laat zien en onthulde een zilveren snuifpotje. Harris draaide het deksel eraf en schudde de inhoud op zijn hand.

'Wat zijn dat?' vroeg Lowenstein, turend naar een tiental steentjes met de vorm en grootte van een traan, die allemaal de kleur van gedroogd bloed hadden.

'Robijnen', zei Harris. 'Deze zijn zo klein dat ze niet meer dan een paar dollar opbrengen, maar je kunt er donder op zeggen dat er nog meer zijn, zeker als je nagaat dat ik deze in en rondom de beek heb gevonden.'

'Dus er zit nog veel meer en deze zijn met de stroom meegespoeld, bedoel je?' vroeg Calhoun.

'Precies, en het zijn vaak alleen de kleintjes die met de stroom meekomen.'

Harris goot de steentjes terug in het snuifpotje en haalde toen een ander steentje uit zijn zak van dezelfde grootte als de andere, maar dan violet van kleur.

'Amethist', zei Harris. 'Lag vlak bij de boerderij, verdomd als het niet waar is. En over het hele erf ook nog rode granaat, dus dan weet je zeker dat je op de juiste plek bent om nog meer te vinden van wat ik je daarnet liet zien.'

'Saffieren en robijnen', riep Calhoun uit. 'Het klinkt als een waar eldorado.'

'Ik zou nooit gedacht hebben dat hier in het achterland zo'n rijkdom te vinden is', zei Lowenstein.

'Kennelijk was het zo moeilijk te geloven dat het het vermelden niet waard was voordat we de papieren tekenden', zei Serena. 'Nietwaar, Harris?'

Harris lachte. 'U hebt me betrapt, mevrouw Pemberton.'

Serena richtte zich tot Pemberton.

'Ik ben ervan overtuigd dat meneer Harris zich er rekenschap van geeft dat het hem contractueel verboden is om met delfwerkzaamheden te beginnen voordat al het hout is gekapt.'

'Zeker', zei Pemberton. 'Wellicht besluiten we wel om een jaar of tien te wachten met het kappen van bepaalde gebieden.'

Even zag Harris er verslagen uit, maar toen zette hij weer een stoer gezicht op.

'Ik zou verdomme mijn kiezen op elkaar moeten houden als ik drink', mompelde Harris. 'Hoger dan tien procent ga ik niet.'

Calhoun schudde bewonderend zijn hoofd.

'Er zijn er niet veel die deze sluwe vos te slim af kunnen zijn. Ik zou aandringen op twintig procent, mevrouw Pemberton, en hem zijn achterbaksheid goed betaald zetten.'

'Ik betwijfel of het wat uitmaakt', antwoordde Serena. 'Die robijnen, Harris, hoe ver stroomopwaarts hebt u die gevonden?'

'Helemaal niet ver', zei Harris. 'Ik was nog maar net bij de beek aangekomen toen ik de eerste al zag liggen.'

'Hoe ver bent u die eerste dag gegaan?' vroeg Serena. 'Stroomopwaarts, bedoel ik.'

'Een paar honderd meter, maar ik ben sindsdien helemaal tot aan de oorsprong geweest. Dat is ruim anderhalve kilometer.'

'Maar hoe ver stroomopwaarts hebt u de robijnen gevonden?'

'Waar wilt u naartoe, mevrouw Pemberton?' vroeg Lowenstein.

'Niet zo ver', zei Harris en hij trok even zijn neus op alsof hij een onaangenaam luchtje rook.

'Vermoedelijk op nog geen vijftig meter afstand van de boerderij', zei Serena.

'U denkt toch niet ...', stamelde Harris. 'Maar de stenen waren niet geslepen of schoongemaakt. De meeste mensen zouden niet eens hebben geweten dat het robijnen waren.'

Harris zweeg een paar tellen. Zijn blauwe ogen werden groter toen hij begreep wat er gaande was, ook al bleef hij het hoofd schudden, alsof een deel van zijn lichaam hoopte hem van het tegendeel te overtuigen.

'Die klootzak van een Kephart is door die beek gewaad', zei Harris en hij hief het kristallen glas in zijn hand alsof hij op het punt stond het tegen de muur te keilen. 'Godverdomme.'

Harris herhaalde zijn vloek nog eens, ditmaal luid genoeg om de aandacht te trekken van verscheidene echtparen in de buurt. Serena's gezicht bleef onbewogen, op haar ogen na. Pemberton dacht aan Buchanan en Cheney, naar wie ze net zo had gekeken. Toen, alsof er een luik dichtging, deed Serena's zelfbeheersing zich weer gelden.

'Ik heb Webb in de biljartkamer gezien', zei Harris terwijl zijn gezicht rood aanliep. 'Daar zal ik vanavond nog een stevig woordje mee wisselen. Kephart komt later nog wel aan de beurt.'

Pemberton keek naar Calhoun, die het allemaal wel amusant

leek te vinden, en naar Lowenstein, die niet goed wist of hij moest luisteren of zich beter stilletjes uit de voeten kon maken.

'Laten we niet te lang stilstaan bij oude kwesties,' zei Serena, 'zeker niet nu we zulke veelbelovende, nieuwe ondernemingen in het vooruitzicht hebben.'

Harris dronk zijn glas leeg en veegde een druppel van de amberkleurige whisky van zijn snor. Hij keek Serena met onverholen bewondering aan.

'Als ik met zo'n vrouw als u was getrouwd, mevrouw Pemberton, dan zou ik nu rijker zijn dan J.P. Morgan', zei Harris en tegen Lowenstein en Calhoun zei hij: 'Ik heb nog geen woord gehoord over die onderneming in Brazilië, maar als mevrouw Pemberton denkt dat het een succes kan worden, doe ik mee en ik raad jullie aan om hetzelfde te doen.'

'We praten er morgen wel over in Asheville', zei Calhoun.

Lowenstein knikte instemmend.

'Mooi', zei Serena.

Het orkest begon 'The Love Nest' te spelen en verscheidene stellen slenterden hand in hand de dansvloer op. Harris trok ineens een zuur gezicht toen hij Webb in de hal zag staan.

'Excuseer me even', zei hij. 'Ik moet die man spreken.'

'Geen kloppartij, Harris', zei Calhoun.

Harris knikte niet erg overtuigend en verliet het vertrek.

Toen het nummer afgelopen was, stapte Cecil het orkestpodium op en kondigde aan dat het bijna tijd was voor het diner.

'Maar eerst gaan we naar de Chippendale-kamer om u de Renoir te laten zien,' zei de gastheer, 'opnieuw ingelijst om de kleuren beter te laten uitkomen.'

Meneer en mevrouw Cecil gingen de gasten voor en bestegen de marmeren trap naar de woonvertrekken op de eerste verdieping. Ze kwamen langs een levensgroot portret van Cornelia, en Serena bleef even staan om het schilderij wat beter te bekijken. Ze schudde haar hoofd lichtjes en keek naar Pemberton, die naast haar bleef staan terwijl de anderen doorliepen.

'Ik begrijp niet hoe ze het heeft uitgehouden.'
'Wat?' vroeg Pemberton.
'Zo veel uur stilzitten.'
De Pembertons liepen de brede gang door en kwamen langs een portret van Frederick Olmsted en toen langs een prent van Currier & Ives. Hun voetstappen werden gedempt door een bordeauxrood tapijt toen de gang links afboog naar weer een andere reeks vertrekken. In het derde daarvan voegden ze zich bij de Cecils en de andere gasten die samendromden rond de Renoir.
'Het is schitterend', zei een vrouw in een blauwe avondjurk en met parelketting. 'De donkere lijst doet de kleuren zoveel beter uitkomen, vooral het blauw en geel van de omslagdoek.'
Verscheidene gasten deden eerbiedig een stap achteruit toen er een oudere heer met grijs haar naar voren kwam. Hij liep met stijve stapjes, als een mechanisch speeltje, een gelijkenis die nog werd versterkt door de metalen band om zijn hoofd waaraan allerlei draden bungelden die het metaal verbonden met een rubberen hoortoestel. Hij haalde een pince-nez uit zijn jaszak en bestudeerde het schilderij aandachtig. Achter de Pembertons fluisterde iemand dat hij een voormalig curator was van het Nationaal Museum voor Beeldende Kunst.
'Een van de zuiverste voorbeelden van de Franse modernistische stijl die we in dit land hebben', verkondigde de man luid voordat hij achteruitstapte.
Serena boog zich dicht naar Pemberton toe en zei iets. Harris, die vlak bij hen stond, grinnikte.
'En u, mevrouw Pemberton', zei Cecil. 'Hebt u ook een mening over Renoir?'
Serena hield haar blik op het schilderij gericht terwijl ze sprak.
'Volgens mij is hij een schilder voor mensen die weinig van schilderen afweten. Ik vind hem sentimenteel en weinig krachtig, net zoals die prent van Currier & Ives hiernaast.'
Cecils gezicht werd rood. Hij keek naar de voormalige curator

alsof hij van hem een weerlegging verwachtte, maar het hoortoestel van de oude man was kennelijk niet in staat geweest deze gedachtewisseling over te brengen.

'Juist ja', zei Cecil en hij sloeg zijn handen ineen. 'Welaan, het is tijd voor het diner, dus laten we naar beneden gaan.'

Ze togen naar de eetzaal. Serena speurde de enorme mahoniehouten tafel af en zag Webb aan het andere uiteinde bij de open haard. Ze pakte Pemberton bij de hand en voerde hem mee naar de stoelen recht tegenover de krantenman, die zich tot zijn vrouw richtte toen de Pembertons gingen zitten.

'Meneer en mevrouw Pemberton', zei Webb. 'De houtmagnaten over wie ik je zo veel heb verteld.'

Mevrouw Webb glimlachte zuinig, maar zei niets.

De kelners dienden als voorgerecht een soep van linzen en selderie op en het werd stil in het vertrek toen de gasten hun lepel ter hand namen. Toen Pemberton zijn soep op had, bekeek hij de Vlaamse wandkleden, de drie stenen haarden en twee enorme kroonluchters en de orgelgalerij.

'Jaloers, Pemberton?' vroeg Webb.

Pemberton liet zijn blik nog even door het vertrek gaan en schudde zijn hoofd.

'Waarom zou iemand hier jaloers op moeten zijn?' vroeg Serena. 'Het is niet meer dan een hoop snuisterijen. Dure snuisterijen, maar wat moet je ermee?'

'Ik zie het meer als een behoorlijk indrukwekkende manier om een persoonlijk stempel te drukken op de wereld,' zei Webb, 'niet veel anders dan de piramiden van de farao's.'

'Er zijn betere manieren', zei Serena en ze tilde Pembertons hand op om ermee over het gelakte mahoniehout te strelen. 'Nietwaar, Pemberton?'

Voor het eerst liet mevrouw Webb van zich horen.

'Ja, de aanleg van een nationaal park mogelijk maken, bijvoorbeeld.'

'Maar daarmee spreekt u uw man tegen', zei Serena. 'Door

iets te laten zoals het is, druk je geen stempel op de wereld.'

De kelners vervingen de soepkommen en schoteltjes door met munt gegarneerde citroensorbets. Daarna volgde verse baarsfilet, geserveerd op porselein dat was versierd met bordeauxkleurige cirkels, waar in het midden in goud GWV was gegraveerd. Serena tilde een glas van baccarat-kristal op en hield het tegen het licht om de initialen in het glas beter te laten uitkomen.

'Nog zo'n stempel op de wereld', zei ze.

Vanuit de hal klonk een steeds luider, galmend geluid en even later rolden twee bedienden een vleugel tot vlak voor de grote toegangsdeur. De pianist van het jazzorkest ging op het bankje zitten terwijl de zanger oplettend stond te wachten op een teken van mevrouw Cecil. De pianist begon te spelen en de zanger viel in.

't Staat echt vast, 't gaat steeds gezwinder
De rijke krijgt meer en de arme – koters
Maar onderwijl
In allerijl ...

'Dat is vast een van uw lievelingsliedjes, mevrouw Pemberton?' vroeg mevrouw Webb.

'Niet echt, nee.'

'Ik dacht dat mevrouw Cecil het misschien speciaal ter ere van u liet spelen. Om u op te vrolijken na uw recente tegenslag.'

'U bent geestiger dan ik verwacht had, mevrouw Webb', zei Serena. 'Ik had verwacht dat u net zo'n onbenul zou zijn als uw echtgenoot.'

'Een onbenul', zei Webb, mijmerend over het woord. 'Ik vraag me af wat u dan van Harris vindt? Hij klampte me aan in de hal. Het schijnt dat hij een mijnconcessie heeft gekocht in een gebied waar iemand mineralen heeft neergelegd.'

'Als hij open kaart met ons had gespeeld, waren we er zelf wel achter gekomen', antwoordde Serena bits.

'Daar hebt u misschien gelijk in, mevrouw Pemberton,' zei Webb, 'maar toch is iemand er kennelijk van uitgegaan dat Harris een compagnonschap zou verraden om zijn eigen belangen te dienen.'

'Ik vind verraad nogal een sterk woord voor wat hij heeft gedaan', zei Pemberton.

'Ik niet', zei Serena.

Webb wuifde dat met zijn hand weg.

'Hoe het ook zij, kolonel Townsend heeft Albrights aanbod aanvaard en alle documenten zijn getekend. Dat land was de hoeksteen, weet u. Zonder dat gebied had het hele project gemakkelijk spaak kunnen lopen, maar nu hebben we al het parkland aan de Tennesseekant opgekocht.'

'Dat zou dan toch moeten volstaan', zei Pemberton. 'U en uw kameraden krijgen het park in Tennessee en dan kunt u North Carolina met rust laten.'

'Ik ben bang dat het zo niet werkt, meneer Pemberton', zei Webb. 'Er staat ons nu niets meer in de weg om al onze aandacht op North Carolina te richten. Nu we ons van tweederde van het voorgestelde parkland hebben verzekerd, zal het nog gemakkelijker worden om tot onteigening over te gaan, misschien zelfs al het komend najaar als ik minister Albright mag geloven.'

'Tegen die tijd hebben we alle bomen in dat gebied al gekapt', zei Serena.

'Misschien,' gaf Webb toe, 'en het kan wel veertig of vijftig jaar duren voordat het bos is teruggegroeid. Maar als het er staat, zal het deel uitmaken van het Great Smoky Mountains National Park.'

'Tegen die tijd hebben Pemberton en ik een heel land kaalgekapt', zei Serena.

Even zweeg iedereen. Pemberton keek of hij Harris zag en ontdekte hem vijf stoelen verderop, lachend om een opmerking van een jongedame.

'Maar niet dit land', antwoordde Webb. 'Zoals Cicero opmerkte: *Ut sementem feceris ita metes.*'

'Weet u hoe Cicero de dood vond?' vroeg Serena. 'Daar zou zo'n scribent als u toch eigenlijk van op de hoogte moeten zijn.'

'Ik ken het verhaal', zei Webb. 'Ik laat me niet zo makkelijk intimideren, mevrouw Pemberton, als dat uw bedoeling is.'

'Ik ken het verhaal niet', zei mevrouw Webb tegen Serena. 'Ik zou het op prijs stellen als u uw dreigementen toelicht.'

'Cicero maakte zichzelf tot vijand van Antonius en Fulvia', reageerde Serena. 'Hij had Rome kunnen verlaten voordat ze aan de macht kwamen, maar hij geloofde dat zijn gouden woorden hem zouden beschermen. Zoals uw echtgenoot weet, bleek dat niet het geval. Cicero's hoofd werd tentoongesteld op de Rostra in het Forum Romanum, waar Fulvia met haar gouden haarspelden zijn tong doorboorde. Ze liet ze zitten totdat zijn hoofd voor de honden werd geworpen.'

'Een geschiedenisles die een waarschuwing zou moeten zijn', zei Pemberton tegen Webb.

'Evenzeer als de wijze waarop Antonius zelf de dood vond, meneer Pemberton', antwoordde Webb.

Het was al een uur na middernacht toen de Pembertons in het kamp terugkeerden, maar Galloway zat hen op de verandatrap op te wachten.

'Die hoeven we tenminste niet te gaan wekken', zei Serena toen ze Galloway zag.

Pemberton zette de motor uit. Het licht op de veranda was onvoldoende om Serena's gezicht te kunnen zien terwijl ze sprak.

'Wat betreft Harris, ik vraag me af of wij onder die omstandigheden niet hetzelfde zouden hebben gedaan. En zo veel geld hebben we nu ook weer niet verloren.'

'Hij heeft ons kwetsbaar gemaakt', zei Serena. 'Dat is als een infectie, Pemberton. Als je die niet wegbrandt, verspreidt hij zich. Zo zal het in Brazilië niet gaan. Onze investeerders zullen een heel continent van ons verwijderd zijn.' Serena zweeg even. 'We hadden nooit mogen toestaan dat het anders was. Alleen wij twee.'

Een paar tellen lang zwegen ze allebei.

'Dat is toch wat we willen?' vroeg Serena.

'Je hebt gelijk', zei Pemberton na nog een korte stilte.

'Ik vroeg niet of ik gelijk had', zei Serena met een zachte stem waarin iets doorklonk wat bijna op verdriet leek. 'Is dat wat we willen?'

'Ja', zei Pemberton, blij dat zijn gezicht niet te zien was in het donker.

Pemberton deed het portier open en liep het huis in, terwijl Serena op de veranda met Galloway sprak. Pemberton schonk zichzelf een flink glas whisky in en ging in de gemakkelijke stoel bij de open haard zitten. Hoewel het koude weer nog maanden op zich zou laten wachten, was er een groot blok wit eikenhout op het haardijzer gelegd met eromheen proppen krantenpapier en aanmaakhout. Hij kon Serena's stem buiten horen, haar woorden gedempt en haar toon kalm en afgemeten toen ze Galloway vertelde wat ze gedaan wilde hebben. Als hij Serena's gezicht had kunnen zien, zou dat net zo weinig emotie tonen als wanneer ze Galloway naar Waynesville stuurde om een brief op de post te doen, wist Pemberton. En er drong nog iets tot hem door – dat het Serena zou lukken Lowenstein en Calhoun over te halen om in haar Braziliaanse avontuur te investeren. Net als haar echtgenoot zouden ze geloven dat Serena tot alles in staat was.

Vijfentwintig

Voordat de eerste woonkeet op Bent Knob Ridge was geplaatst, voordat de kantine, de spoorweg of de kampwinkel waren gebouwd, was er tussen Cove Creek en Noland Mountain een halve hectare gereserveerd voor een begraafplaats. Als om te benadrukken hoe naadloos de overgang tussen leven en dood was in het houthakkerskamp, had de begraafplaats toegangspoort noch afrastering. De enige begrenzing bestond uit vier houten piketpaaltjes. Toen die waren weggerot, bolden er op dat stuk grond zo veel heuveltjes dat verdere afbakening van de grenzen overbodig was geworden. Een enkele keer werd het stoffelijk overschot van een arbeider uit het dal overgebracht naar een familiekerkhof, maar de meesten werden in het kamp begraven. Het hout waarvoor ze hiernaartoe waren gekomen, dat hun dood was geworden en hen nu insloot, markeerde ook de meeste graven. De uitvoering van die houten kruizen varieerde van weinig meer dan twee samengebonden stokken tot prachtig gezaagde stukken kersen- of cederhout waar de naam en jaartallen in waren gebrand. Op die graven, soms op het kruis zelf, plaatsten de nabestaanden altijd een aandenken. Sommige getuigden van een fatalistisch gevoel voor ironie: de gegraveerde steel van de bijl waarmee de boom was geveld die op zijn beurt de eigenaar had geveld, een Duitse piekhelm, gedragen door een man die door de bliksem was getroffen. Maar de meeste versierselen op de graven hadden tot doel het troosteloze landschap een beetje op te fleuren, niet alleen met wilde bloemen of hulstkransen, maar ook met zaken van duurzamer aard: geelgevederde hadicaws, kerstversiering, militaire onderscheidingen met fleurige lintjes en op het graf zelf scherfjes blauw glas, kauwgomwikkels van zilverpapier, en rozenkwarts, soms als zaaigoed over de losse aarde uitgestrooid en andere keren in ingewikkelde patronen gelegd om iets uit te beelden waaruit een naam viel op te maken of wat zo cryptisch was als een petrografie.

Op deze begraafplaats keken Ross en zijn kameraden uit toen de kapploeg zat te schaften. Het had de hele dag af en aan geregend, en de mannen waren nat, modderig en koud, en de loodgrijze lucht droeg alleen maar bij aan hun mismoedigheid.

'Die jongen die gisteren omkwam door de laadboom van die uitsleper', zei Ross. 'Dat was toch een godsgruwel. Nauwelijks een week gewerkt en al in de grond gestopt en toegedekt met aarde. Vroeger kon een man toch minstens op één loonstrookje rekenen voordat-ie de pijp uit ging.'

'Of lang genoeg leven om wat anders dan donshaar van zijn kin te kunnen scheren', voegde Henryson eraan toe. 'Die jongen kan niet ouder dan zestien zijn geweest.'

'Het zal wel niet lang meer duren of ze komen ons al van te voren de maat nemen voor een doodskist', zei Ross. 'En dan stoppen ze je onder de grond voordat je de kans hebt gehad om goed stijf te worden.'

'Hebben ze nog familie van hem kunnen vinden?' vroeg Stewart. 'Van die jongen, bedoel ik.'

'Nee', zei Henryson. 'Hij was uit een van die goederenwagons gesprongen die hier langskomen, dus daar is geen staat op te maken. D'r zat niks anders in zijn portemonnee dan een foto. Van een oudere vrouw, waarschijnlijk zijn moeder.'

'Niks op de achterkant?' vroeg Stewart.

Henryson schudde zijn hoofd.

'Geen woord.'

'Als je eigen mensen niet eens weten waar je begraven ligt', zei Stewart zwaarmoedig. 'Dat is toch vreselijk. Op zijn graf zal nooit een bloem of een traan vallen.'

'Ik heb horen vertellen dat de soldaten in de Burgeroorlog hun naam en waar ze vandaan kwamen op hun uniform speldden', zei Henryson. 'Zodat hun familie tenminste wist wat er met ze gebeurd was.'

Snipes, die bezig was geweest zijn doorweekte krant open te slaan zonder hem te scheuren, knikte bevestigend.

'Dat is waar', zei hij. 'Zo zijn ze erachter gekomen waar mijn opa was begraven. Hij is gesneuveld in Tennessee toen hij voor Lincoln vocht. Ze hebben hem begraven op de plek waar hij was doodgegaan, maar toen wist zijn moeder in elk geval waar hij lag.'

'Staat er nog wat over Harris in je krant?' vroeg Ross.

Snipes spreidde de brede flappen van de krant voorzichtig uit over zijn schoot.

'Ja, er staat hier dat de staatslijkschouwer nog steeds het lef heeft te beweren dat Harris zijn dood een ongeluk was, en dat nota bene na het artikel van redacteur Webb dat de lijkschouwer was omgekocht door Pemberton.'

'Tjonge, je gaat je zo wel afvragen af wie de volgende zal zijn', zei Henryson.

'Het zou me niet verbazen als Webb een plekkie of wat is opgeschoven door dat artikel', zei Ross. 'Ik hoop voor hem dat zijn huis geen bovenverdieping heeft. Anders kon hij weleens net zo'n smak maken als Harris.'

De mannen werden stil. Stewart sloeg het stuk wasdoek open dat zijn Bijbel droog hield en begon te lezen. Ross haalde zijn tabakszak tevoorschijn. Hij pakte zijn vloeitjes eruit en kwam tot de ontdekking dat die even doorweekt waren als de krant van Snipes. Henryson, die ook zin had in een sigaret, zag dat zijn vloeitjes hetzelfde lot beschoren was.

'Ik had gehoopt dat ik mijn longen in elk geval eventjes warm en droog kon houden', zei Ross.

'Je zou toch denken dat je op zijn minst één pleziertje mocht hebben, zeker op zo'n ellendige rotdag als vandaag', voegde Henryson eraan toe. 'Jij hebt zeker geen vloeitjes, hè Stewart?'

Stewart schudde het hoofd zonder op te kijken van zijn Bijbel.

'Een paar bladzijden uit je Bijbel dan?' vroeg Ross. 'Die kun je hartstikke goed als vloeitje gebruiken.'

Stewart keek ongelovig op.
'Het zou heiligschennis zijn om zoiets te doen.'
'Ik vraag geen bladzijden waar iets belangrijks op wordt gezegd', drong Ross aan. 'Ik vraag gewoon twee bladzijden waar niks anders op staat dan zus en me zo gewon zus en me zo. Daar kun je toch niks aan missen.'
'Ik vind het nog steeds maar niks', zei Stewart.
'Volgens mij zou dat nou juist een erg christelijke daad zijn,' bracht Henryson ertegen in, 'om twee maten te helpen die er erbarmelijk aan toe zijn en alleen maar een sigaretje willen.'
Stewart wendde zich tot Snipes.
'Wat vind jij ervan?'
'Tja', zei Snipes. 'Vooraanstaande wetenschappers zeggen al jaren dat je in dat boek redenen kunt vinden om zowat alles te doen of te laten, dus ik zou zeggen dat je het vers eruit moet scheuren dat alle andere in dat opzicht overtroeft.'
'Maar welk is dat dan?' vroeg Stewart.
'Wat dacht je van: heb uw naaste lief als uzelve', opperde Henryson gretig.
Stewart beet op zijn onderlip, diep in gedachten verzonken. Er verstreek bijna een minuut voordat hij de Bijbel opensloeg en naar Genesis bladerde. Stewart bekeek aandachtig een aantal bladzijden voordat hij er voorzichtig twee uitscheurde.

De volgende zondagmiddag stegen de Pembertons te paard voor een rit naar Shanty Mountain. Pemberton had niet bepaald zin om te gaan, maar omdat het iets was wat Serena van hem verwachtte, liep hij achter haar aan naar de stal. Op zaterdagochtend was er een zager omgekomen door een geknapte kabel, en toen Serena en Pemberton het kamp uitreden, kwamen ze een begrafenisstoet tegen die op weg was naar de begraafplaats, waar tussen de stronken en het kapafval een open graf wachtte. De rouwstoet werd voorgegaan door een jongen met een zwarte rouwband om zijn mouw en in zijn handen een eikenhouten kruis van een meter hoog. Daarna volgden twee arbeiders die de kist droegen, en toen een vrouw gekleed in weduwdracht. Achter haar liepen dominee Bolick en een tiental mannen en vrouwen. Twee van de mannen hadden een schop bij zich die ze op hun rechterschouder lieten rusten, als gewapende soldaten. Dominee Bolick hield zijn zware, zwarte Bijbel met beide handen hemelwaarts, als om het felle zonlicht af te schermen. Als laatsten kwamen de vrouwen, met bontgekleurde wilde bloemen in de hand. De rouwdragers liepen langzaam door het verwoeste landschap en hadden veel weg van een stoet vluchtelingen.

Pemberton en Serena reden naar het westen, waar het terrein algauw steil werd, de lucht schraler. Een uur later volgden de Pembertons de laatste bocht in het pad en stonden boven op Shanty Mountain. Ze hadden de hele weg geen woord gewisseld. Ze keken uit over het dal en de bergkammen en overzagen wat er nog aan bomen restte.

'Wat Harris heeft gedaan was een broodnodige herinnering', zei Serena, hun zwijgen verbrekend.

'Een herinnering aan wat?' vroeg Pemberton, die over het dal bleef uitkijken.

'Dat anderen ons kwetsbaar kunnen maken, en hoe eerder een dergelijke kwetsbaarheid wordt opgeheven, hoe beter.'

Pemberton keek haar in de ogen en zag een starre, onbuigzame zekerheid in Serena's blik, alsof een andere zienswijze niet alleen onjuist, maar ook onbestaanbaar was. Ze gaf de arabier een klopje op zijn flank en reed een paar stappen door om te zien hoe diep een staalkabel zich in een hickorystronk had gevreten. Pemberton keek neer op het kamp. De zon scheen fel op de rails, en het aaneengeschakelde metaal glansde. Binnenkort moest de spoorweg worden ontmanteld, te beginnen met de zijsporen en vervolgens terugwerkend, om los te maken wat ze met bouten aan het land hadden verankerd.

Denk eraan dat je gewaarschuwd bent, had mevrouw Lowell die eerste avond in Boston gezegd. Serena had hem naderhand verteld dat ze uitsluitend was gekomen omdat ze had gehoord dat er een houthandelaar die Pemberton heette op het feest zou zijn. Ze had hier en daar navraag gedaan bij mensen die in het vak zaten en was tot de slotsom gekomen dat het de moeite waard zou zijn om hem te ontmoeten. Nadat mevrouw Lowell hen aan elkaar had voorgesteld, hadden Pemberton en Serena zich al snel afgezonderd van de anderen en tot middernacht op de veranda zitten praten. Daarna had ze hem meegenomen naar haar appartement in Revere Street, waar hij tot de ochtend was gebleven. Was je die eerste avond niet bang dat ik je vanwege je vrijpostigheid voor een lichtekooi zou houden, had hij later plagerig tegen haar gezegd. Nee, had ze geantwoord. Zo veel vertrouwen had ik wel in ons. Pemberton herinnerde zich dat Serena niets had gezegd toen ze de deur van haar appartement van het slot deed. Ze was gewoon naar binnen gestapt en had de deur opengelaten. Serena had zich omgedraaid en haar blik op hem gericht. Toen, net als nu, lag in haar ogen de absolute zekerheid dat Pemberton haar zou volgen.

Toen ze terugreden, werden de westelijke bergtoppen beschenen door het laatste, smeulende zonlicht. Op Shanty had er een fris briesje gewaaid, maar toen Pemberton en Serena afdaalden, werd de lucht benauwd en vochtig. Op de begraafplaats was nog maar één arbeider, die zorgvuldig de laatste kluiten aarde op de doodskist schepte.

Ze gebruikten de avondmaaltijd in de achterkamer, getweeën, zoals steeds tegenwoordig, toen keerden ze terug naar huis. Om elf uur ging Pemberton naar de achterkamer en maakte zich gereed om naar bed te gaan. Serena volgde hem, maar maakte geen aanstalten om zich uit te kleden. In plaats daarvan ging ze op een stoel aan de andere kant van de kamer zitten en keek aandachtig naar hem.

'Waarom kleed je je niet uit?' vroeg Pemberton.

'Ik moet nog één ding doen vanavond.'

'Kan dat niet tot morgen wachten?'

'Nee, ik doe het liever vanavond.'

Serena stond op van de rechte stoel, kwam naar hem toe en kuste Pemberton vol op de mond.

'Straks, alleen wij twee nog, ik ga alles goedmaken', fluisterde ze met haar lippen tegen de zijne.

Pemberton liep met haar mee naar de deur. Toen Serena de veranda op stapte, dook Galloway, schijnbaar ongenood, op uit de schaduw.

Pemberton keek hen na toen ze naar het kantoor liepen. Een paar tellen later kwam Vaughn naar buiten en reed Galloways auto voor, die achter de schuur had gestaan. Toen Galloway en Serena weer op de veranda van het kantoor verschenen, zag Pemberton dat Serena iets in haar hand had. Ze liep recht onder de gele lamp van de veranda door en hij zag een zilverachtige flits.

Galloway gaf Vaughn een pen en een notitieboekje. De jongen schreef er iets in en onderbrak het schrijven even om met zijn wijsvinger te gebaren toen Galloway nog iets aan hem vroeg. Pemberton zag Serena en Galloway wegrijden en zijn blik volgde de koplampen toen de auto beneden door het dal reed en uit het zicht verdween. Vaughn, die ook had staan kijken naar het langzaam wegstervende licht van de koplampen, ging het kantoor binnen en sloot de deur. Een paar minuten later kwam Vaughn weer naar buiten. Hij deed het licht op de veranda uit en haastte zich naar zijn woonkeet.

Pemberton liep het huis weer in, maar ging niet naar bed. Hij legde facturen voor zich op de keukentafel en probeerde zich te verliezen in berekeningen van kubieke meters en vrachtkosten. Vanaf het moment dat Serena en Galloway waren weggereden, had hij geprobeerd zich geen voorstelling te maken van waar ze naartoe gingen. Als hij het niet wist, kon hij ook er niets aan doen.

Toch bleef het door zijn hoofd malen, en hij vroeg zich af of Serena met de woorden die ze tegen hem had gefluisterd wel bedoeld had wat hij graag had willen horen. Hij kwam tot de slotsom dat deze gedachtestroom alleen kon worden gestopt met behulp van de halfvolle fles Canadese whisky die in de kast stond. Pemberton nam niet de moeite een glas te pakken. Hij zette gewoon de fles aan zijn mond en dronk tot hij naar adem snakte en de alcohol in zijn keel voelde branden. Hij dronk opnieuw, tot de fles leeg was. Hij ging in een van de Coxwellstoelen zitten, sloot zijn ogen en wachtte tot de whisky aansloeg. Pemberton hoopte dat de halve liter voldoende was en probeerde de drank een handje te helpen. Hij stelde zich voor dat de gedachten die in zijn hoofd verbindingen probeerden te leggen tientallen draden waren die in een schakelpaneel zaten, draden die de whisky zou gaan lostrekken totdat er geen enkele verbinding meer mogelijk was.

Al na een paar minuten voelde Pemberton hoe de alcohol bezit nam van zijn hoofd, hoe de draden werden losgetrokken, stuk voor stuk, en het geratel daarbinnen afnam tot een aanhoudend gezoem. Hij sloot zijn ogen en liet zich dieper wegzakken in de stoel.

Toen de klok op de schoorsteenmantel middernacht sloeg, liep Pemberton weer naar de veranda. Hij was onvast ter been door de whisky en hield zich aan de balustrade van de veranda vast toen hij omlaagkeek naar het kamp. Er viel geen licht uit het raam van het kantoor en Galloways auto was nog niet terug. Vlak bij de kampwinkel blafte even een hond. In een van de woonketen speelde iemand gitaar die niet zomaar wat tokkelde, maar elke snaar langzaam plukte en de noot helemaal liet wegsterven voordat hij een nieuwe liet horen. Na een paar minuten hield het gitaarspel op en was het doodstil in het kamp. Pemberton keek op en even duizelde het hem. Korte tijd later werd de laatste olielamp in de onderkomens van de arbeiders gedoofd. In het westen een paar stille bliksemflitsen. Het duister verdichtte zich, maar er stonden geen sterren aan de hemel, alleen een maan, bleek als de dood.

Zesentwintig

Halverwege de ochtend reed sheriff McDowell het kamp in. Hij klopte niet aan voordat hij het kantoor binnenging. Typerend voor die arrogante sheriff, vond Pemberton, en hij herinnerde zich dat Wilkie degene was geweest die ervoor had gepleit McDowell in functie te houden toen het kamp operationeel werd. Het zal de plaatselijke bewoners gunstig stemmen om een van hun eigen mensen op die positie te hebben, had Wilkie geredeneerd. Pemberton bood McDowell geen stoel aan en de sheriff vroeg ook niet of hij mocht gaan zitten. Pemberton voelde nog steeds de gevolgen van de whisky, niet alleen de kater, maar ook nog een restje dronkenschap.

'Wat brengt u hierheen dat niet met een telefoontje afgehandeld had kunnen worden?' vroeg Pemberton met zijn blik op de facturen op zijn bureau. 'Ik heb het te druk om me met ongenood bezoek bezig te houden.'

McDowell sprak pas toen Pemberton hem weer aankeek.

'Er is gisteravond op Colt Ridge een moord gepleegd.'

De ogen van de sheriff registreerden Pembertons verbazing. Het enige geluid in het vertrek kwam van de Franklinklok op de buffetkast. Terwijl Pemberton ernaar luisterde, leek het tikken van de klok steeds luider te worden. Draden die door de alcohol waren losgetrokken maakten weer contact. Pemberton werd door een akelig voorgevoel bekropen, klein maar onmiskenbaar, zoals een lichte draai aan een deurknop een deur wijd kon doen openzwaaien.

'Een moord', zei Pemberton.

'Ja, eentje, Adeline Jenkins, een oude weduwvrouw die nog nooit een vlieg kwaad heeft gedaan. Haar keel was doorgesneden. Van links naar rechts, wat betekent dat de dader linkshandig was.'

'Waarom vertelt u me dit, sheriff?'

'Omdat, wie het ook gedaan mag hebben, niet de moeite heeft genomen om het bloed dat op de grond lag te ontwijken. Ik heb twee verschillende soorten schoenafdrukken gevonden. Eentje is gewoon een werkschoen, niks bijzonders, behalve dat hij tamelijk klein is voor een man, maar de andere is iets chiquers. Met een spitse neus, niet iets wat je in deze contreien kan kopen. Te oordelen naar de maat en de vorm durf ik te wedden dat het om een damesschoen gaat. Ik hoef alleen maar de bijbehorende schoen te vinden, en uit het feit dat ik hier ben, kunt u afleiden dat ik weet waar ik moet zoeken.'

'Ik zou maar oppassen met beschuldigingen', zei Pemberton. 'Ik heb geen idee wie die weduwe Jenkins is. Ze werkt niet voor mij.'

'Uw vrouw en die handlanger van haar dachten dat zij ze wel zou vertellen waar dat meisje van Harmon naartoe was met haar kind. Dat is wat ik denk. Ze zijn eerst naar het huis van het meisje geweest. Daar stond de deur vanochtend wagenwijd open terwijl ik zeker weet dat hij gisteravond dicht was. En er lagen sigarettenpeuken bij de stal. Ik weet alleen niet achter wie van de twee ze aan zaten.' McDowell zweeg even. 'Om wie ging het, om het kind of om de moeder? Of om allebei?'

'Bedoelt u dat het meisje van Harmon en het kind ongedeerd zijn?' vroeg Pemberton.

'Vraag dat maar aan uw vrouw.'

'Dat is niet nodig', zei Pemberton met een stem die niet zo zelfverzekerd klonk als hij zou willen. 'Wat er ook gebeurd is, zij heeft er niets mee te maken. De eerste de beste zwerver die uit een trein is gesprongen kan die oude vrouw vermoord hebben. U kunt beter naar het station gaan als u een verdachte zoekt.'

McDowell staarde even naar de vloer, alsof hij de nerf van het hout aan het bestuderen was. Toen sloeg hij zijn blik langzaam op om Pemberton recht in de ogen te kijken.

'Denken jullie nou echt dat jullie je álles kunnen permitteren?'

vroeg McDowell. 'Ik ben vorige week naar Asheville geweest en ben daar meer aan de weet gekomen over de moord op dokter Cheney. Er waren minstens vijf mogelijke doodsoorzaken, maar zeker is dat hij een langzame dood is gestorven. Campbell is tenminste snel aan zijn eind gekomen, zegt de sheriff van Nashville. En Harris ook.'

'Harris is gevallen en heeft zijn nek gebroken', zei Pemberton. 'Uw eigen lijkschouwer heeft gezegd dat het een ongeluk was.'

'Uw lijkschouwer, niet de mijne', zei McDowell. 'Ik ben niet degene die hem elke maand smeergeld betaalt.'

Het uniform van de sheriff was verfomfaaid, alsof hij er de afgelopen nacht in had geslapen. McDowell leek zich hier opeens van bewust en stopte de achterkant van zijn overhemd verder in zijn broek. Toen hij weer opkeek, was zijn gezicht vertrokken van afkeer.

'Aan Campbell en Cheney en Harris kan ik niks doen, maar ik zweer dat ik wel iets zal doen aan de moord op een oude vrouw en ik zal niet toelaten dat een moeder en haar kind worden vermoord', zei McDowell en toen wat zachter: 'Zelfs al is het uw kind.'

Een poosje zwegen ze allebei. De sheriff haalde zijn gespreide vingers door zijn haar, dat die ochtend duidelijk nog niet gekamd was, en er werden een paar strepen grijs zichtbaar die Pemberton nog niet eerder waren opgevallen. De sheriff legde zijn opgeheven hand tegen de rechterkant van zijn gezicht. Hij wreef over zijn voorhoofd alsof hij ermee tegen een deurpost of een raamkozijn was gebotst. Toen liet hij zijn hand weer langs zijn lichaam omlaagvallen.

'Wanneer hebt u de jongen voor het laatst gezien?'

'In januari', antwoordde Pemberton.

'Verbazingwekkend hoeveel hij op u lijkt. Dezelfde ogen, dezelfde kleur haar.'

Pemberton knikte naar een factuur op het bureau.

'Ik heb werk te doen, sheriff.'

'Waar is uw vrouw?'
'Bij de kapploegen.'
'Hoe ver hiervandaan?'
'Weet ik niet', zei Pemberton. 'Ze kan overal zijn tussen hier en Tennessee.'
'Komt dat even goed uit.'
McDowell keek naar de klok en hield zijn ogen er een paar tellen op gevestigd.
'Ik kom terug,' zei hij terwijl hij zich omdraaide en naar de deur liep, 'en de volgende keer heb ik een arrestatiebevel bij me.'
Pemberton zag door het raam dat de sheriff in zijn auto stapte en door het dal in de richting van Waynesville reed. Hij liep naar het wapenrek en trok de la open onder de rechtopstaande geweren. Het jachtmes lag nog steeds op dezelfde plaats, maar toen Pemberton het aan zijn elandbenen heft uit de schede trok, zag hij dat er bloed op het lemmet zat. Het bloed was zwart en geronnen. Pemberton krabde een spatje los en wreef dat tussen duim en wijsvinger. Hij voelde dat het nog een beetje vochtig was.
Toen de telefoon ging, wilde Pemberton eigenlijk niet opnemen en hij pakte de hoorn pas van de haak nadat hij voor de achtste keer was overgegaan. Calhoun was aan de lijn met een vraag over het contract dat Serena Lowenstein en hem had laten zien. Pemberton had het gevoel dat zijn stem nauwelijks deel van hem uitmaakte toen hij Calhoun vertelde dat het papierwerk bijna klaar was.
Pemberton legde de hoorn niet terug op de haak. In plaats daarvan belde hij Saul Parton in Waynesville en liet een boodschap achter bij de vrouw van de lijkschouwer. Het mes lag nog op het bureau en Pemberton pakte het op en overwoog even het wapen mee te nemen naar de zagerij om het daar in het houtmeer te gooien. Maar toen herinnerde hij zichzelf eraan dat het zijn huwelijkscadeau was. Een paar tellen lang liet hij die verzen-

gende gedachte goed tot zich doordringen. Toen maakte hij zijn zakdoek nat met spuug en poetste het bloed eraf. Pemberton liet het mes in de schede glijden en legde het terug in de la van het wapenrek. Hij nam de hoorn weer van de haak en zei tegen de telefoniste dat hij naar Raleigh wilde bellen.

Toen Pemberton dat gedaan had, verliet hij het kantoor en ging vergeefs op zoek naar Vaughn. Wel kwam hij Meeks tegen in de kantine, die met de kok de loonlijst van de volgende maand besprak. Het was een nogal moeizame conversatie, omdat de bergbewoner uit North Carolina en de yankee uit New England worstelden met elkaars dialect als twee slechtopgeleide tolken.

'Ik moet naar Waynesville', zei Pemberton tegen Meeks. 'Blijf in het kantoor en neem de telefoon aan. Als Saul Parton belt, zeg dan dat hij zijn rapport niet naar Raleigh moet sturen voordat ik bij hem ben geweest.'

'Mij best,' zei Meeks geërgerd, 'maar ik ben boekhouder, geen taalkundige. Als de mensen die opbellen net zo barbaars plat praten als deze hier, versta ik er geen woord van.'

'Als je Vaughn ziet, kan die je aflossen. Ik kom zo snel mogelijk terug.'

Toen Pemberton het dal uitreed, zag hij Galloway met een half opgegeten appel in zijn hand op het trappetje voor de kampwinkel zitten, genietend van een vrije dag nadat hij de avond ervoor tot laat had gewerkt. Pemberton vroeg zich af of Galloway de auto van de sheriff had gezien. Toen de Packard hem passeerde, sloeg Galloway zijn grijze ogen op, maar ze waren net zo uitdrukkingsloos en onpeilbaar als die van zijn moeder.

Tot Pembertons opluchting stond McDowells politieauto voor het gerechtsgebouw geparkeerd, zodat hij niet de hele stad naar hem hoefde af te zoeken. Pemberton zocht een parkeerplaats en liep over de stoep en het grasveld naar het gebouw. Toen hij het kantoor binnenging, brandde alleen de bureaulamp en het duurde even voordat Pembertons ogen aan het schemerlicht waren gewend. McDowell stond in de cel die aan het vertrek grensde en trok een groezelige matras van de spiraal. In de lichtstrepen die door het getraliede raam van de cel naar binnen vielen, zweefden stofdeeltjes rond als in een web.

'Op zoek naar ijzerzaagjes en vijlen, sheriff?'

'Bedwantsen', antwoordde McDowell zonder op te kijken. 'Ik neem aan dat u en mevrouw Pemberton daar ook last van hebben. Ze nemen het niet zo nauw met wie ze in bed kruipen.'

Pemberton nam plaats in de gammele stoel met biezen zitting die voor het bureau van de sheriff stond. Erboven hing een plafondventilator die de lucht zonder merkbaar resultaat in beweging bracht. McDowell kwam met de matras uit de cel, droeg hem door de smalle gang naar de open achterdeur en legde hem buiten neer. Hij kwam terug en stelde de datumwijzer van de regulateur bij. Pas toen nam hij plaats achter zijn bureau.

'Komt u uw vrouw aangeven?' vroeg McDowell.

'Ik kom u een bod doen voor uw medewerking,' zei Pemberton, 'een laatste bod.'

'U kent mijn antwoord. Al sinds drie jaar.'

Pemberton leunde naar achteren in de stoel die daar, naar hij vermoedde, opzettelijk door de sheriff was neergezet omdat hij zo ongemakkelijk was, en spreidde zijn benen om zijn negentig kilo beter te verdelen.

'Het gaat dit keer niet alleen om het geld. Het gaat erom of u wilt aanblijven als sheriff.'

'Reken maar dat ik aanblijf', antwoordde McDowell. 'Ik heb een visserman gevonden die gisteravond Galloways Ford heeft gezien op de brug bij Colt Ridge. Aangezien Galloway geen linkerhand heeft, lijkt dat me een duidelijke aanwijzing voor wie het mes heeft gehanteerd.'

'Ik heb net gebeld met een senator die u binnen een week aan de dijk kan zetten', zei Pemberton. 'Wilt u uw baan behouden of niet?'

McDowell keek Pemberton strak aan.

'Wat mij interesseert is hoe verbaasd u vanochtend was. Dat zou ik op verschillende manieren kunnen uitleggen, denkt u ook niet?'

'Ik weet niet waar u het over hebt', antwoordde Pemberton.

'Nee, misschien niet', zei McDowell na een korte stilte. 'Misschien bent u wel zo'n waardeloze klootzak dat u net zo graag wilde als zij dat het gedaan werd, maar was u zelf te schijterig was om met haar mee te gaan.'

McDowells stoel schraapte over de houten vloer toen hij hem achteruitschoof en opstond. Qua postuur haalde hij het niet bij Pemberton; hij was niet groter dan één meter vijfenzeventig. Maar toch kon je zien dat er kracht zat in dat lichaam van McDowell, die weliswaar schriel was, maar gespierde armen had en dikkere polsen dan je bij zijn bouw zou verwachten. Er hing geen holster met pistool rond het middel van de sheriff. Pemberton stond ook op. Het zou een interessant gevecht worden, hield Pemberton zichzelf voor, want voor mensen van hier was het een erekwestie om hem nooit te smeren of op te geven als een knokpartij eenmaal was begonnen. Hij zou zich zeker wel een kwartier op McDowell kunnen uitleven. De adrenaline stroomde door zijn aderen en maakte dat Pemberton zijn eigen kracht weer eens voelde, die hij zo lang niet gebruikt had. De wereld werd ineens een stuk eenvoudiger dan hij in lange tijd was geweest.

Maar voordat ze konden beginnen, werd er op de deur geklopt en meteen daarna nog eens, nog steeds zachtjes, maar dringend. McDowell keek naar de deur. Pemberton dacht dat de politieman ernaartoe zou lopen om hem op slot te draaien, en misschien zou hij dat ook gedaan hebben als op dat moment niet de koperen deurknop was omgedraaid en de deur was opengegaan. Een oudere vrouw, het grijze haar in een strakke knot, kwam het kantoor binnen, gevolgd door Rachel Harmon met het kind op de arm.

Pemberton keek naar Jacob en zag dat de sheriff gelijk had

wat zijn uiterlijk betrof, de gelijkenis nu nog duidelijker dan in januari. Hij dacht aan de foto van zichzelf en vroeg zich af of Serena die gisteravond had gevonden toen ze op zoek was geweest naar het jachtmes. Misschien had ze de bureaula geopend en het album gevonden, en had ze het doorgebladerd tot ze bij de laatste twee bladzijden was gekomen. Ineens bedacht Pemberton dat Serena misschien niet alleen het mes had meegenomen, maar ook een foto.

Pure waanzin om zoiets te denken, hield Pemberton zichzelf voor, maar zijn hersens bleven hun eigen koortsachtige logica volgen. Pemberton herinnerde zich dat hij het mes had zien glimmen toen Serena gisteravond de veranda op was gelopen. Hij probeerde zich te herinneren of ze ook iets in haar rechterhand had gehad. Dat had gemakkelijk gekund, dat Serena een foto had meegenomen om een kind te herkennen dat ze, voor zover Pemberton wist, nooit had gezien. Die ze meenam om er zeker van te zijn – alleen zou het niet de foto van Jacob als baby zijn geweest, realiseerde Pemberton zich ineens. Want zelfs al wist Serena dat het een foto van Jacob was, ze zou er eentje nodig hebben van het kind zoals hij er nú uitzag, als tweejarige. Serena zou de foto van Pemberton hebben meegenomen.

Pemberton bleef Jacob aanstaren. Hij kon zijn blik niet van hem losmaken. De donkerbruine ogen keken hem ernstig aan. Het meisje van Harmon zag het en draaide de jongen weg. Een paar tellen lang stond iedereen doodstil, alsof ze er allemaal op wachtten dat iemand anders het kantoor zou binnenkomen en iets vooralsnog onbekends in gang zou zetten. Het enige geluid was het tikken van het koperen kettinkje tegen de motor van de plafondventilator.

McDowell trok de bureaula open en haalde zijn revolver eruit. De sheriff richtte hem op Pemberton.

'Maak dat u wegkomt.'

Pemberton stond op het punt iets te gaan zeggen, maar McDowell trok met zijn duim de haan naar achteren en richtte recht op Pembertons voorhoofd. De geheven arm en hand van de sheriff trilden niet toen hij zijn wijsvinger om de trekker legde.

'Nog één woord, één enkel woord, en ik zweer dat ik u neerknal', zei McDowell.

Pemberton geloofde hem. Hij stapte bij het bureau vandaan en liep naar de andere kant van het vertrek, terwijl het meisje van Harmon het kind steviger in haar armen klemde alsof Pemberton zou kunnen proberen de jongen bij haar weg te grissen. Pemberton deed de deur open en stapte knipperend met zijn ogen het middaglicht in.

Het stadje was er nog, de straatlantaarns, de winkels en de nog niet geheel in onbruik geraakte paal om de paarden aan vast te binden, de wijzerplaat van de klok op de toren van het gerechtsgebouw. Pemberton keek hoe de trage minutenwijzer een sprongetje naar voren maakte en alweer een beetje tijd wegtikte. Hij herinnerde zich een van de weinige keren dat hij naar natuurkundecollege was gegaan op Harvard en dat de professor een verhandeling had gehouden over een theorie over de relativiteit van tijd, zoals werd verkondigd door een Oostenrijkse natuurkundige. Zo kwam het hem nu ook voor, alsof de tijd niet langer voortschreed in kordate meetbare eenheden, maar iets vloeibaars was, met zijn eigen stromingen en kolkingen. Iets wat hem gemakkelijk kon meesleuren.

Een T-Ford claxonneerde en reed met een bocht om hem heen. Pas toen realiseerde Pemberton zich dat hij midden op straat stond. Hij liep naar zijn auto en stapte in, maar zonder het sleuteltje om te draaien of de starter in te trappen.

Na enkele minuten ging de deur van het kantoor open. De oudere vrouw liep de straat in, maar het meisje stapte met het kind in de auto van de sheriff. Pemberton gaf ze een flinke voorsprong voordat hij zijn auto startte en achter de sheriff aanreed. Na een poosje ging de asfaltweg over in een zandweg en stegen er achter de politieauto grijze stofpluimen op. Pemberton liet de afstand tussen hen nog wat groter worden en volgde nu niet meer de auto, maar de stofnevel. Algauw verliet het stofspoor de landweg en sloeg af naar het door water uitgeholde pad dat naar Deep Creek voerde. Hij wist waar ze naartoe gingen.

Pemberton volgde hen niet, maar reed het pad voorbij. Na vijftig meter keerde hij de Packard en parkeerde hem in de begroeide wegberm. Het was een warme dag, maar hij draaide het raampje aan de passagierskant niet omlaag. Zijn overhemd was nat van het zweet, en dat wilde hij aan de hitte kunnen wijten. Twintig minuten later kwam de auto van de sheriff terug over het pad en draaide de landweg op richting Waynesville.

Er lag een zestig centimeter lange moersleutel in de kofferbak en een paar minuten lang stelde Pemberton zich voor dat hij die tien pond ijzer in zijn handen had. Het zou afdoende zijn. Of hij kon simpelweg Meeks bellen, een paar woorden laten overbrengen aan Galloway. Hij draaide het sleuteltje om en zijn voet trapte de starter in. Pemberton legde zijn hand op de zwarte bal van de versnellingspook. Hij kneep erin en voelde het harde rubber in zijn greep. Hij koppelde en wachtte nog even voordat hij schakelde. Toen hij bij de afslag naar Deep Creek kwam, minderde Pemberton geen vaart, maar reed door. Hij reed Waynesville in, langs het ziekenhuis, de lagere school en het station, en vervolgens verder richting Cove Creek Valley.

Toen Pemberton de zagerij passeerde, herinnerde hij zich de begrafenis van zijn vader, hoewel 'opdiepen' hem een toepasselijker woord leek dan 'herinneren.' Hij kon zich de laatste keer niet heugen dat hij aan de begrafenis had gedacht sinds hij uit Boston was teruggekeerd. Of de laatste keer dat hij aan zijn moeder en twee zussen had gedacht. De brieven die ze hem de eerste maanden hadden geschreven had hij ongeopend weggegooid. Deels om zich op aanraden van Serena van het verleden te bevrijden, maar het was ook een zelfopgelegd vergeten geweest, een bezwering waar hij maar wat graag voor gezwicht was.

Op de terugweg naar het kamp stopte Pemberton halverwege op de bergtop waar hij Serena voor het eerst de kapgebieden van het houtbedrijf had laten zien. Hij liep tot aan de afgrond en keek omlaag naar de gapende, donkere wond die ze het land hadden toegebracht. Pemberton stond lange tijd naar het kaalgeslagen landschap te kijken en wou maar dat het genoeg was geweest. Toen hij over het dal en de bergkammen keek, vond zijn blik Mount Mitchell. Het hoogste punt in het oosten van de Verenigde Staten, had Buchanan beweerd, en daar zag het ook naar uit, zijn top dichter bij de wolken dan alle andere in Pembertons blikveld. Nadat hij lange tijd naar de piek had gestaard, liet hij zijn blik langs de berg omlaagglijden en het was alsof ook hij omlaaggleed, langzaam en welbewust, met open ogen.

Zevenentwintig

Voordat Rachel het late ochtendlicht zag, had ze het al gevoeld, de zon fel en warm op haar gesloten oogleden. Ze hoorde Jacobs rustige ademhaling, en nog iets, iets wat haar in die eerste momenten na het ontwaken nog ontschoot, maar wat maakte dat ze doordrongen was van het belang van die ademhaling, van het feit dát hij ademde. Ze sloeg haar armen om het kind heen en drukte het dichter tegen zich aan. Hij maakte een zacht, klaaglijk geluidje, maar al snel ademde hij weer met de kalmte van de slaap. Toen herinnerde ze zich alles weer: de sheriff die bij haar voor de deur stond, de haastig aangeschoten jurk en schoenen, en een reistas gevuld met wat Jacob nodig zou hebben. Misschien is het niets, gewoon een grap, had de sheriff tegen haar gezegd, maar hij wilde geen risico's nemen. Hij had haar naar het pension gebracht en had haar en Jacob voor de nacht zijn eigen kamer afgestaan. Tot aan de dageraad had Rachel de staande klok op de gang de uren horen slaan, niet in staat de slaap te vatten tot het eerste licht langzaam binnendrong door het raam en Jacob zich begon te roeren. Pas nadat ze hem de borst had gegeven, viel ze in slaap.

Nu, aan het begin van de middag, zat ze met Jacob op de achterbank van de politieauto van sheriff McDowell en reden ze over een pad dat weinig meer dan een sleepspoor was langs Deep Creek. Na een poosje moesten ze zelfs tussen de bomen door zigzaggen. Takken van jonge bomen schramden langs de zijkanten van de auto, en zij en Jacob hotsten op de krakende vering van de achterbank. Na een scherpe laatste bocht stonden er alleen nog wat esdoorns, waar een paadje van een voet breed tussendoor liep. De sheriff reed achteruit en keerde de auto zodat hij met zijn neus in de richting stond waar ze vandaan waren gekomen. Hij zette de motor uit, maar maakte geen aanstalten om uit te stappen. Rachel had geen idee waar ze waren. Toen ze de sheriff had gevraagd waar ze naartoe gingen – de enige woorden die ze had geuit sinds de pensionhoudster haar met Jacob naar het gerechtsgebouw had gebracht – had hij alleen gezegd: naar een veilige plek. De sheriff keek in de achteruitkijkspiegel en ontmoette haar blik.

'Je blijft hier een paar uur bij een man die Kephart heet. Die kun je vertrouwen.'

'Het kan toch gewoon een grap zijn geweest die iemand met me uithaalt, zoals u eerst zei?'

De sheriff draaide zich om en legde zijn arm op de rugleuning.

'Adeline Jenkins is gisteravond vermoord. Ik denk dat de mensen die haar om het leven hebben gebracht, dachten dat zij ze kon vertellen waar jij en het kind naartoe waren.'

Het staal en de stoffen bekleding van de auto leken dunner en lichter te worden, de bank onder haar en Jacob leek weg te vallen, en ze werd bevangen door een gevoel van gewichtloosheid als op het moment tussen de opgaande en neergaande beweging van een schommel. Ze drukte Jacob dichter tegen zich aan, sloot haar ogen heel even en opende ze weer.

'Bedoelt u de weduwe?' vroeg Rachel, en ze zei het expres op die manier, want als het een vraag was, kon het nog een paar tellen langer een vraag blijven in plaats van een bevestiging.

'Ja', zei McDowell.

'Wie zou zoiets nou doen?'

'Serena Pemberton en Galloway, een man die voor haar werkt. Die ken je toch wel?'

'Ja, meneer.'

Jacob roerde zich op haar schoot. Rachel keek omlaag en zag dat hij zijn ogen open had.

'En meneer Pemberton ...' zei Rachel, maar ze wist niet hoe ze de zin moest afmaken.

'Hij was er niet bij, dat weet ik wel', zei de sheriff. 'Ik ben er niet eens zeker van dat hij wist wat ze gingen doen.'

McDowell vestigde zijn blik op Jacob.

'Ik heb zo mijn eigen ideeën over waarom ze dit zou doen, maar ik ben benieuwd naar de jouwe.'

'Ik denk dat het is omdat ik hem het enige kon geven wat zij hem niet kon geven.'

De sheriff gaf zo'n klein knikje dat het Rachel eerder een bevestiging leek dat hij haar gehoord had dan een teken van instemming. Hij keek weer voor zich, schijnbaar geheel verzonken in zijn eigen gepeins. Ergens in het bos hoorde Rachel een goudspecht tegen een boom hameren. Hij begon, stopte even en begon dan opnieuw, alsof er iemand op een deur klopte en op een reactie wachtte.

'Is ze echt dood,' zei Rachel, 'of is ze er heel slecht aan toe?'

'Ze is dood.'

Korte tijd zeiden ze niets. Jacob liet zich weer horen, maar toen Rachel aan zijn luier voelde, was die droog.

'Als hij honger heeft, kan ik uitstappen om je wat privacy te geven', zei sheriff McDowell.

'Daar is het nog te vroeg voor. Hij is gewoon uit zijn hum omdat ik vergeten ben wat speelgoedjes mee te nemen.'

'We blijven hier nog een paar minuten,' zei McDowell met een blik op zijn horloge, 'om er zeker van te zijn dat we niet gevolgd zijn. Dan gaan we te voet naar het huis van Kephart. Het is niet ver.'

Jacob bleef jengelen, dus pakte ze de suikerdot uit de reistas en stak hem in zijn mond. Het kind bedaarde en maakte zachte smakgeluidjes toen hij op de dot van kaasdoek met suiker zoog.

'Wat ze met haar hebben gedaan,' vroeg Rachel, 'was dat bij haar thuis?'

'Ja.'

Rachel dacht aan weduwe Jenkins, aan hoeveel de oude vrouw had gehouden van het kind dat ze in haar armen hield. Voor zover Rachel wist was zij de enig andere persoon ter wereld die van hem hield. Ze dacht aan de oude vrouw in haar stoel bij de haard, waar ze had zitten breien of gewoon naar het vuur had zitten kijken toen ze een klop op de deur had gehoord en waarschijnlijk had gedacht dat het niemand anders dan Rachel kon zijn, dat Jacob misschien diarree of koorts had en dat Rachel haar hulp nodig had.

'Ze hadden geen reden om haar te vermoorden', zei Rachel, net zo goed tegen zichzelf als tegen sheriff McDowell.

'Nee, er was geen reden voor', zei de sheriff en hij opende het portier. 'We kunnen nu wel gaan.'

McDowell droeg de reistas en Rachel droeg het kind. Het pad was steil en smal, en ze keek uit voor boomwortels waar ze met Jacob over zou kunnen struikelen. Er stonden struiken paarsige karmozijnbes naast het pad, de bessen donkerglanzend als waterkevers. Rachel wist dat de takken bij de eerste vorst zouden doorbuigen en dat de bessen zouden verschrompelen. Waar zullen de kleine en ik dan zijn, vroeg ze zich af. Ze staken een wiebelige, verweerde plank over die een snelstromend beekje overspande, toen werd het land vlak.

De blokhut was klein, maar degelijk gebouwd en de openingen tussen de met de hand gehouwen boomstammen waren zorgvuldig afgedicht met tenen en leem, bijna net zoals het huisje van haar en Jacob. Er steeg een rookpluim op uit de uitkragende schoorsteen, de deur stond aan.

'Kephart', zei de sheriff, gebarend naar de blokhut en het nabijgelegen bos.

In de deuropening verscheen een man die Rachel achter in de zestig schatte. Hij had een denimbroek aan en een verkreukt werkhemd van chambray. Zijn bretels hingen langs zijn broek omlaag en aan zijn grijze stoppelbaard te zien had hij zich in geen dagen geschoren. De huid onder zijn ogen was opgezet en gelig, de ogen zelf waren bloeddoorlopen. Door haar ervaring met haar vader wist Rachel waar dat op duidde.

'Ik kom je om een gunst vragen', zei sheriff McDowell en hij knikte naar Rachel en Jacob. 'Kunnen ze hier een poosje blijven, misschien maar tot vanavond, misschien tot morgen.'

Kephart keek niet naar Rachel, maar naar het kind dat weer in slaap was gevallen. Zijn tanige, verweerde gezicht verried genoegen noch ergernis toen hij knikte en zei dat het goed was. Sheriff McDowell stapte de veranda op om de reistas neer te zetten, draaide zich om en keek Rachel aan.

'Ik kom zo snel mogelijk terug', zei hij. Hij liep het pad op en was al snel uit het zicht verdwenen.

'Ik heb een bed waar je hem kunt neerleggen als je wilt', zei Kephart nadat er een minuut van opgelaten stilte was verstreken.

Kepharts stem klonk anders dan alle andere die ze ooit had gehoord. Vlakker, effen, alsof elk woord tot een gladde gelijkvormigheid was gepolijst. Rachel vroeg zich af waar de man vandaan kwam.

'Graag', zei Rachel en ze liep achter hem aan de blokhut in. Het duurde even voordat haar ogen aan de duisternis gewend waren, maar toen zag ze het bed staan, achter in een hoek. Rachel legde het kind op het bed, maakte de reistas open en haalde eerst Jacobs flesje tevoorschijn en toen de veiligheidsspelden en een schone luier. De hoeken van de blokhut waren in schaduwen gehuld, en Rachel wist dat die schaduwen zouden blijven, ook wanneer de twee olielampen waren aangestoken, als in een aardappelkelder waar zich al zo lang zo veel duisternis had opgehoopt dat je die nooit meer helemaal kon verdrijven.

'Wanneer hebben jullie tweeën voor het laatst gegeten?' vroeg Kephart.

'Ik heb hem rond het middaguur gevoed.'

'En jijzelf?'

Rachel moest even nadenken.

'Gisteravond.'

'In die ketel staan bonen te pruttelen', zei Kephart. 'Dat is zo'n beetje het enige wat ik heb, maar tast gerust toe.'

'Bonen zijn prima.'

Hij schepte een kom voor haar vol en zette die op tafel met een bakblik met maïsbrood erbij.

'Heb je liever melk of karnemelk?'

'Karnemelk graag', zei Rachel.

Kephart ging naar buiten met twee grote jampotten. Bij zijn terugkomst was de ene tot aan de rand gevuld met karnemelk, de andere met melk.

'Ik neem aan dat die knaap zo wel weer trek zal krijgen', zei hij. 'Ik heb nog een ander pannetje dat je op het vuur kunt zetten als je een flesje voor hem wilt opwarmen.'

'Dat hoeft niet. Hij heeft geleerd het koud te drinken.'

'Pak je flesje maar. Dan schenk ik dit erin en zet het bij het bed zodat het klaar staat als hij wakker wordt. Ik heb ook tarwekoeken als hij zin heeft om ergens op te knabbelen.'

Rachel deed wat hij had voorgesteld en kon wel zien dat hij dit soort dingen eerder bij de hand had gehad, misschien langgeleden, maar ooit eens. Ze zou wel willen weten waar zijn vrouw en kinderen waren en had het hem bijna gevraagd.

'Ga zitten', zei Kephart met een knikje naar de enige stoel bij de tafel.

Rachel liet haar blik door de kamer gaan. In de hoek tegenover de open haard zag ze nog een tafel en een stoel. Op de tafel stond een van de olielampen die de kamer rijk was, met daarnaast papier en een schrijfmachine, waarin onder de toetsen in witte letters REMINGTON STANDARD stond gestanst. Er stond ook een met heldere vloeistof gevulde weckpot op tafel. Het deksel lag naast de pot.

Terwijl ze at, stond Kephart bij de deuropening. Rachel was uitgehongerd en at de kom tot op de laatste boon leeg. Kephart vulde haar jampot nog eens bij. Ze dronk de helft op en verkruimelde toen een plak maïsbrood in de karnemelk. Ze bedacht dat eten een troost was in moeilijke tijden, omdat het je eraan herinnerde dat je hetzelfde ook had gegeten in andere tijden, goede tijden. Het herinnerde je eraan dát er goede tijden in het leven waren wanneer er verder bitter weinig was om je daaraan te herinneren.

Toen Rachel klaar was, ging ze met de kom en de lepel naar de beek. Ze legde die op de bemoste oever en ging het bos in om haar behoefte te doen. Ze liep terug naar de beek, maakte de kom en lepel schoon met water en zand en nam ze mee naar binnen. Jacob was wakker en dronk uit het flesje dat hij in zijn knuistjes geklemd hield. Kephart zat op bed naast het kind.

'Hij was niet van plan om op je te wachten, dus heb ik hem maar zijn zin gegeven.'

Kephart bleef nog even dralen en ging toen naar buiten. Nadat Jacob zijn flesje had leeggedronken, gaf Rachel hem een schone luier. Het was gezellig in de kamer, maar het voelde niet gepast om hierbinnen te zijn zonder dat Kephart er was, en daarom nam ze Jacob mee naar buiten. Rachel ging op de onderste tree van het verandatrapje zitten en zette het kind op het gras. Kephart kwam op de bovenste tree zitten. Rachel probeerde iets te bedenken om over te praten in de hoop dat het haar gedachten in elk geval een beetje zou afleiden van weduwe Jenkins, van de mensen die Jacob en haar hetzelfde wilden aandoen.

'Woont u hier het hele jaar door?' vroeg Rachel.

'Nee, ik heb een huis in Bryson City', antwoordde Kephart. 'Ik kom hier wanneer ik het beu ben om mensen om me heen te hebben.'

Hij zei het niet op een vervelende manier, niet alsof hij wilde dat ze zich bezwaard zou voelen, maar toch voelde Rachel zich nu nog meer tot last. Er verstreek een half uur waarin ze niets meer zeiden. Toen begon Jacob te protesteren. Rachel voelde aan zijn luier en nam hem op schoot, maar hij bleef drenzen.

'Ik heb iets in de schuur wat hij vast wel leuk vindt', zei Kephart.

Rachel liep met hem mee naar de achterkant van de blokhut.

Hij opende de schuurdeur. Daar lagen twee jonge vosjes tegen elkaar aan op een bed van stro.

'Hun moeder was dood. Er was er nog een, maar die was te zwak om in leven te blijven.'

De vosjes stonden op en liepen piepend naar Kephart toe, die ze achter hun oren kroelde alsof het jonge hondjes waren.

'Hoe voert u ze?' vroeg Rachel.

'Nu met etensresten. De eerste paar dagen met koemelk uit een druppelaar.'

Jacob stak zijn hand uit naar de vosjes en Rachel stapte naar binnen en ging op haar knieën zitten terwijl ze Jacob bij zijn middel vasthield.

'Zachtjes aaien, Jacob', zei Rachel en ze pakte het handje van het kind en streek ermee over de vacht van een van de vosjes.

Het andere vosje kroop dichterbij en duwde ook zijn zwarte neus tegen Jacobs handje aan.

'Het wordt tijd dat ik ze uitzet en dat ze zichzelf zien te redden', zei Kephart.

'Ze lijken me sterk en tierig genoeg', zei Rachel. 'Zo te zien weet u hoe je kleintjes moet grootbrengen.'

'Je bent de eerste die dat zegt', zei Kephart.

Na een poosje gingen Rachel en Jacob terug naar het verandatrapje bij de blokhut en keken hoe de middag wegzonk in de bergengte. Het was zo'n dag in de vroege herfst waar Rachel altijd dol op was geweest, warm noch koud, de hemel diepblauw, wolkeloos en windstil, de gewassen fier en rijp en de bomen nog prachtig in hun volle herfsttooi – een dag zo volmaakt dat het de aarde zelf aan het hart ging om hem te laten verstrijken, zodat ze de overgang naar de avond vertraagde om de dag te laten voortduren. Rachel probeerde zich er helemaal aan over te geven en haar hoofd erdoor te laten leegmaken, en een paar minuten lang lukte dat. Maar toen keerden haar gedachten terug naar weduwe Jenkins en had ze net zo goed in een hagelstorm kunnen zitten, zo weinig troost bood de dag haar.

Weldra vielen er vlekkerige schaduwen op het erf die steeds groter werden. De lucht werd koeler en er streek een briesje door de hoogste takken. In dat briesje bespeurde Rachel de kou die op komst was. Kephart ging de blokhut weer in, waarna het ret-tet-tet van de schrijfmachine begon. Als in een reactie daarop vond de goudspecht een paar minuten later een boom dichterbij om in te hakken. Het geluid van de schrijfmachine leek een rustgevend effect op Jacob te hebben, want algauw kroop hij op Rachels schoot en viel in slaap.

In de vooravond hoorde Rachel voetstappen aankomen over het pad. De sheriff verscheen aan de bosrand met in zijn rechterhand een kartonnen doosje dat iets kleiner en platter was dan een sigarenkistje.

'Iets voor als het kind zich gaat vervelen', zei de sheriff toen hij Rachel het doosje gaf. 'Uit de winkel van Scott.'

Toen ze het doosje tussen Jacob en haar neerzette, rammelde de verschuivende inhoud. Rachel tilde het deksel op en zag dat er stuiters in zaten.

'Scott zei dat er katteogen, eenkleurige en gemêleerde in zitten. En ook een paar stalen lodders.'

Kephart, die op de veranda was verschenen, schudde glimlachend het hoofd.

'Meestal gaan ze pas knikkeren als ze een stukje ouder zijn.'

Het gezicht van de sheriff werd rood.

'Nou, hij wordt vanzelf groter.'

'Kijk eens, Jacob', zei Rachel en ze tilde het doosje iets op zodat de rollende stuiters tegen elkaar aan tikten. Het kind stak zijn handje erin, greep er zo veel als hij kon vasthouden en liet ze weer terugvallen. Hij pakte er nog een stel en liet ook die terugvallen. Rachel lette goed op dat hij er niet eentje in zijn mond stak.

'We moesten maar eens gaan', zei sheriff McDowell en hij liep het trapje naar Kepharts veranda op om de reistas te pakken.

'Wacht even', zei Kephart, die de blokhut binnenging en terugkwam met een grijze wollen sok. 'Er is maar één ding waar een jongen zijn stuiters goed in kan bewaren en dat is in een sok.'

Kephart ging op zijn hurken naast Jacob zitten en algauw stond de sok bol van de stuiters. Boven de hiel legde hij er een knoop in.

'Zo. Nu kunnen ze er tenminste niet uitrollen.'

Rachel nam de sok aan, die zwaarder was dan ze had gedacht, minstens een pond. Met één arm tilde ze Jacob op en gaf de sok aan het kind, dat hem vastklemde als een pop.

'Bedankt dat ze hier even mochten blijven', zei sheriff McDowell.

'Ja, dank u wel', zei Rachel. 'Dat was heel vriendelijk van u.'

Kephart knikte.

Ze gingen het erf af en liepen het pad op. Rachel keek achterom en zag dat Kephart hen vanaf de veranda stond na te kijken, de weckpot nu in de hand. Hij zette hem bedachtzaam aan zijn lippen.

'Waar komt meneer Kephart vandaan?' vroeg Rachel toen ze eenmaal het bos in waren gelopen.

'Uit het Midwesten', zei sheriff McDowell. 'Saint Louis.'

Toen ze aan het eind van het pad waren gekomen, bleek de politieauto te zijn vervangen door een T-Ford.

'Deze auto valt minder op', legde de sheriff uit.

'Ik heb maar voor twee dagen kleren en luiers bij me', zei Rachel toen ze de bergengte uit reden. 'Kunnen we even bij mij thuis langs?'

De sheriff zei niets, maar toen ze een paar kilometer verderop bij een splitsing in de weg kwamen, sloeg hij af naar Colt Ridge. De sheriff zette de vaart erin en door de snel rijdende auto leken ook haar gedachten sneller te gaan. Er was in korte tijd zo veel gebeurd dat ze het nog helemaal niet tot zich had kunnen laten doordringen. Toen ze in de blokhut van Kephart was geweest, had alles niet helemaal echt geleken, maar nu werd ze in volle hevigheid overvallen door wat er met weduwe Jenkins was gebeurd en wat haar en Jacob had kunnen overkomen, en het was alsof ze hollend een huizenhoge golf moest zien voor te blijven. Ze móést wel hard hollen om hem voor te blijven, dacht Rachel wanhopig, want ze wist niet of ze het aan zou kunnen wanneer alles werkelijk tot haar doordrong.

Ze parkeerden naast haar huis. Rachel zette Jacob op de grond naast het verandatrapje terwijl de sheriff de kofferbak opende.

'De spullen die je nodig hebt, kunnen hierin', zei sheriff McDowell, die met Rachel meeliep naar de veranda. 'Ik help wel met sjouwen.'

'Denkt u dat het lang zal duren voordat we hier terugkomen?'

'Ik denk het wel. Als je tenminste wilt dat het kind veilig is.'

'In de voorkamer staat een hutkoffer', zei Rachel. 'Als u die wilt halen, zoek ik de rest bij elkaar.'

Toen Rachel naar binnen ging, bekeek ze het huis met andere ogen dan toen ze er de vorige avond was weggegaan. Het leek er kleiner en donkerder, alsof de ramen minder licht binnenlieten. Voor zover ze kon zien was er niets overhoop gehaald, alleen de ladder naar de zolder was overeind gezet. Ze dachten zeker dat ik me met Jacob daarboven schuilhield, besefte Rachel. Ze zocht zo snel mogelijk de spullen bijeen die ze nodig had, ook Jacobs speelgoedlocomotiefje. Terwijl ze door het huis liep en de reistas volstopte, probeerde Rachel niet te denken aan wat er had kunnen gebeuren.

'Die zet ik wel voor je in de kofferbak', zei de sheriff toen ze naar buiten kwam. 'Neem jij het kind maar.'

Rachel knielde naast Jacob. Ze pakte zijn handje en drukte het tegen de aarde. Rachels vader had haar verteld dat er al voor de Amerikaanse Revolutie Harmons op dit stuk land hadden gewoond.

'Goed onthouden hoe het voelt, Jacob', fluisterde ze, en ook zij raakte met haar hand even de grond aan.

De deur van de houtschuur stond open en er kwam een boerenzwaluw uit de lucht scheren die de donkere schuur binnenvloog. Tegen de wand van het schuurtje stond een schoffel, het blad bespikkeld met roest, en daarnaast lag een stapeltje halfvergane jutezakken. Rachel liet haar blik over de akker gaan, waar niets dan paardebloemen en stinkende kamille groeiden tussen de winterse, kale maïsstengels, net zo dood als de man die ze had geplant.

Ze stapten weer in de auto. Toen ze het huisje van de weduwe naderden, dacht Rachel ineens aan het wiegje dat haar vader had gemaakt.

'Ik moet iets ophalen uit het huis van weduwe Jenkins', zei ze. 'Het duurt maar heel even.'

De sheriff zette de auto naast het boerderijtje.

'Wat dan?'

'Een wieg.'

'Die ga ik dan wel halen', zei de sheriff.

'Ik wil het best zelf doen. Hij is niet zwaar.'

'Nee', zei sheriff McDowell. 'Het is beter dat ik het doe.'

Toen begreep Rachel het. Je zou zo naar binnen zijn gelopen en je pas gerealiseerd hebben wat zich daar heeft afgespeeld als je het bloed zag of wat het ook is waarvoor hij je wil behoeden, dacht ze bij zichzelf. Toen Rachel de sheriff de voordeur zag binnengaan, kon ze maar moeilijk geloven dat de boerderij er nog stond, want een plek waar zoiets vreselijks was gebeurd zou niet mogen blijven voortbestaan in de wereld. De aarde zelf zou dat onduldbaar moeten vinden.

Sheriff McDowell zette het wiegje in de kofferbak. Toen hij weer instapte, gaf hij haar een bruinpapieren zak.

'Het duurt nog wel even voordat we er zijn, dus ik heb een hamburger en een coca-cola voor je gekocht. Ik heb de dop al losgemaakt, dus je hebt geen opener nodig.'

'Dank u,' zei Rachel, die de zak naast zich neerzette, 'maar uzelf dan?'

'Ik heb al gegeten', zei de sheriff.

Rachel rook het gegrilde vlees en merkte ineens dat ze alweer trek had, ondanks de kom met bonen, het maïsbrood en de karnemelk. Ze trok Jacob wat dichter naar zich toe op haar schoot en sloeg toen het waspapier open dat vochtig was van het vet. Het vlees was nog warm en sappig en ze trok er een paar stukjes af voor Jacob. Ze pakte het flesje, drukte met haar duim tegen de metalen dop en voelde hem meegeven. Wat een aardig gebaar van hem, dacht Rachel, echt iets voor hem om daaraan te denken, net als de stuiters die hij heeft gekocht. Toen ze klaar was met eten, stopte Rachel het flesje en het papiertje van de hamburger in de zak en legde die naast zich.

Ze reden langs Asheville en staken de French Broad over. Toen Rachel naar de rivier keek, nam ze zich voor aan iets anders te denken dan aan haar zorgen, en daarom dacht ze aan de kamer van de sheriff, waaraan je meteen kon zien dat het de kamer van een man was, zowel door wat er niet als door wat er wel was: geen prenten aan de muur, geen gordijnen voor het raam, geen vaas met bloemen. Maar de kamer was veel netter dan ze zou hebben verwacht. Op het tafeltje naast het bed lagen een houten pijp en een stoffen tabakszak met een veter erdoor, een bril met stalen montuur en een parelmoeren pennemesje waar hij zijn nagels mee schoonmaakte. Op een toilettafel aan de andere kant van de kamer stond een spiegel, met daarvoor een zwartmetalen kam, een scheermes met een zeepkom en een scheerkwast. Op de ladekast een Bijbel en een *Boerenalmanak*, een groot boek genaamd *Wilde dieren van Noord-Amerika* en nog een met de titel *Kamperen in het bos*, allemaal keurig op een rijtje zoals in een bibliotheek. Alles scheen zijn vaste plaats te hebben, en die plaats leek al langgeleden te zijn bepaald. Een wat eenzaam aandoende kamer.

Na een poosje kwamen ze langs een bord waar Madison County op stond. De omringende bergen waren hoger, zodat er meer lucht aan het zicht werd onttrokken.

'Waar gaan we naartoe?' vroeg Rachel.

'Ik heb een familielid van me gebeld', zei de sheriff. 'Een oudere vrouw die alleen woont. Ze heeft een kamer over waar jullie kunnen logeren.'

'Is het een tante van u?'

'Nee, geen naaste familie, dat zou te voor de hand liggend zijn. Een achternicht.'

'Waar woont ze?'

'In Tennessee.'

'Heet zij ook McDowell?'

'Nee, Sloan. Lena Sloan.'

Ze reden nu naar het westen; de weg klom gestaag in de richting van bergen, waar het laatste daglicht de toppen rood kleurde. Jacob werd een paar minuten wakker, nestelde zich toen tegen Rachels borst aan en viel weer in slaap. Het was volkomen donker toen zij en sheriff McDowell weer spraken.

'Hebt u niet geprobeerd ze op te pakken?'

'Nee,' zei sheriff McDowell, 'maar ik denk dat ik binnenkort genoeg bewijs tegen ze heb om dat wel te kunnen doen. Ik ga de hulp inroepen van de staatslijkschouwer in Raleigh. Maar tot die tijd moet je zo ver mogelijk bij ze uit de buurt blijven.'

'Hoe wist u dat ze het op ons hadden voorzien?'

'Door een telefoontje.'

'Gisteravond?'

'Ja.'

'En werd er toen gezegd dat Jacob ook in gevaar was, niet alleen ik?'

'Ja, jullie allebei.'

'Weet u wie het was, degene die belde?'

'Joel Vaughn.'

'Joel', zei Rachel.

Even zei ze niets meer.

'Dat zal hij wel met de dood moeten bekopen, denkt u niet?' zei Rachel zacht.

'Dat zou best kunnen.'

'Weet u waar hij is?'

'Ik heb hem vanmiddag met de auto naar Sylva gebracht, zodat hij met een goederentrein kon meerijden,' antwoordde sheriff McDowell, 'eentje die niet in de buurt van Waynesville of Asheville komt.'

'Waar gaat hij naartoe?'

'Als hij mijn raad ter harte heeft genomen, zo ver mogelijk uit de buurt van deze bergen.'

De weg werd heel even vlak voordat hij omlaagliep. Daar beneden in de verte schemerden wat concentraties van licht. Rachel herinnerde zich dat ze een maand geleden bij een haard vol gloeiende kolen had zitten luisteren naar Jacobs ademhaling en had gedacht dat het na het vertrek van haar moeder, toen ze vijf jaar was, zo leeg in huis was geweest dat ze het nauwelijks had kunnen verdragen om binnen te zijn, want overal waar je keek was er wel iets wat haar eraan herinnerde dat haar moeder weg was. Zelfs kleinigheden zoals een naald die nog op de schoorsteenmantel lag of de opengeslagen catalogus van Sears, Roebuck. Precies zo toen haar vader was overleden. Maar die avond, een maand geleden, toen ze naar de ademhaling van Jacob had geluisterd, had het huis voller geleken dan in lange tijd. En ook gezelliger, een plek waar de levenden zich meer deden gelden dan degenen die dood of vertrokken waren.

Nu heerste overal leegte, en het enige wat ze overhad, was het kind dat op haar schoot lag te slapen. Ze dacht aan weduwe Jenkins en aan Joel, die nu ook verdwenen waren. Ergens wilde ze bijna dat Jacob er ook niet meer was, omdat het dan allemaal zo veel gemakkelijker zou zijn. Als alleen zij nog over was, zou ze niet eens bang hoeven zijn, omdat haar leven dan nog het enige zou zijn wat ze haar konden afnemen, en dat leek maar een kleinigheid na wat er allemaal voorgevallen was. Rachel dacht aan het jachtmes in de hutkoffer, hoe gemakkelijk ze dat in de zak van haar jurk kon verstoppen, zou kunnen wachten tot het laatste licht in het kamp was uitgedaan en dan naar het huis van de Pembertons zou kunnen lopen.

Maar Jacob leefde, en zij zou hem moeten beschermen omdat er niemand anders was om dat te doen. Ze zou bang voor twee moeten zijn.

'We zijn net de grens met Tennessee over', zei sheriff McDowell. 'Hier zullen ze je niet vinden. Je moet alleen niet je echte naam gebruiken en de kleine niet meenemen als je de stad in gaat.'

'Is er behalve de twee waarover u vertelde nog iemand anders die achter ons aan zou kunnen komen?'

'Misschien Pemberton, maar dat betwijfel ik. Zij ook niet, denk ik. Waarschijnlijk zal het Galloway zijn.'

Rachel keek uit het raampje.

'Ik ben nog nooit in een andere staat geweest.'

'Nou, nu wel', zei sheriff McDowell. 'Maar het is hier nauwelijks anders, vind je wel?'

'Zo te zien niet.'

De asfaltweg maakte een bocht en de sheriff schakelde terug. De weg steeg nog heel even en stortte zich toen omlaag. Ze reden nog een half uur voordat ze bij een plaatsje kwamen. De T-Ford nam een afslag, stak hotsend een spoorlijn over en passeerde een station voordat ze stilhielden voor een klein wit huis.

'Waar zijn we?' vroeg Rachel.

'In Kingsport.'

Achtentwintig

'Je hebt niet veel trek vanavond', zei Serena. 'Voel je je wel lekker?'

Ze zaten tegenover elkaar in de achterkamer, ieder aan de lange kant van de tafel, met de lege stoelen langs de muren. Pembertons aandacht werd getrokken door het getink van Serena's zilveren bestek tegen het porselein, door hoe de leegte van het vertrek daardoor extra werd benadrukt. Serena legde haar mes neer.

'Jawel, hoor', zei Pemberton terwijl hij zichzelf een vijfde glas rode wijn inschonk en een paar tellen naar het kristal en de inhoud ervan staarde voordat hij het glas naar zijn lippen bracht en een grote slok nam. Hij zette het halflege glas weer neer.

'Vroeger dronk je niet zo veel.'

Ze zei het niet streng of berispend, of zelfs maar op teleurgestelde toon. Pemberton keek op en zag alleen bezorgdheid op Serena's gezicht.

'Je hebt niets gevraagd over de nacht dat ik naar Colt Ridge ben geweest', zei Serena.

Pemberton strekte zijn hand uit naar het glas, maar Serena greep over de tafel heen Pembertons pols zo heftig vast dat de wijn op zijn hemdsmouw spatte. Ze bracht haar gezicht zo dicht mogelijk naar hem toe, zonder hem los te laten.

'We hebben nu allebei iemand gedood', zei Serena op dwingende toon. 'Wat jij op het station voelde, heb ik nu ook gevoeld. Dat brengt ons dichter bij elkaar, Pemberton, dichter bij elkaar dan ooit tevoren.'

Waanzin, dacht Pemberton en hij herinnerde zich de eerste avond in Boston, de wandeling door de gekasseide straten naar Serena's appartement, de holle klank van hun voetstappen. Hij herinnerde zich het moment dat hij buiten op de ijzige bovenste traptree had gestaan terwijl Serena de deur van het slot draaide, naar binnen ging en het licht aandeed in de voorkamer. Zelfs toen Serena zich glimlachend had omgedraaid, was Pemberton blijven talmen. Een onbestemde, bijna instinctieve bezorgdheid maakte dat hij daar op die trap was blijven staan, in de kou, buiten de deur. Hij herinnerde zich dat hij zijn handschoenen had uitgetrokken en in zijn jaszak had gestopt, wat sneeuwvlokken van zijn schouders had geveegd om het naar binnen gaan nog heel even uit te stellen. Toen was hij haar gevolgd, ook gevolgd naar deze kamer, naar dit moment.

Serena trok haar hand terug en leunde naar achteren. Ze zei niets meer toen Pemberton zich nog wat wijn inschonk.

Het was een warme dag geweest, dus stond het raam open. Iemand zat op het trappetje voor de kampwinkel op een gitaar te tokkelen en te zingen over luilekkerland. Pemberton luisterde aandachtig naar de woorden. Het was hetzelfde wijsje dat hij de kruier in de trein had horen fluiten op de dag dat hij met Serena uit Boston was gekomen. Nog maar zesentwintig maanden geleden, maar het leek zo veel langer. De keukenhulpen kwamen binnen om het dessert en de koffie te brengen. Eindelijk voelde Pemberton hoe de kalmerende gloed van de alcohol zich door zijn hoofd verspreidde. Hij liet de wijn zijn werk doen en zweefde weg van de dingen waar hij niet bij stil wilde staan.

Pemberton en Serena hadden hun koffie bijna op toen Galloway binnenkwam. Hij richtte zich uitsluitend tot Serena.

'Ik moet u iets vertellen.'

'Wat dan?' vroeg Serena.

'Over Vaughn', zei Galloway. 'Ik heb een praatje gemaakt met de telefoniste. Ik wist wel dat die ouwe bemoeial had zitten meeluisteren. Het was Vaughn die McDowell heeft gewaarschuwd, en dan weten we meteen waarom die kleine verraaier de benen heeft genomen.' Galloway zweeg even. 'En dat is nog niet alles. Een zager heeft McDowell maandagavond richting Asheville zien rijden met dat meisje van Harmon en die kleine van haar.

Die stomme klootzak vond dat niet de moeite waard om aan iemand te vertellen, tot vandaag.'

'Dat verklaart veel', zei Serena.

Toen Galloway weg was, beëindigden Serena en Pemberton hun maaltijd in stilte en liepen toen naar huis. Het verandalicht was nog niet aan en Pemberton struikelde op de treetjes, zou zijn gevallen als Serena zijn arm niet had vastgegrepen.

'Voorzichtig, Pemberton', zei ze, en toen heel zachtjes: 'Jou wil ik niet verliezen.'

Edmund Wagner Bowden de Derde maakte de volgende ochtend zijn opwachting in het kantoor van het kamp. Hij was onlangs afgestudeerd aan de Duke-universiteit en volgens de senator die hem had gestuurd, hoopte hij dat de functie van sheriff voor hem net zo'n opstapje zou kunnen zijn als de positie van hoofdcommissaris van de New Yorkse politie voor Teddy Roosevelt. Maar Bowden was natuurlijk in geen enkel ander opzicht een aanhanger van Roosevelt, had de senator er haastig aan toegevoegd. Bowden was precies wat Pemberton had verwacht – week en blozend, met een zelfgenoegzaam lachje achter de donshaartjes die voor een snor probeerden door te gaan. Het glimlachje verdween toen Serena de jongeman algauw aan het eind van zijn conversatie-Latijn had weten te brengen.

Bowden vertrok halverwege de ochtend voor zijn eerste volle werkdag als de nieuwe sheriff van Haywood County. Hij was nog geen uur weg toen hij naar Pembertons kantoor belde.

'Meneer Luckadoo van de Spaar- en Leenbank kwam me net vertellen dat McDowell in het café van Higgabothom zit met een rechercheur uit Nashville. Ze zitten daar al de hele morgen met de broer van Ezra Campbell. Meneer Luckadoo zei dat u dat vast zou willen weten.'

'Is die rechercheur eerst naar jou toe gekomen?'

'Nee.'

'Ga naar hem toe en zeg hem dat hij samenwerkt met een

man die is aangeklaagd wegens ambtsmisbruik', zei Pemberton. 'Zeg hem dat hij bij jou moet zijn als hij vragen heeft, omdat jij het wettelijk gezag bent in de stad, en niet McDowell.'

Er verstreken seconden waarin Pemberton niets anders dan gekraak op de lijn hoorde.

'Zeg verdomme eens wat.'

'Die Campbell vertelt de rechercheur en iedereen die het maar horen wil dat ik niet te vertrouwen ben. Hij beweert dat zijn broer heeft gezegd dat u en mevrouw Pemberton van plan waren hem te vermoorden.'

'Hoe heet die rechercheur?'

'Coldfield.'

'Laat me even een paar mensen bellen. Dan kom ik daar zelf wel naartoe. Als het ernaar uitziet dat ze willen opstappen, zeg dan tegen Coldfield dat ik onderweg ben om met hem te praten.'

Pemberton aarzelde even.

'En zeg ook tegen McDowell dat ik met hem wil praten.'

Pemberton legde de hoorn op de haak en liep naar de Moslerkluis achter het bureau. Hij ging ervoor staan en draaide het zwarte cijferslot langzaam naar links, naar rechts en toen weer naar links, luisterend alsof hij het tikken van de palletjes kon horen wanneer ze in de groefjes vielen. Hij trok aan het handvat en de enorme metalen deur ging wijd open. Bijna een minuut lang stond hij alleen maar naar de stapeltjes bankbiljetten te staren en vervolgens pakte hij genoeg twintigdollarbiljetten om een envelop mee te vullen. Hij sloot de metalen deur langzaam, liet de inhoud van de kluis terugzinken in de duisternis voordat de deur met een scherpe klik dichtviel.

Pemberton haalde het fotoalbum uit de bureaula. Hij had geprobeerd het idee dat Serena zijn foto had gebruikt om het kind te herkennen van zich af te zetten, maar de gedachte hield hem in zijn greep als een val waar hij niet meer uit loskwam. Hoewel hij zijn hand de afgelopen dagen wel enkele keren op het handvat van de onderste la had gelegd, had hij hem niet geopend. Nu deed Pemberton dat wel. Hij sloeg het album open en ontdekte dat de foto van hemzelf er nog steeds in zat, net als die van Jacob. Maar dat bewees of weerlegde niets, dacht Pemberton. Net als het jachtmes zou de foto eruit gehaald en weer teruggelegd kunnen zijn. Hij nam het fotoalbum mee naar huis, waar hij in de hutkoffer paperassen en mappen opzijschoof om het onderin te leggen.

Toen Pemberton het kamp uitreed, zag hij Serena op Half Acre Ridge, op de voet gevolgd door Galloway. De arend vloog in een trage, steeds wijder wordende cirkel boven het dal. Zijn prooi denkt onopgemerkt te blijven als hij zich maar lang genoeg stilhoudt, had Serena hem verteld, maar uiteindelijk zal de prooi zich verroeren en als dat gebeurt, ziet de arend hem altijd.

Toen Pemberton bij het kantoor van de sheriff aankwam, vertelde Bowden hem dat de broer van Campbell was vertrokken, maar dat de rechercheur uit Nashville en McDowell nog steeds in het café zaten.

'Wilt u dat ik meega?'

'Nee', zei Pemberton. 'Dit heb ik zo afgehandeld.'

Pemberton stak de straat over naar het café. Hij had verwacht dat McDowell met stille trom zou vertrekken, deels omdat McDowell op de dag van zijn gedwongen ontslag gewoon zijn sleutels en insigne en het door de staat verstrekte pistool op het bureau in zijn kantoor had achtergelaten, zijn uniform netjes op een knaapje. Er was niet gevloekt, er waren geen bedreigingen geuit, geen telefoontjes gepleegd naar een congreslid of een senator. De man was gewoon naar buiten gelopen en had de deur wijd open laten staan.

Coldfield en McDowell zaten in een afgeschermd zitje achter in het café met groene koffiekopjes voor zich. Pemberton trok een stoel bij van het naburige tafeltje en ging zitten. Hij richtte zich tot de man die tegenover McDowell zat.

'Rechercheur Coldfield, mijn naam is Pemberton.'

Pemberton stak zijn hand uit, maar de rechercheur keek ernaar alsof hem een stuk ranzig vlees werd aangeboden.

'Een half uur geleden heb ik met inspecteur Jacoby gesproken', zei Pemberton terwijl hij zijn hand liet zakken. 'Hij en ik hebben een aantal gemeenschappelijke vrienden.'

Er kwam een serveerster naar het tafeltje met haar potlood en blocnote in de aanslag, maar Pemberton wuifde haar weg.

'Inspecteur Jacoby zei dat u hem onmiddellijk moest bellen. Zal ik even zijn telefoonnummer voor u opschrijven?'

'Ik weet wat zijn nummer is', zei Coldfield kortaf.

'Er is een telefoon in het sheriffkantoor aan de overkant van de straat, rechercheur', zei Pemberton. 'Zeg maar tegen sheriff Bowden dat u mijn toestemming heeft om te bellen.'

Coldfield stond zonder iets te zeggen op. Pemberton zag door het raam dat de detective de straat overstak en het kantoor van de sheriff binnenging. Pemberton schoof zijn stoel een stukje naar achteren en keek aandachtig naar McDowell, die naar de plek staarde waar Coldfield had gezeten. McDowell leek een scheurtje in de bekleding van de bank te bestuderen. Pemberton legde zijn handen op tafel, sloeg ze in elkaar en sprak zachtjes.

'Als ik me niet vergis weet u waar dat meisje van Harmon en haar kind gebleven zijn.'

McDowell richtte zijn blik op Pemberton en staarde hem aan. In de amberkleurige ogen van de ex-politieman lag een ongelovige blik.

'Denkt u dat ik het u zou vertellen als ik het wist?'

Pemberton haalde de envelop uit zijn achterzak en legde hem op tafel.

'Daar zit driehonderd dollar in. Voor haar en het kind.'

McDowell staarde naar de envelop, maar pakte hem niet op.

'Ik wil niet weten waar ze zijn', zei Pemberton terwijl hij de envelop in de richting van McDowell schoof alsof het een speelkaart was. 'Neem hem aan. Je weet dat ze het nodig zullen hebben.'

‘Waarom zou ik geloven dat dit niet een truc is om erachter te komen waar ze zijn?’ vroeg McDowell.

‘Je weet dat ik niets te maken had met wat er op Colt Ridge is gebeurd’, zei Pemberton.

McDowell aarzelde nog even, toen pakte hij de envelop en stopte hem in zijn zak.

‘Hierdoor verandert er niets tussen ons.’

‘Nee, tussen jou en mij verandert er niets’, zei Pemberton, die naar de ingang keek. ‘Daar zul je snel genoeg achter komen.’

De deurbel van het café klingelde en Coldfield kwam naar hen toe lopen, maar de rechercheur ging niet zitten en hield zijn ogen op de grond gevestigd.

‘Inspecteur Jacoby heeft besloten dat ik het onderzoek hier ter plaatse aan sheriff Bowden moet overlaten.’

Coldfield liet zijn blik omhooggaan en keek Pemberton aan.

‘Ik zal u één ding vertellen, meneer Pemberton. De broer van Campbell is sinds de dood van Campbell elke dag op het politiebureau geweest, en dat is de belangrijkste reden waarom ik hier ben. Die laat het er niet bij zitten.’

‘Ik zal eraan denken’, zei Pemberton.

De rechercheur gooide een muntje naast zijn koffiekopje. Het zilver klonk hol op het formica tafelblad.

‘Dan ga ik maar’, zei Coldfield.

Pemberton knikte en stond eveneens op om te vertrekken.

‘Je zou toch denken dat vrouwen en kinderen in elk geval veilig zouden zijn’, zei Henryson op zondagmiddag toen de ploeg van Snipes op het trappetje voor de kampwinkel zat.

‘Alsof het nog niet genoeg is dat ze een oude vrouw hebben vermoord’, zei Snipes. ‘Nu zitten ze achter dat meisje aan met haar kind.’

Henryson knikte.

‘Het is nog een wonder dat ze ons niet vermoorden, gewoon om te oefenen.’

'Ze vinden het best dat wij het loodje leggen door zagen en bijlen en vallende takken', zei Ross. 'Zo heeft Galloway de handen vrij om op reis te gaan.'

De mannen zwegen een poosje en luisterden naar de laatste gitaarklanken van 'Barbara Allen'. Het klaaglijke refrein van het liedje had de mannen nadenkend gestemd.

'De broer van Campbell is in de stad', zei Ross. 'Ik heb hem een paar dagen terug zelf gezien.'

'Die broer uit Nashville waar Campbell in huis was?' vroeg Henryson.

'Ja, die, de gitaarspeler. Hij stond op de trap voor het gerechtsgebouw te vertellen hoe hij thuis was gekomen na zijn optreden en Campbell in bed had gevonden met een bijl in zijn achterhoofd. Als je hem hoorde vertellen hoe diep dat blad erin zat, zou je haast denken dat Campbells hoofd niet harder was dan een pompoen.'

'Wat een gruwelijke manier om te sterven', zei Henryson.

'Beter dan wat ze met dokter Cheney hebben gedaan', zei Snipes.

'Campbell heeft tenminste het record op zijn naam dat hij zich het verst uit de voeten heeft weten te maken voordat Galloway hem te pakken had', zei Ross. 'Het is Campbell zelfs gelukt om de grens over te komen. Dat is toch ook een soort overwinning, zou ik zeggen.'

'Nou en of', zei Henryson. 'Harris heeft niet eens de voordeur van zijn huis gehaald.'

'Maar het bewijst wel dat één dag voorsprong niet genoeg is', zei Ross.

'Nee, dat klopt', stemde Henryson in. 'Ik schat dat je op z'n minst een week moet hebben om een kans te maken.'

'Dan zijn dat meisje van Harmon en die kleine van haar denk ik kansloos', zei Ross. 'Maar Vaughn redt het misschien wel. Zelfs Galloway kan niet op twee plaatsen tegelijk zijn.'

'Die jongen is altijd al goed bij de pinken geweest', zei Snipes.

'Hij heeft op tijd de benen genomen.'

'Net een kwartel', zei Ross. 'Die hebben bedacht dat er eentje wel een kans maakt als ze allemaal tegelijk wegstuiven.'

'Is Galloway al achter iemand aan gegaan?' vroeg Stewart.

'Nee, maar dat duurt vast niet lang meer', zei Snipes. 'Hij was gisteravond in de kampwinkel op zoek naar iemand die hem kon helpen bedenken welke stad zijn moeder voor zich zag. Zei dat-ie een dollar zou betalen aan degene die de naam van de stad wist.'

'Wat voor soort visioen had die oude heks?' vroeg Henryson.

'Ze beweerde dat dat meisje van Harmon met haar kleine in Tennessee zat, in een stad met een spoorweg. Waar je verder niet veel wijzer van wordt, natuurlijk, maar ze had ook tegen Galloway gezegd dat de plaats een kroon was tussen de bergen.'

'Een kroon?' vroeg Ross, die zich weer in het gesprek mengde.

'Ja, een kroon. Een kroon tussen de bergen. Dat was letterlijk wat ze zei.'

'Het zou misschien de top van een berg kunnen zijn', zei Henryson. 'Ik heb weleens gehoord dat ze pieken kronen noemen.'

'Maar het was tússen de bergen,' merkte Ross op, 'niet een deel van de berg.'

'Dat zou kunnen betekenen dat ze een kroon bedoelt zoals koningen dragen', voegde Snipes eraan toe.

'Heeft iemand het uitgedokterd?' vroeg Henryson aan Snipes. 'Gisteravond, bedoel ik.'

'Een van de koks beweerde dat er een Crown Ridge was in de buurt van Knoxville. Dat was het enige wat ze konden bedenken, maar Galloway was daar de dag ervoor al geweest en er was geen spoor van ze te bekennen.'

Ross staarde in westelijke richting naar de grens van Tennessee en knikte langzaam bij zichzelf.

'Ik weet waar ze zijn', zei hij. 'Of ik kan het in elk geval terugbrengen tot twee plaatsen.'

'Je gaat het toch niet aan Galloway vertellen?' vroeg Stewart.

'Nee', zei Ross. 'Misschien kan ik niets doen om ze tegen te houden, maar ik ga ze in ieder geval niet helpen. Ik kan dat meisje nog een paar uur voorsprong geven.'

Henryson schudde zijn hoofd.

'Ik zou er nog steeds geen dubbeltje op verwedden dat ze het er nog een week levend af zullen brengen.'

Ross wilde dat net beamen toen hij een curieuze stoet het kamp zag binnenkomen.

'Wat is dat in hemelsnaam?' zei hij.

Drie door paarden getrokken huifkarren voerden de optocht aan. De ijzeren hoepels van het raamwerk waren met groezelig katoen bespannen en op elk van de drie werd iets anders verkondigd. CIRCUS HAMBY RECHTSTREEKS UIT PARIJS stond op de eerste, op de tweede GEZIEN DOOR EUROPESE KONINGSHUIZEN en op de derde VOLWASSENEN TIEN CENT, KINDEREN VIJF CENT. Aan de achterste huifkar vastgebonden volgde een hele menagerie, en elk dier droeg om zijn nek een houten bord waarop zijn soortnaam stond. De dieren liepen twee aan twee, voorafgegaan door een paar Shetlandpony's met doorgezakte rug. Daarachter liepen twee struisvogels die hun slangenek gebogen hielden alsof ze zich geneerden om deel uit te maken van een dergelijke entourage, daarna twee witte paarden, getooid met wat eruitzag als zwarte schoensmeerstrepen. ZEBRA, verkondigde hun bord. Aan het eind van de stoet reed een platte wagen met een stalen kooi op de planken bodem. DODELIJKSTE WEZEN TER WERELD stond er op het doek dat de onderste helft van de kooi afdekte.

De eerste huifkar hield halt voor de veranda van de kampwinkel. Een welgedane man, uitgedost in een gekreukt pak van beige katoen, lichtte zwierig zijn zwarte hoge hoed en wenste Snipes en zijn maten een goedemiddag. De vreemdeling sprak met een nasaal accent dat geen van de mannen ooit eerder had gehoord, maar dat Snipes onmiddellijk meende te herkennen als het resultaat van een opleiding aan een Europese universiteit.

'Volgens mij hebt u een verkeerde afslag genomen', zei Ross met een knikje naar de dieren. 'Die ark waar u zo te zien naar op zoek bent is hier niet. En zelfs al was-ie er wel, dan bent u wat aan de late kant om nog een plaatsje te bemachtigen.'

'Ons reisdoel is het houthakkerskamp van Pemberton', zei de man bevreemd. 'Is dat niet hier?'

Snipes stond op. 'Jawel meneer, u bent op de juiste plaats, en in tegenstelling tot meneer Ross hier ben ik een man van enige beschaving en heb ik respect voor anderen die dat ook zijn. Hoe kan ik u van dienst zijn?'

'Ik zou graag de eigenaren van het kamp toestemming willen vragen om hier vanavond op te treden.'

'Dat zijn meneer en mevrouw Pemberton', zei Snipes. 'Die gaan op zondag graag uit rijden, maar ik verwacht ze nu elk moment terug. Dan komen ze toch hierlangs, dus u kunt maar het beste gewoon wachten.'

'Dat lijkt me een verstandig voorstel', zei de man, die ondanks zijn aanzienlijke gewicht met verbazende lichtvoetigheid van de bok sprong, waarbij zijn hoge hoed weliswaar wiebelde, maar op zijn hoofd bleef staan. 'Mijn naam is Hamby en ik ben de eigenaar van dit circus.'

Hamby bond de teugels van het paard aan de balustrade van de veranda en klapte twee keer in zijn handen. De drie andere mannen, die er tot op dat moment als levenloze standbeelden bij hadden gezeten, tuierden hun huifkarren nu ook. Twee van hen begonnen onmiddellijk met allerlei karweitjes, zoals het drenken van de beesten en het zoeken naar mogelijke plekken om de tent op te zetten. De derde, een kleine, getaande man, verdween in zijn huifkar.

'Daar staat dat u hebt opgetreden aan de andere kant van de oceaan', zei Henryson met een knikje naar de tweede huifkar.

'Jazeker', zei de circuseigenaar. 'We zijn hier alleen teruggekomen voor een kort engagement. We zijn op weg naar New York en daarna gaan we weer terug naar Europa.'

'Dat is nogal een omweg naar New York, via deze bergen', zei Ross.

'Dat klopt inderdaad,' stemde Hamby in en er klonk vermoeidheid door in zijn stem, 'maar als professionele artiesten voelen we de behoefte, misschien moet ik wel zeggen de morele verplichting, om cultuur te verspreiden onder mensen zoals u die tot het achterland verbannen zijn.'

'Wat ontzettend vriendelijk van u om dat te doen', zei Ross.

Op dat moment kwam de man die de huifkar in was gegaan weer tevoorschijn in een zwarte maillot en een zwart met wit geruit hemd, gemaakt van soepele stof, en met vier kegels in zijn handen. Maar wat Snipes en zijn ploeg het meest intrigeerde was zijn hoofddeksel, gefabriceerd van rood en groen vilt met zilveren belletjes, dat als een uitgeputte inktvis over de schedel van de man lag.

'Hoe noem je zo'n ding wat je daar op je knar hebt?' vroeg Snipes.

'Een narrenkap', zei de man met een zwaar accent en vervolgens begon hij met zijn kegels te jongleren.

'Een narrenkap', herhaalde Snipes. 'Ik heb erover gelezen, maar die van u is de eerste die ik ooit gezien heb. Ik had nooit gedacht dat hij zo felgekleurd zou zijn.'

Snipes voegde zich bij de andere leden van zijn ploeg, die samendromden rond de laatste wagen. De man die de dieren had verzorgd liep er ook naartoe met een kakelende, klapwiekende bantammer in zijn handen. De circusman tilde het zeildoek op en schoof duidelijk met angst en beven de kip, maar zo weinig mogelijk van zijn eigen vlees, tussen de stalen tralies door. Snel trok hij zijn hand terug en keek er met enige twijfel naar, alsof hij verbaasd was dat hij er nog aan zat. Iets erg groots en erg sterks wierp zich met zo veel kracht tegen de kooi dat de hele wagen ervan schudde en de wielen een paar centimeter vooruitrolden. In het bovenste deel van de kooi stoven veren op, die een paar tellen leken te blijven hangen voordat ze langzaam naar beneden dwarrelden. Eentje glipte door de tralies heen en Henryson stak zijn hand uit om hem te vangen. Hij tuurde naar de veer en zei: 'Verzot op kip zeker?'

De circusman glimlachte geheimzinnig, maar de spijkerharde blik in zijn ogen werd er niet minder om.

'Verzot op alles waar vlees aan zit.'

Hamby kwam bij Snipes en de anderen staan. Een paar tellen lang was er niets anders te horen dan het geluid dat uit de kooi kwam, een kordaat vermalen van botten.

'Je moet zeker betalen om te mogen zien wat voor beest u daar in die kooi hebt zitten?' vroeg Henryson.

'Helemaal niet, meneer', zei Hamby, die zijn armen breed spreidde. 'Het is een draak.'

Ross knikte naar de zebra's, waarvan er eentje een streep van zijn schouder aan het likken was met een lange tong zo zwart als drop.

'Ik mag hopen dat hij wat overtuigender is dan die twee daar.'

'Overtuigender.' Hamby sprak het woord verlekkerd uit. 'Dat is het belangrijkste doel van onze voorstelling, onze toeschouwers ervan te overtuigen dat ze het gevaarlijkste wezen ter wereld in levenden lijve hebben mogen aanschouwen. Mijn draak heeft in Texas met een jaguar gevochten, in Louisiana met een alligator, in Londen met een orang-oetan, met ontelbare hondachtigen en met verscheidene mannen, die nu allemaal dood zijn.'

'En heeft hij weleens verloren?' vroeg Stewart.

'Nooit', zei Hamby. 'Dus wat voor wilde beesten er ook huizen in deze bergen, breng ze vanavond maar hierheen, heren. En weddenschappen zijn ook welkom, voor de sportiviteit.'

Henryson keek strak naar de kooi.

'Hoeveel kost het om hem te zien? Nu, bedoel ik?'

'Voor jullie is het gratis, als jullie je vrienden maar vertellen over het schrikwekkende mirakel dat jullie met eigen ogen hebben aanschouwd.'

Na een knikje van Hamby trok de man die het beest had gevoerd aan een gerafeld henneptouw. Het zeildoek viel van de kooi af en onthulde een schepsel dat veel weg had van een alligator, maar dan met een stoffige, grijze huid. Hij stak een gespleten, roze tong in de lucht terwijl zijn hoofd langzaam heen en weer zwaaide.

'Twee meter lang en bijna tweehonderd pond aan reptielenspieren en pure kwaadaardigheid', zei Hamby. 'Gevangen op het eiland Komodo, zijn natuurlijke leefgebied.'

Terwijl de mannen dichter naar de kooi toe liepen, wenkte Hamby naar iemand achter hen.

'U meneer, u mag ook gratis het dodelijkste wezen op aarde komen bekijken.'

Galloway stapte naar voren en staarde uitdrukkingsloos naar het reptiel.

'U zegt dat u hem tegen alles laat vechten', zei Galloway na een paar tellen.

'Alles', antwoordde Hamby terwijl hij zijn makker een seintje gaf dat hij het zeildoek er weer overheen moest trekken. 'Kom vanavond maar met jullie kampioen en met jullie portemonnee, voor de ultieme test tegen de ultieme vijand.'

Toen de avond viel, stond de canvastent overeind, waren er lampen en fakkels aangestoken en stond er in het midden een kring van plaatgazen hekken van een meter hoog, die een piste vormde waarin de man in de zwarte maillot een staaltje jongleerkunst weggaf voordat hij vuur en gekleurde glasscherven doorslikte en tenslotte, als dramatisch hoogtepunt, een zwaard. Vervolgens werd de menagerie door de ring geleid terwijl Hamby, nu gekleed in een rode slipjas en met zijn hoge hoed in de kromming van zijn arm, een bijzonder originele verhandeling afstak over de kenmerken en de herkomst van de verschillende dieren. Toen pas werd de draak ten tonele gevoerd, waarvoor een deel van het hek werd losgemaakt, zodat de deur van de kooi aansloot op de opening. Een circusman klom op de stalen traliekooi en trok het luik omhoog, waarna de draak het strijdtoneel in paradeerde. Terwijl hij met zijn heen en weer schietende tong zijn nieuwe omgeving verkende, beproefden sommige mannen de sterkte van het aaneengeschakelde hekwerk dat het beest binnen moest houden en ze besloten de voorstelling vanaf een veiliger afstand te bekijken. Hamby had een tafel naast de kooi gezet. Die was weldra overdekt met geld en stukjes papier waar namen of initialen op geschreven stonden en in een paar gevallen een duidelijke X, maar de grootste weddenschap was al afgesloten met Serena. Weddenschappen met andere circusartiesten, waaronder eentje tussen Snipes en de jongleur, waren onderhands geregeld.

Verscheidene mannen begonnen te juichen toen Serena met de arend op haar arm de tent binnenkwam. Ze hief haar vrije hand op en de mannen werden stil. Serena drukte alle arbeiders op het hart zich zo stil en roerloos mogelijk te houden, en naar degenen die het dichtst bij het hek stonden gebaarde ze dat ze een stukje achteruit moesten. Serena zette de nog gehuifde arend op haar vuist. Ze sprak de berkute met een kalme stem toe en streelde de hals van de vogel met de achterkant van twee vingers. De draak stapte nog steeds op en neer, maar had zich teruggetrokken in een verre hoek, als een bokser die op de gong wacht.

Serena knikte naar Galloway, die op de plek stond waar de kooi de enige toegang tot de piste afsloot. Galloway gaf een harde duw tegen de tralies van de kooi, waardoor er een opening ontstond, klein maar voldoende. Voordat Hamby en de andere toeschouwers beseften wat er gebeurde, was Serena al de piste in gestapt.

'Haal haar weg daar', schreeuwde Hamby tegen een van zijn medewerkers, maar Galloway liet een mes blikkeren.

'Ze komt eruit als zij dat besluit, niet u', zei hij.

Nadat Serena de vogel een laatste keer had toegesproken trok ze de huif van zijn kop. De draak en de arend werden zich op hetzelfde moment van elkaars aanwezigheid gewaar. De draak was naar het midden van de piste gekomen, maar bleef nu stilstaan. De arend draaide zijn kop razendsnel omlaag. Terwijl de twee beesten elkaar aanstaarden, voltrok zich iets tussen hen dat zijn oorsprong in een oudere wereld leek te hebben.

Serena tilde haar hand op en de berkute klapwiekte onbeholpen naar de overkant van de piste en landde op het achterste deel van het hek, waar geen lamp of fakkel brandde en de schaduwen zich verdiepten. Toen de vogel over de draak heen vloog, deed die een uitval omhoog met een snelheid en behendigheid die zijn enorme omvang logenstrafte.

'Vijftien centimeter hoger en het zou al afgelopen zijn voordat het begonnen was', fluisterde Snipes tegen Stewart.

De arend bleef daarna bijna een minuut lang roerloos zitten, maar hield zijn blik op de draak gericht, die weer in het midden van de ring heen en weer begon te lopen. Hoewel ze nog steeds in de ring stond, leek het reptiel zich niet bewust van Serena, die nu zijn enige uitgang blokkeerde.

'Ik dacht dat draken vuur konden spuwen', fluisterde Stewart tegen Snipes.

'Heel langgeleden wel,' zei Snipes zachtjes terug, 'maar dat is eruit geëvolutioneerd om te kunnen overleven.'

Stewart boog zich naar het oor van Snipes.

'Hoezo? Vuur spuwen is toch een hartstikke machtig wapen?'

'Te machtig', zei Snipes. 'Ze schroeiden al het vlees van hun prooi af. Er bleef niks meer over om op te eten.'

De derde keer dat de draak voor de arend langsliep, sloeg de vogel met gespreide vleugels toe en zette zijn klauwen in de kop van het beest. De draak zwaaide wild met zijn kop en schudde de arend met zo veel kracht van zich af dat er wat veren loskwamen, maar niet voordat de klauwen van de arend de ogen van het reptiel hadden doorboord. Half springend, half vliegend landde de arend weer op Serena's arm terwijl zijn tegenstander zich blindelings tegen het metaal wierp en het hele hekwerk deed schudden. De draak draaide zich om en deed een uitval naar de andere kant terwijl zijn zwiepende staart stoffig stro deed opwervelen van de aarden vloer. Het dier dreunde tegen de andere kant van het hekwerk, slechts een meter van de plek waar Serena met de vogel stond, allebei heel rustig te midden van de uitzinnige uitvallen van de draak. Het metaal schudde weer.

'Dat hek gaat het niet houden', riep een arbeider, waarmee hij paniek zaaide onder de toeschouwers. De circustent zakte bijna in elkaar toen een aantal van hen zich hals over kop een weg naar buiten baande en het donker in rende.

Hamby leunde nu met zijn omvangrijke gestalte tegen de omheining van de piste, waardoor het metaal zo ver meegaf dat het hek nog meer uit zijn voegen raakte. De circusdirecteur boog zich over het hek, stak beide armen in de lucht en smeekte zijn kampioen om zich weer in de strijd te werpen.

De uitvallen van de draak werden zwakker en er stond wit schuim om zijn bek. De draak ging terug naar het midden van de piste, waar hij met zijn buik over de grond slepend steeds tragere rondjes draaide. Serena wachtte nog een paar tellen voordat ze haar arm optilde. De arend stortte zich naar beneden en landde op de nek van de draak. De vogel stootte zijn aasnagel in de schedelbasis van het reptiel en het resultaat was hetzelfde als wanneer er een tien centimeter lange spijker in zijn kop zou zijn geslagen. De arend steeg op en vloog ditmaal naar een van dakspparren van de tent terwijl de draak op zijn rug rolde en vervolgens weer zwakjes overeind kwam. Hamby liep struikelend de piste in, waarbij zijn hoge hoed van zijn hoofd viel. Hij ging naar zijn kampioen, maar moest toezien hoe deze de levenskrachten die hem nog restten gebruikte om zichzelf naar de verste uithoek van de piste te slepen.

Hamby riep om meer licht en de jongleur wierp hem een toorts toe. De circusdirecteur knielde naast zijn reptiel en hield de toorts laag, zodat iedereen kon zien dat de draak werkelijk dood was, zijn gevorkte roze tong op de grond als een vlag na een nederlaag. Hamby bleef bijna een minuut over het beest gebogen zitten en keek toen op. Hij reikte naar het borstzakje van zijn slipjas en haalde er een fraaie witte zakdoek uit met in het midden de initialen D.H. erop. Plechtig sloeg de circusdirecteur de zakdoek open en vlijde hem over de kop van de draak.

Henryson liep naar de uitgang van de tent en Snipes, nu getooid met de narrenkap, voegde zich bij hem.

'Ik zie Ross geen winst ophalen', merkte Henryson op toen ze langs de tafel liepen waar de weddenschappen werden afgehandeld. 'Het is de eerste keer in tijden dat ik hem een weddenschap heb zien verliezen.'

Snipes knikte naar mevrouw Pemberton, die de arend terugbracht naar de stal, op de voet gevolgd door Galloway, die een dikke stapel bankbiljetten in zijn hand had.

'Maar zij heeft zo te zien niet slecht geboerd.'

'Nee meneertje', zei Henryson instemmend. 'Volgens mij heeft ze het hele circus op de fles geholpen. Het zou me niks verbazen als ze morgen met z'n allen op de trap voor de kampwinkel staan.'

Ze liepen de tent uit en volgden andere arbeiders de bergkam op. Boven hen zag de behuizing van de arbeiders er op de acaciahouten palen uit als een gammele, drooggevallen pier.

'Ik durf te wedden dat al die woonketen van de berg omlaag zouden donderen als je eens een flinke ruk aan zo'n paal gaf', zei Henryson. 'Die weddenschap zou ik haast net zo zeker winnen als dat ik vanavond je geld op die arend had gezet.'

Henryson bleef staan en keek om naar de tent.

'Ik vraag me af hoe Ross ooit op het idee is gekomen dat zij met haar arend verslagen zou kunnen worden.'

'Dat was geen idee, dat was een wens', zei Snipes.

Negenentwintig

Rachel sliep niet goed, die eerste paar nachten in Kingsport. Ze werd wakker van elke trein die voorbijkwam en als ze eenmaal wakker was, kon ze aan niets anders denken dan aan Serena en haar handlanger. Ze had het jachtmes met het parelmoeren handvat uit de hutkoffer gehaald en het onder haar kussen gelegd. Telkens wanneer het huis zich krakend zette, omklemde Rachel het gladde handvat. Het kind sliep naast haar, aan de muurkant.

Pas op de vijfde dag nam Rachel Jacob mee naar buiten. Bij een eerder tochtje naar de kruidenierswinkel had ze tegenover het huis van mevrouw Sloan, aan de andere kant van het spoor, een veldje rabarber gezien. Het minste wat ik kan doen is een taart voor haar bakken, bedacht Rachel, een kleinigheid om de oudere vrouw te bedanken voor haar vriendelijkheid. Met Jacob stak ze de spoorweg over, het jachtmes en een lege jutezak in haar vrije hand. De rabarber stond bij een roestige goederenwagon die al zo lang stilstond dat zijn wielen diep in de grond waren weggezakt. Ze wrong zich door wat braamstruiken, waarvan de doorns aan haar jurk haakten. Rachel zette het kind in de vierkante schaduw van de goederenwagon. Ze pakte de sok uit de zak van haar jurk en strooide de inhoud voor hem uit. 'Niet in je mond stoppen, hoor', zei Rachel tegen hem. Jacob legde de stuiters in kleine groepjes die hij dan weer door elkaar liet rollen.

Rachel begon rabarberstelen af te snijden en topte de planten zoals ze bij vroege zomertabak zou doen. Ze had nooit gedacht dat ze dit soort werk zou missen, want de paarsachtige stelen waren zo vezelig dat het leek of ze touw doorsneed, maar het voelde prettig om iets buiten te doen, iets met een ritme waar je makkelijk in kwam omdat je het je hele leven al had gedaan.

Volgend jaar ga ik een tuin aanleggen, nam ze zich voor, waar we dan ook mogen zijn.

Om haar heen lagen bosjes frommelig blad. Rachel raapte een handvol stelen bij elkaar en bundelde die alsof het aanmaakhout was. Jacob was tevreden aan het spelen en leek net zo blij als Rachel om buiten te zijn. Er naderde een trein, die langzaam het station uit reed. Toen hij voorbijkwam, zwaaide de vlaggenman vanachter het hekje van de personeelswagon. Er vlogen twee felrode kardinaalvogels over het spoor, waar Jacob naar wees voordat hij weer met zijn stuiters ging spelen.

De zon had de schaduw van de goederenwagon versmald toen ze de laatste stengel afsneed en de hele bos in haar jutezak stopte. Meer dan genoeg rabarber voor vijf taarten, maar Rachel dacht dat mevrouw Sloan en zij wel raad zouden weten met wat er overbleef. Toen ze met Jacob de spoorlijn overstak, stond de T-Ford van de sheriff voor het huis.

'Het lijkt erop dat we bezoek hebben', zei ze tegen Jacob.

McDowell zat met mevrouw Sloan aan de keukentafel met een bepareld glas ijsthee in zijn rechterhand. Er lag een envelop voor hem op de tafel. Rachel legde de rabarber op het aanrecht en ging ook zitten, maar Jacob probeerde zich los te wurmen en begon te jengelen.

'Ik denk dat hij verschoond moet worden', zei Rachel, maar voordat ze zelf aanstalten kon maken om op te staan, had mevrouw Sloan het kind al opgetild.

'Ik doe het wel', zei mevrouw Sloan. 'En dan ga ik met hem naar de veranda. De sheriff en jij hebben het een en ander te bespreken.'

'Hier', zei Rachel en ze gaf de oudere vrouw de sok met stuiters. 'Voor als hij zich gaat vervelen.'

Mevrouw Sloan wiegde het kind heen en weer in haar armen tot Jacob begon te lachen.

'Kom, we gaan je een schone luier omdoen', zei ze en ze verdween met het kind naar de achterslaapkamer.

McDowell nam een slok thee en zette het glas voor zich op tafel.

'Hij vindt de stuiters leuk, hè?'

'Hij speelt er elke dag mee.'

'En hij probeert ze niet op te eten?'

'Nee, tot nu toe nog niet.'

Mevrouw Sloan en Jacob kwamen uit de achterslaapkamer en gingen naar de veranda.

'Wat is er aan de hand?' vroeg Rachel toen McDowell bleef zwijgen.

Hij keek uit het raam naar de veranda, waar mevrouw Sloan Jacob op de arm had. Het kind reikte naar een windorgel dat aan het plafond hing.

'Ik ben sheriff af. Ik ben ontslagen en er is nu een sheriff aangesteld die ze in hun zak hebben.'

'Dus we kunnen niets anders dan vluchten en onderduiken', zei Rachel.

'Ik ga niet op de vlucht', antwoordde McDowell. 'Er bestaan manieren om ze aan te pakken waar je geen sheriffinsigne voor nodig hebt.'

'En als u dat doet, kunnen we dan weer naar huis?'

'Ja.'

'Hoelang duurt het nog voordat u ze probeert aan te pakken?'

'Ik heb het al geprobeerd', zei McDowell verbitterd. 'Het was mijn fout te denken dat het wettelijk gezag me zou kunnen helpen. Maar dat idee heb ik laten varen. Als ik wil dat er iets tegen ze ondernomen wordt, zal ik het zelf moeten doen.'

De voormalige sheriff zweeg. Hij keek nog steeds uit het raam, maar zijn blik leek gefixeerd op iets wat verder weg was dan mevrouw Sloan en het kind.

'U gaat ze zeker proberen te vermoorden?' vroeg Rachel.

'Ik hoop dat er nog een andere aanpak mogelijk is.'

'Ik zou ze zelf vermoorden als ik Jacob niet had om voor te zorgen', zei Rachel. 'Echt waar.'

'Ik geloof je', zei McDowell terwijl hij Rachel aankeek.

Ze hoorden de stoomfluit van een trein die het station verliet, en het theeglas trilde toen de trein achter het huis langsreed. McDowell stak zijn hand uit om het glas stil te houden terwijl de trein ratelend in zuidelijke richting naar Knoxville vertrok. Hij staarde naar het glas toen hij verder sprak.

'Als de dingen niet zo uitpakken als ik hoop, zullen jij en de jongen nog verder weg moeten gaan.'

'Hoe ver?'

'Zo ver als je hiermee kunt komen', zei McDowell en hij schoof haar een envelop toe. 'Er zit driehonderd dollar in.'

'Ik kan toch niet zomaar geld van u aannemen', zei Rachel.

'Het is mijn geld niet.'

'Waar komt het dan vandaan?'

'Dat doet er niet toe. Het is nu van jou en je kind, en het is misschien het enige wat kan verhinderen dat ze jullie te pakken krijgen.'

Rachel pakte de envelop en stopte hem in de zak van haar jurk.

'Denkt u dat ze nog steeds naar ons op zoek zijn, op dit moment, bedoel ik?'

'Dat weet ik wel zeker. Als het veilig is om terug te komen, haal ik jullie weer op', zei McDowell. Hij schoof zijn stoel naar achteren en stond op. 'Maar tot die tijd moet je het kind niet meer mee naar buiten nemen. Ik denk niet dat ze je hier zullen vinden, maar dat soort mensen moet je niet onderschatten.'

Ze liep met hem mee naar de veranda en keek hoe hij in zijn T-Ford stapte en wegreed. Toen ging Rachel weer naar binnen en maakte havermoutpap voor Jacob klaar. Ze zette hem op de grond en begon de rabarberstelen in stukjes van een paar centimeter te snijden. Rachel stak een stukje in haar mond, proefde hoe zuur het was en wist dat ze er heel wat suiker bij zou moeten doen. Een goederentrein bracht het huis aan het rammelen en ze voelde de planken onder haar voeten sidderen. Het serviesgoed stond te schudden in de kast.

Rachel vroeg zich af waar de trein naartoe zou gaan en er schoot haar iets te binnen van haar laatste jaar op school. Waar zou je het liefst naartoe willen, had juffrouw Stephens gevraagd, als je elke plek op de kaart mocht aanwijzen? Een van de leerlingen had zijn hand opgestoken en had Washington gezegd en een ander New York en weer een ander Raleigh. Bobby Orr zei Louisiana, omdat hij had gehoord dat mensen daar rivierkreeft aten en hij dat weleens wilde zien. Joel Vaughn, die graag de wijsneus uithing, had gezegd: zo ver mogelijk weg van school. En waar mag dat dan wel zijn, Joel, had juffrouw Stephens gevraagd en ze had hem voor de klas geroepen. Ze had een liniaal uit haar bureaula gepakt, stuurde Joel daarmee naar de kaart en liet hem meten tot hij het allerverste stipje had gevonden: Seattle in de staat Washington. Daar ben ik eens geweest, had juffrouw Stephens gezegd. Het is mooi daar. Er is een rivier en een mooie blauwe haven en bergen zo hoog dat ze het hele jaar door met sneeuw zijn bedekt.

Dertig

Begin oktober was de spoorweg naar het nieuwe kamp in Jackson County aangelegd en verbonden met de Waynesvillelijn. Aan de hoofdspoorlijn ontsproten zijsporen die doordrongen tot in de omliggende bossen, en het kampterrein zelf was bouwrijp gemaakt door arbeiders die nog maar enkele weken geleden in het kamp in Cove Creek hadden gewoond en wier woonketen op platte wagons waren gezet om samen met hen naar het oosten te worden gezonden. Het boerenhuis was omgebouwd tot kantine en er was begonnen met de bouw van huizen voor Meeks en de Pembertons. Afgezien van de locatie zou er weinig veranderen.

De ploeg van Snipes behoorde tot de ploegen die achterbleven in het kamp in Cove Creek. Die laatste ochtenden beklommen ze de afgelegen westhellingen van Shanty Mountain en Big Fork Ridge, de laatste paar hectaren die nog niet waren gekapt. Doordat Dunbar in de kloof was omgekomen, kwamen ze nog steeds een man tekort. Er was een vervanger gestuurd, maar al op de tweede ochtend was er vanonder een hickoryboom een jong boompje losgeschoten dat zijn schedel had verbrijzeld, zodat Snipes nu zowel de taak van kerfhakker als van zager op zich moest nemen. Het gevolg was dat Snipes al tijdens de schaft zo uitgeput was dat hij met zijn ogen dicht op de grond ging liggen.

Henryson nam een hap van zijn boterham. Hij trok een vies gezicht toen hij op het zompige brood met rugspek kauwde en slikte het weg alsof hij een mondvol kopspijkertjes zat te eten. Hij legde de boterham terug.

'Ik hoorde dat jouw prediker gisteravond in zijn moestuin bezig was', zei Henryson tegen Stewart. 'Hij gaat zeker vooruit?'

'Klopt, maar zeggen doet-ie nog steeds niet veel. Zijn tante wist van een begrafenis waar hij had kunnen preken, ginder in Cullowhee, ze dacht dat dat hem wel behoorlijk zou opmonteren, maar hij schudde alleen maar zijn hoofd naar d'r.'

'Tja, niets wat een mens zo opmontert als zien hoe iemand onder de groene zoden wordt gestopt', zei Ross.

'Nou, vroeger werkte het wel', zei Stewart. 'Hij heeft me ooit verteld dat het enige wat hij erg vond aan doodgaan was dat hij er niet bij kon zijn om te preken op zijn eigen begrafenis.'

Snipes hield tijdens het spreken zijn ogen nog steeds gesloten.

'Waar jij het nou over hebt, is weer zo'n voorbeeld van de tegenstrijdigheid van de mens, Stewart. We willen datgene wat er op aarde is, maar we willen ook datgene wat er niet is.'

'Ik begrijp niet zo goed wat je bedoelt', zei Henryson tegen Snipes.

Snipes draaide zijn hoofd een stukje opzij om Henryson toe te spreken en de wimpers van de voorman knipperden even, als insectenvleugels in een vergeefse poging om weg te vliegen.

'Nou, ik ben nu veel te moe om het uit te leggen.'

De ploegbaas draaide zijn hoofd weer terug in de oude positie. Hij dekte beide ogen af tegen de zon met een stukje sikkelvormige stof van de narrenkap en lag binnen de kortste keren te snurken.

'Als we er niet gauw een andere man bij krijgen, raakt Snipes helemaal afgebeuld', zei Henryson.

'Misschien nemen ze McIntyre weer aan', zei Ross. 'Een mens hoeft tenslotte niet te kunnen praten om een goeie zager te zijn.'

'Wat denk jij, Stewart?' vroeg Henryson. 'Zou McIntyre terug willen komen?'

'Wie weet.'

'Als hij opvrolijkt van begrafenissen is er geen betere plek dan hier', merkte Ross op. 'Er gaan hier haast evenveel mannen tegen de grond als bomen.'

Er streek een bries door de hoge takken van een witte eik. Het was de laatste loofboom op de helling en hij liet een paar scharlakenrode bladeren vallen alsof hij zich nu al overgaf. Eentje dwarrelde in de richting van Ross, die het opraapte en aandachtig bekeek, het blad om en om draaide alsof het iets was wat hij nog nooit had gezien.

'Ik denk dat er over een dag of twee wel weer een paar graven bij zullen komen in Tennessee', zei Henryson. 'Galloway of zijn moeder hebben eindelijk uitgedokterd dat het niet om de kroon ging, maar meer waar die voor staat.'

'Hoe bedoel je?' vroeg Stewart.

'Ik bedoel wie er een kroon draagt. Er is een Kingston en een Kingsport en die liggen allebei in de bergen.'

'En ze liggen allebei aan een spoorlijn', zei Ross, die nog steeds naar het blad zat te kijken.

'Waren dat ook de plaatsen waar jij aan dacht,' vroeg Stewart, 'toen je laatst zei dat je wist waar ze waren?'

Ross knikte.

'Ja. Ik wist wel dat ze er vroeg of laat achter zouden komen.'

'Waar zou Galloway eerst naartoe gaan?' vroeg Stewart aan Henryson.

'Dat heeft hij niet gezegd', antwoordde Henryson. 'Ik weet alleen dat hij vanavond op pad gaat.'

'We zullen er snel genoeg achter komen of Galloway de juiste keus heeft gemaakt', zei Ross.

'Denk je dat?' vroeg Henryson. 'Hij zou ze kunnen achterlaten in het bos om te worden opgevreten door wilde beesten of ze in een droge bron kunnen gooien, dan zou er nooit een haan naar kraaien.'

'Dat zou hij kunnen doen, maar dat doet-ie niet. Die lui willen niet dat er getwijfeld wordt aan hoe slecht ze zijn. Ze willen juist dat iedereen het weet.'

'Daar heb je wel gelijk in, denk ik', stemde Henryson in. 'Heb je gehoord dat ze de pet van de jonge Vaughn op de brug hebben gevonden met een briefje erop gespeld? Volgens zijn moeder was het echt zijn handschrift.'

'Wat stond erop?' vroeg Stewart.

'Alleen dat het hem speet.'

'Ik denk dat hij Galloway de moeite wilde besparen om hem op te sporen', zei Ross.

'Ik begrijp wel dat hij er een eind aan wilde maken', zei Henryson. 'Het zou afschuwelijk zijn om de rest van je leven nauwelijks vrij te kunnen ademen zonder in de rats te zitten of Galloway je van achteren zou besluipen. Ik zou ook in de verleiding komen om er een eind aan te maken.'

'Maar zijn lichaam hebben ze nog niet gevonden', merkte Stewart op. 'Dat geeft toch wel hoop.'

'Het was altijd al een pientere jongen', zei Henryson. 'Het zou best kunnen dat hij geprobeerd heeft om ze op een dwaalspoor te brengen.'

'Nee', zei Ross met hoorbare vermoeidheid in zijn stem. 'Wat er van hem over is als de rivierkreeften en de meervallen met hem klaar zijn, komt ergens stroomafwaarts wel bovendrijven. Wacht maar een paar dagen af.'

'Meeks zei dat Albright heeft gebeld', zei Serena die avond toen Pemberton en zij zich gereedmaakten om naar bed te gaan.

'Hij begint volgende week met de onteigeningen,' zei Pemberton, 'tenzij we zijn bod aannemen.'

'Is zijn bod gelijk gebleven?'

Pemberton knikte terwijl hij zich vooroverboog om zijn schoenen uit te trekken, maar hij keek haar niet aan.

'Dan gaan we akkoord', zei Serena. 'Van de opbrengst van die veertienduizend hectare kaalgekapt land kunnen we veertigduizend hectare mahonie in Brazilië kopen.'

Ze trok het laatste kledingstuk uit. Het viel Pemberton op dat het litteken dat over haar buik liep niets had veranderd aan Serena's vrijmoedigheid. Ze liep naar de klerenkast met dezelfde katachtige gratie en souplesse als toen die eerste nacht in Boston. Pemberton herinnerde zich dat ze de avond dat ze was thuisgekomen uit het ziekenhuis naakt voor de spiegel was gaan staan, het litteken aandachtig had bekeken en haar vinger eroverheen had laten glijden terwijl ze strak in de spiegel keek. Mijn schermwond, had ze tegen Pemberton gezegd. Ze had zijn hand vastgepakt en ook zijn vingers over de volle lengte van het litteken laten gaan.

'Dus die lui uit Chicago zijn bereid om te tekenen?' vroeg Serena terwijl ze haar blouse en broek in de klerenkast hing.

'Ja', zei Pemberton.

'Ik neem aan dat Garvey zich niet zo ver naar het zuiden waagt.'

'Nee, hij stuurt zijn advocaat om het contract te tekenen.'

'Ik denk dat het voor hem zelfs in het noorden moeilijk is om investeringsmogelijkheden te vinden', zei Serena. 'Misschien wordt hij op de lange termijn wel onze beste compagnon. Hoe zit het met onze investeerders in Quebec?'

'Die hebben nog wat vragen voordat ze hun handtekening zetten.'

'Ze tekenen heus wel', zei Serena. 'Heb je ze verteld over je verjaardagsfeest?'

'Ja', zei hij kortaf.

'Daar moet je niet zo zwaar aan tillen, Pemberton. Dit zou heel goed de laatste keer kunnen zijn dat we een van hen zien. Als we eenmaal in Brazilië zitten, zijn ze niet meer dan een naam op een cheque.'

Serena liep naar het raam en trok de gordijnen een stukje open om uit te kunnen kijken op de bergkam.

'Ik heb vandaag met mevrouw Galloway gesproken. Dat had ik nog nooit gedaan, maar ze was in de kampwinkel. Ik moet zeggen dat ik geen hoge pet op heb van haar voorspellingen', zei Serena met een stem die nadenkend begon te klinken. 'Wat misschien ook verklaart waarom de lamp in haar keet nog steeds niet aan is.'

Serena trok de gordijnen verder open. Ze bracht haar hoofd dichter bij een van de hoogste ruitjes, alsof ze het tussen de raamstijlen wilde inkaderen.

'Vanavond is er een maansverduistering', zei ze. 'Dat heb ik altijd indrukwekkend gevonden, niet alleen het licht, maar ook hoe de kleuren veranderen. Galloway noemt het een jagersmaan. Een betere nacht om te jagen is er niet, zegt hij.'

Serena draaide zich niet om toen ze sprak. Haar ogen tuurden voorbij de woonketen en de bergkam naar een hemel die zijn maan en sterren nog moest prijsgeven. Pembertons vingers bleven rusten bij zijn hemdsknoopje toen hij zijn blik liet vallen op de halvemaanslijn tussen de blanke huid van Serena's bovenrug en schouders en haar nek die donkerder was. Vaak had hij met zijn vingers en lippen die scheidslijn beroerd tussen het deel van Serena dat anderen mochten zien en het deel dat alleen door hem werd gezien. Met zijn blik volgde hij de gebogen lijn van Serena's rug, die ze gedraaid had om door het raampje te kunnen kijken, en liet die vervolgens langs de slanke taille omlaaggaan naar de heupen, de gespierde kuiten, de enkels en tenslotte naar de voeten zelf, de hielen van de grond, omdat Serena op haar tenen stond. Ze bleef bij het raam staan, alsof ze de pose voor hem vasthield. Een pose die zelfs in stilstand ook beweging uitdrukte, als een stroming onder een kalm wateroppervlak.

Pemberton wist dat Serena erop wachtte dat hij naar haar toe zou komen en zijn borst tegen haar rug zou drukken, haar borsten in zijn handen zou nemen om haar tepels hard te voelen worden in zijn handpalmen wanneer ze haar heupen tegen zijn kruis drukte en haar mond naar hem toekeerde om hem te kussen. Hij ging niet naar haar toe. Na een poosje kwam Serena bij het raam vandaan, maar ze liet de gordijnen open. Ze stapte in bed en tilde de dekens op toen Pemberton zijn overhemd verder losknoopte.

'Kom in bed', zei Serena zachtjes. 'Laat mij je maar verder uitkleden.'

Pemberton ging liggen en voelde het veren matras en de bedspiraal onder zijn rug meegeven. Serena zette haar knieën aan weerskanten van zijn heupen en boog zich over hem heen terwijl haar handen het overhemd van zijn schouders trokken en er zijn armen een voor een uit bevrijdde. Serena's handen gleden over zijn ribbenkast, ze boog zich dichter naar hem toe en drukte haar lippen op de zijne toen haar lichaam zich over hem heen vlijde. Hij reageerde niet.

Na een poosje liet Serena zich van Pemberton af glijden en lag ze naast hem met haar hand lichtjes op zijn borst.

'Wat is er?' zei Serena. 'Ben je ergens anders met je gedachten?'

Eenendertig

Met een van de twintigdollarbiljetten op zak om boodschappen te doen stak Rachel de spoorbaan over naar de stoep aan de overkant. Er reed een krakende wagen voorbij en tussen de latten aan de zijkant stak de kop uit van een zwart-witte Holsteiner. Rachel rook mest en stro, geuren die zo veel uitgesprokener en vertrouwder waren dan het allegaartje van geuren in Kingsport. Die wordt waarschijnlijk iemands melkkoe, dacht ze, en ze deed één stap van de stoep. Ze zette geen tweede stap.

Wat ze als eerste zag was een ontbreken, een leemte in de menselijke gedaante waar pols en hand hoorden te zijn. Galloway hing rond bij het postkantoor, met een lucifer in zijn mondhoek. Ook van deze afstand bestond er in haar hoofd geen enkele twijfel. Het sluike zwarte haar en de kleine, pezige gestalte, de manier waarop hij zijn hoofd iets schuinhield. Het afnemende daglicht voelde plotseling compacter, ingedikt, alsof ze haar vinger erdoorheen kon halen en dan zou zien dat haar huid daar een gelig tintje had gekregen. Rachel deed langzaam een stap terug, bang dat een snelle beweging zijn blik zou afleiden van degenen die dichter langs hem heen liepen.

Toen ze buiten zijn gezichtsveld was, zette ze het op een hollen, in eerste instantie naar het huis van mevrouw Sloan. Maar ineens kozen haar lichaam en geest alsof ze één waren een andere koers en holde ze naar het station. Toen ze de ingang had weten te bereiken, bleef Rachel even staan om tot rust te komen voordat ze naar binnen ging. Hij heeft je niet gezien en hij weet niet waar we logeren, hield ze zichzelf voor. We hebben de tijd.

Achter het kaartjesloket zat een corpulente man met een vollemaansgezicht getallen te bestuderen in een spiraalschrift. Toen hij opkeek, zocht Rachel naar iets in zijn voorkomen waar ze vertrouwen uit kon putten en vond dat in zijn vlinderdasje en bril. Wat een dokter zou aanhebben, dacht ze.

'Zeg het maar, mevrouw', zei hij, op een toon die vriendelijk noch onvriendelijk was.

'Een man met maar één hand, niet veel groter als ik, is die hier geweest?'

'Vandaag, bedoel je?'

'Vandaag of gisteren.'

De man schudde zijn hoofd.

'Niet dat ik me kan herinneren.'

'Weet u het zeker? Het is belangrijk.'

'Ik zie heel veel mensen,' zei de man, 'maar ik denk dat zo iemand me wel bijgebleven was.'

Rachel draaide zich om en wierp een blik uit het raam, toen legde ze het twintigdollarbiljet op de balie.

'Hoe ver kan ik hiermee komen, samen met mijn kleine?'

'Welke kant wil je uit?'

Rachel zweeg even. Op de wand achter de lokettist hing een kaart van de Verenigde Staten, overdekt met een wirwar van zwarte lijnen, als een spinneweb. Ze vond Tennessee en volgde met haar ogen het netwerk van lijnen naar het noordwesten.

'We willen naar Seattle in Washington.'

'Met twintig dollar komt u tot Saint Louis', zei de man.

Heel even overwoog Rachel naar huis te gaan om meer geld te halen.

'Kunnen we in de trein zelf kaartjes kopen voor de rest van de reis?'

De lokettist knikte.

'Dan is Saint Louis goed', zei Rachel. 'Hoe laat vertrekt hij?'

'Over anderhalf uur.'

'Is er geen eerdere trein?'

'Alleen maar goederentreinen.'

Rachel zweeg even en gaf de man toen het bankbiljet.

'Twee kaartjes voor Saint Louis', zei de man en hij legde de kaartjes en twee kwartjes wisselgeld voor haar neer.

Rachel pakte de kaartjes, maar liet de kwartjes liggen.

'Die man waar ik het over had, als hij komt vragen ...'

De man pakte het kleingeld van de balie en stak het in zijn vestzakje.

'Ik heb vandaag geen kaartjes verkocht aan een vrouw met kind', zei hij.

In de deuropening van het station bleef ze even staan en keek nog even in de richting van het stadje voordat ze de spoorweg overstak en het huis binnenging. Mevrouw Sloan zat in de keuken appels te schillen en Jacob deed een dutje in de achterkamer.

'Die man is hier in de stad, die waar de sheriff me voor gewaarschuwd heeft', zei Rachel.

Ze liep haastig door naar de achterkamer. Ze pakte het geld en het jachtmes onder het kussen vandaan en stopte die in de reistas met de andere spullen die ze het hardst nodig dacht te hebben. Mevrouw Sloan kwam de kamer binnen.

'Wat kan ik doen om te helpen?'

'U moest maar naar het huis van uw schoonzus gaan en daar blijven', zei Rachel terwijl ze Jacob uit bed tilde. 'Daar kunt u de sheriff bellen en hem zeggen dat Galloway hier is.'

De oudere vrouw kwam naar haar toe met het speelgoedlocomotiefje en de sok vol stuiters in haar dooraderde handen.

'Deze moet je niet vergeten', zei mevrouw Sloan terwijl ze het locomotiefje in de sok deed en die dichtknoopte. 'Hij zou helemaal van slag raken als je die hier liet.'

Rachel stopte de sok in de zak van haar jurk. In een ommezien had ze met Jacob het huis verlaten en stak ze de spoorweg over naar de goederenwagon, de beste plek om te wachten, omdat ze vandaar zowel het huis als het station kon zien. Kon zien, maar niet gezien kon worden, dacht Rachel bij zichzelf. Ze stak het laatste spoor over en keek achterom in de richting van het stadje, maar ze zag niemand. Jacob begon te drenzen.

'Stil maar', zei ze.

Rachel stapte snel door de braamstruiken en bleef niet staan toen haar jurk aan de dorens bleef haken. Ze tilde Jacob en de reistas in de goederenwagon voordat ze zelf instapte.

Aanvankelijk was er niets dan schemering. Toen haar ogen zich geleidelijk aan het donker aanpasten, zag Rachel een matras, bestaande uit twee halfvergane lappendekens opgevuld met maïslies, met daarnaast een vergeelde krant en een leeg sardineblikje. Wie hier ook geweest is, hij komt pas terug als het buiten een beetje is afgekoeld, dacht Rachel. Ze zette Jacob en de reistas neer, liep toen naar het achterste gedeelte van de wagon en pakte de geïmproviseerde matras tussen duim en wijsvinger beet om hem dichter naar de deuropening te slepen. Er schoot een grijze flits uit de matras; het lijfje en de lange staart streken langs haar enkel toen hij tussen haar benen door schoot en de deuropening uitvloog. Geritsel in de doornstruiken en toen niets meer.

Met haar schoen schopte Rachel voorzichtig tegen de matras. Er kwam niets meer uit tevoorschijn en ze sleepte de matras naar de deur. De maïslies knisperde toen ze ging zitten en zich vooroverboog om Jacob op schoot te nemen. Er passeerde een goederentrein die de wagon deed schudden en die zo langzaam reed dat Rachel de woorden en getallen op elke afzonderlijke wagon die hoog en breed voor haar langstrok kon lezen. Van verscheidene wagons stonden de metalen schuifdeuren open. Uit een ervan keek een zwerver naar buiten.

Toen de personeelswagon was gepasseerd richtte Rachel haar blik op het huis. Weldra kwam mevrouw Sloan naar buiten met een koffer in de hand. De oude vrouw liep met vastberaden pas in de richting van de stad. Een paar minuten later ging er een man het station binnen, die vervolgens weer naar buiten kwam en ook naar de stad liep. Het was een warme dag geweest voor het vroege voorjaar en in de goederenwagon was de hitte van de dag blijven hangen als in een oven. Er vormden zich zweetdruppeltjes op Rachels voorhoofd en de stof van haar jurk begon plakkerig te worden tussen haar schouderbladen.

Jacob boog zich naar voren en wees naar een kameleon die zich vastklampte in de deuropening. De rug en poten van de kameleon waren even felgroen als een kaneelvaren. Op zijn keel zat een rode huidblaas die uitzette en samentrok, maar verder zat het diertje er volkomen roerloos bij.

'Mooi, hè?' zei Rachel tegen Jacob.

Na een paar tellen kroop de kameleon verder over het roestige metaal en bleef toen weer zitten. Het groen van de kameleon verkleurde naar lichtbruin en algauw had hij zich zo goed aangepast aan het roestige metaal dat hij vrijwel onzichtbaar was. Dat trucje zou voor ons ook handig zijn, dacht Rachel.

Jacob kroop dichter tegen haar aan, slaperig genoeg om niet jengelig te worden van de warmte in de wagon. Zijn adem nam een slaapritme aan en kort daarna zette de schemering in. Aan de hemel verscheen een bleke, gezwollen maan, die de kleinere sterren verdrong toen hij dichter naar de aarde kroop. Er verspreidde zich een ijl, wit licht over de grond, alsof er rijp op lag. Er passeerde weer een goederentrein. Nog maar een uurtje, hield Rachel zichzelf voor terwijl haar ogen van het huis naar het station gingen.

Het werd eindelijk wat koeler in de wagon nu de hitte van de dag samen met het daglicht begon te tanen. Een man en een vrouw liepen het station binnen, kwamen weer naar buiten en gingen op een houten bankje op de trein zitten wachten. Algauw kreeg het stel gezelschap van allerlei andere reizigers. Er flakkerden lampen aan die het station in een gele gloed hulden. Niemand ging naar het huis van mevrouw Sloan. Bij de deur van de wagon klonk geritsel en Rachel zag de snuit van een rat aarzelend tevoorschijn komen.

'Kssjt', zei ze en ze trok een maïsstengel uit de matras om naar de rat te gooien als die zich te dichtbij waagde, maar toen hij haar stem hoorde, verdween hij weer in het struikgewas.

Jacob werd wakker en liet zich horen. Rachel voelde aan zijn luier, maar die was droog. Misschien heeft hij honger, dacht ze bij zichzelf, en ze zette het kind op de matras. Ze pakte een tarwekoek uit de reistas en gaf hem die. Het maanlicht werd steeds intenser van kleur en de rails glommen alsof ze verzilverd waren. De hemel was volkomen wolkeloos. Rachel keek naar de lucht en zag dat de maan niet wit meer was, maar een dieporanje kleur had gekregen.

In de achterkamer van mevrouw Sloan verscheen ineens een kleine lichtvlek. Het licht verdween en Rachel hoopte dat ze het zich maar had verbeeld, maar toen dook het op in de keuken, waar het rondging als het fosforescerende licht op rottend hout voordat het weer even in de achterkamer te zien was. Rachel kneep haar ogen tot spleetjes en wachtte af of ze de lichtbundel van een zaklantaarn over het erf van mevrouw Sloan zou zien gaan, of anders een donkere schaduw.

Ze zag echter niets. Galloway was even spoorloos verdwenen als het licht van de zaklantaarn die hij in zijn hand had gehouden. Hij zou nu regelrecht naar de stad of naar het station kunnen lopen, of regelrecht op ons af, dacht Rachel, en ze trok zich met Jacob verder terug in de wagon. Er gingen minuten voorbij, al zou ze dat niet hebben geloofd als ze geen passagierstrein had horen aankomen. Rachel tilde Jacob en de reistas op. Braamstruiken graaiden naar haar benen en telkens dacht ze in een flits dat Galloway haar te pakken had.

Eindelijk voelde Rachel sintels onder haar voeten. Ze stapte niet op de glimmende rails, maar liep naast het spoor. De trein floot en ze deed nog een paar stappen. Bij het station stond een grote eik en in zijn takken zat wat maanlicht verstrikt. Rachel bleef onder de boom staan in een poel van duisternis, op een paar meter afstand van de lichtgloed van het station. Aandachtig bekeek ze de reizigers die zich op het perron hadden verzameld en wierp een blik door de brede ramen van het station, maar zag daar niemand. De trein reed het station binnen en kwam sidderend tot stilstand.

Er stapten twee mannen uit, maar dat was alles, en algauw

nam de trein nieuwe passagiers aan boord. Rachel haalde de kaartjes uit haar zak, begon te lopen en stond bijna op het punt om het perron op te stappen toen iets haar tegenhield. Niet iets wat ze zag, maar iets wat ze voelde, zoals de keer dat ze als kind het deksel van de waterput had willen optillen, maar toen een kanjer van een zwarte weduwe had gezien op de plek waar ze het deksel zou hebben vastgepakt. De laatste passagiers stapten in, maar Rachel verroerde zich nog steeds niet. Toen zag ze hem in de verte, in de schaduw van het station. De laatste reiziger stapte in en de trein zette zich in beweging – ten afscheid zwaaide de baanwachter zijn lantaarn heen en weer.

Rachel liep weg van de lichtgloed van het station, maar in de ondoordringbare schaduw van de eik kon ze haar voeten niet eens zien. Als ik struikel en val, en die kleine hier het op een brullen zet, zijn we er geweest, dat is een ding dat zeker is, dacht Rachel. Allerlei schrikbeelden doemden bij haar op; ze kon bij een misstap naar links of rechts in een greppel belanden of struikelen over een roestig paaltje. Je moet gewoon langs dezelfde weg teruggaan als je gekomen bent. Ze deed een stap in het duister omdat er niets anders opzat. En nog een stap, aarzelend en voorzichtig. Alsof je een vijver met dun ijs oversteekt, dacht ze, en het leek wel of iets in haar gespitst was op het eerste gekraak. Zeven stappen, toen was ze uit de schaduw van de boom.

Rachel liep nu in een sneller tempo door naar de goederenwagon, diep voorovergebogen zodat ze amper boven het struikgewas en het onkruid uitstak. Het enige wat ze kon bedenken was dat ze de stad moest proberen te bereiken om op zoek te gaan naar de plaatselijke politieman, maar sheriff McDowell had haar op het hart gedrukt niemand anders dan zijn neef te vertrouwen, ook niet als hij een sheriffinsigne droeg. Het maanlicht was nu zo helder en fel dat ze het huis van mevrouw Sloan duidelijk kon zien. Toen schoot haar te binnen dat het oktober was, dat haar vader dit een jagersmaan noemde en dat hij had beweerd dat bloed op de maan ook bloed op het land betekende. Rachel ging nog harder lopen en klauterde met Jacob zo snel mogelijk weer de goederenwagon in, maar ze kon het gevoel niet van zich afzetten dat mevrouw Pemberton en Galloway zelfs de heerschappij voerden over de maan, de sterren en de wolken. Dat ze uitgerekend op deze avond hadden gewacht om haar en Jacob te gaan zoeken. Niet naar de maan kijken, hield ze zichzelf voor. Rachel kroop zo ver mogelijk weg in de wagon en klemde Jacob nog steviger in haar armen.

Ze hoorde een trein, niet de trein die net vertrokken was, maar een die uit de bergen het dal kwam binnenrijden, een goederentrein. De locomotief stopte naast een bunkerplaats voor steenkool helemaal aan de andere kant van het station. Rachel pakte Jacob en de reistas op en liep langs het spoor naar de plek waar ze eerder had gestaan. Ze speurde het station af, ook het afgelegen, beschaduwde hoekje waar Galloway een kwartier geleden had gestaan. Hij was er niet meer. De laatste steenkool kletterde uit de stortkoker en de trein zette zich in beweging. De locomotief reed langs het station en toen er verscheidene wagons waren gepasseerd, pakte Rachel Jacob en de reistas op en liep snel naar de trein, dit keer niet alleen beschenen door de maan, maar ook door het licht dat van het station kwam. Ze stapte op een dichterbij gelegen spoor en de trein reed langzaam voor haar langs. De schuifdeuren van de vijfde wagon waren open, maar die kon Rachel niet op tijd bereiken. Knarsend reden er nog zes wagons voorbij voordat er weer één kwam waarvan de deuren open stonden. Ze zette Jacob en de reistas erin en sprong toen zelf aan boord. De trein reed langs de oude goederenwagon en algauw langs de donkere achterkant van gebouwen.

Hij kwam eraan, liep nu naast de personeelswagon, maar hij verkleinde de afstand die hen scheidde telkens met één wagon, kwam steeds dichterbij, al rende hij niet eens. Hij struikelde, stond op en ging weer door. Hij had een grijns op zijn gezicht en schudde vermanend zijn wijsvinger. Ze had nooit geweten dat angst een smaak had, maar toch was dat zo. Angst smaakte naar krijt en metaal. Rachel schoof Jacob verder naar achteren in de wagon, zo ver dat de rug van het kind tegen het rammelende metaal drukte. Rachels ribben knelden als een bankschroef om haar hart.

De trein won aan snelheid, maar niet genoeg. Galloways gezicht dook op naast de wagon. Hij liep nu op een drafje, zijn hand uitgestrekt. Om Galloways nek hing een koord van groezelig touw met een dolk eraan. Rachel dacht aan het jachtmes, maar de tijd ontbrak om het uit de reistas te pakken. Ze haalde de sok tevoorschijn uit de zak van haar jurk toen Galloway zijn hand uitstak om de deur vast te pakken terwijl glimmende dolk op zijn borst heen en weer slingerde. Hij bleef naast hen meedraven en maakte aanstalten om naar binnen te springen. De krijsende stoomfluit van de trein klonk als een laatste waarschuwing.

Galloway hees zich half de wagon in, zijn hoofd en buik op de metalen vloer terwijl zijn benen nog buiten bungelden. Rachel hief de sok op tot naast haar gezicht. Ze wachtte heel even, hoopte met heel haar hart dat het pond glas en staal zou volstaan, en liet de sok toen zo hard mogelijk neerkomen op Galloways boosaardig grijnzende gezicht. Zijn ogen draaiden weg. Heel even hing zijn lichaam half in en half buiten de wagon. Toen zette Rachel haar schoen tegen zijn voorhoofd en duwde hem naar buiten. Galloway belandde in een greppel. Rachel boog zich uit de wagon en keek hoe de personeelswagon langs de plek reed waar hij was terechtgekomen. Ze bleef het spoor in de gaten houden, maar Galloway stond niet op. Jacob zat te krijsen en ze nam hem in haar armen.

'Nu zijn we veilig', zei ze tegen hem. 'Nu zijn we veilig.'

Er lag hooi op de wagonvloer en een deel daarvan hoopte Rachel op in een van de hoeken. Ze ging er met Jacob op liggen, haar armen om hem heen. Ze waren Kingsport uit en reden in zuidelijke richting naar de Smoky Mountains. Een enkele keer passeerden ze een boerderij, waarvan het karige licht dat uit de ramen naar buiten viel heel even over de metalen vloer streek, dan waren ze er al voorbij. Het kind viel weldra in slaap bij de wiegende harteklop van de trein, en daarna ook Rachel. Ze droomde dat ze met Jacob op een maïsveld stond waar maar één groene stengel groeide. Toen ze het buitenste blad van die enige kolf aftrokken, zagen ze geen maïs, maar het lemmet van een mes.

Ze werd in het donker wakker en wist heel even niet waar ze was. Rachel kromde haar lichaam nog dichter om Jacob heen en probeerde de slaap weer te vatten, maar dat wilde niet lukken. Ze luisterde naar de trein die over de rails reed, luisterde naar Jacobs gelijkmatige ademhaling. Rachel wachtte tot de wielen onder haar vertraagden, en toen dat eindelijk gebeurde, stapte ze met Jacob uit, stak een heleboel spoorbanen over en liep toen om stilstaande goederenwagons heen naar het station. Op het bord boven de deur stond Knoxville. Ze ging naar binnen om de dienstregeling te bekijken en vroeg toen of ze de telefoon mocht gebruiken die achter de balie aan de muur hing. De gesprekskosten waren voor de ander, verzekerde ze de stationschef. Ze hield de hoorn tegen haar oor en boog zich dicht naar het spreekgedeelte. Jacob pakte de zwarte, met stof omwikkelde telefoondraad vast terwijl Rachel met de telefoniste sprak.

McDowell nam al op toen de telefoon één keer was overgegaan.

'Waar ben je?' vroeg hij, en toen ze dat had verteld, vroeg hij meteen wanneer de eerstvolgende trein ging.

'De trein die we moeten hebben gaat pas over vier uur.'

'Neem de eerstvolgende trein,' zei hij nogmaals, 'maakt niet uit waarnaartoe.'

'Over een half uur gaat er een naar Chattanooga.'

'Neem die. En wanneer jullie in Chattanooga zijn, koop je het kaartje naar Seattle.'

'U denkt zeker dat hij al hiernaartoe onderweg is', zei Rachel.

'Dat lijkt me wel.'

Heel even was er door de tussenliggende kilometers telefoonlijn alleen maar geruis te horen.

'Zorg nou maar dat je in Chattanooga komt', zei McDowell. 'Ik ga dit vanavond oplossen, definitief oplossen.'

'Hoe dan?'

'Breek je daar het hoofd maar niet over. Ga nou maar snel kaartjes kopen.'

Rachel deed wat hij had gezegd. Ze bedacht dat ze de vorige lokettist wellicht niet genoeg geld had geboden en daarom gaf ze deze een biljet van vijf dollar. Toen beschreef ze Galloway.

De lokettist keek naar het biljet en er verscheen een lachje op zijn gezicht waaruit troost noch medeleven sprak.

'Je moet wel flink in de problemen zitten,' zei de lokettist, 'en als ik één ding heb geleerd is het wel dat mensen met problemen niks verschillen van mensen met hoofdluis of diarree. Als je te dicht bij ze komt, kun je erop wachten dat je het zelf ook krijgt.'

De lokettist keek langs Rachel toen hij dit zei, alsof hij zo ingenomen was met zijn woorden dat hij hoopte dat ze door een groter publiek waren gehoord.

Rachel keek de man aan en hield zijn blik vast tot de grijns van zijn gezicht verdween. Ze voelde geen woede of angst meer en zelfs geen vermoeidheid. Wat overbleef was slechts een doffe aanvaarding van het feit dat Jacob en zij het misschien zouden overleven, of niet. Er zou iets gebeuren of het zou niet gebeuren, en dat was alles. Bijna alsof ze buiten zichzelf was getreden en vanuit de verte toekeek op zichzelf en het kind. Toen Rachel sprak, klonk die innerlijke kilte ook door in haar toon.

'Meneer, u helpt ons, of u helpt ons niet. U kunt de draak steken met onze problemen en lachen om uw eigen slimmigheden. U kunt mijn geld weigeren of het wel aannemen en evengoed vertellen waar we naartoe gaan. U doet maar wat u niet laten kunt. Maar u moet één ding weten. Als die man ons vindt, snijdt hij de kleine hier zijn keel door en dan laat hij hem doodbloeden als een big. Dat bloed zal net zo goed aan uw handen kleven als aan de handen van de man die hem vermoordt. Als u ermee kunt leven dat u zoiets op uw geweten hebt, ga dan uw gang en vertel het hem.'

De lokettist legde een hand op het vijfdollarbiljet, maar trok het niet naar zich toe. Zijn blik rustte niet meer op Rachel, maar op Jacob.

'Ik zal het hém niet vertellen en niemand niet', zei hij en hij gaf Rachel het geld terug.

Tweeëndertig

Het was die nacht niet de felle gloed van de vlammen of de rooklucht waardoor Pemberton wakker werd, maar een geluid, iets wat hij hoorde, maar pas registreerde toen hij door zijn andere zintuigen uit een rusteloze slaap was gehaald. Toen hij zijn ogen opendeed, was het bed een vlot, losgeslagen op een opkomend tij van rook en vuur. Serena was ook wakker geworden en een paar tellen lang lagen ze alleen maar te kijken.

De voorkant van het huis was verdwenen in een vlammenzee, net als de hal die naar de achterdeur leidde. Het slaapkamerraam was anderhalve meter bij hen vandaan, maar aan het oog onttrokken door rook. Telkens wanneer Pemberton inademde, voelde dat alsof hij een mondvol as binnenkreeg die zijn keel en longen verschroeide. De hitte sloeg in golven over zijn naakte huid. De rook leek niet alleen de kamer, maar ook zijn hersens te vertroebelen, en heel even vergat hij waarom het raam belangrijk was. Serena hield zich aan zijn arm vast en moest net als hij onbedaarlijk hoesten. Ze hielpen elkaar het bed uit en Pemberton sloeg een deken om hen heen waarvan de rand vlam vatte toen die de vloer raakte.

Pemberton gebruikte zijn laatste heldere gedachte om in te schatten waar het raam zou zijn. Met zijn arm om Serena en haar arm rond zijn middel leidde hij hen struikelend en buiten adem naar het raam. Toen Pemberton het had gevonden, boog hij zijn hoofd, draaide zijn schouder en gebruikte de kracht die hem restte om het glas en de houten raamstijl kapot te stoten. Met de armen om elkaar heen geslagen doken Serena en hij door het raam terwijl om hen heen een werveling van weerkaatsende, caleidoscopische stukjes glas neerdaalde. Even bleven hun benen haken aan de vensterbank, toen gleden ze door. En vervolgens vielen ze, zo langzaam dat het niet op vallen leek, maar op zweven. Pemberton voelde een moment van gewichtloosheid, alsof ze waren ondergedompeld in water. Toen kwam de grond op hen af.

Ze kwamen neer, rolden uit de brandende deken en drukten hun naakte vlees tegen elkaar. Serena en hij bleven op de grond liggen en elkaar vasthouden, ook al werd hun lichaam bijna verscheurd door het hoesten. Pemberton had zijn onderarm verbrand en er stak een vijftien centimeter lange glasscherf diep in zijn dij, maar hij verbrak hun omarming niet. Toen het dak instortte, sproeiden er oranje vonken de lucht in, die heel even bleven zweven voordat ze uitdoofden. Pemberton schoof over Serena heen om haar te beschermen en hij voelde een brandende pijn van hete as en sintels op zijn rug voordat ze afkoelden.

Ze hoorden luid geschreeuw hun kant op komen toen de arbeiders die nog in het kamp waren toestroomden om het vuur in te dammen. Meeks doemde op uit de rook en boog zich over Pemberton en Serena heen om te vragen of ze ongedeerd waren. Serena zei ja, maar zij en Pemberton bleven zich aan elkaar vastklemmen. Terwijl de hitte over hem heen sloeg, dacht Pemberton aan hun struikelende spurt naar het raam en hoe, in dat ene moment, de wereld zich eindelijk aan hem had geopenbaard, een wereld waarin niets anders bestond dan hijzelf en Serena, terwijl alles om hen heen in vlammen opging. *Alsof je ophoudt te bestaan.* Ja, had hij gedacht, nu begrijp ik het.

Pemberton liet Serena eindelijk los om de glasscherf uit zijn been te trekken. Meeks hielp Serena en Pemberton overeind en sloeg een laken om hen heen.

'Ik zal een dokter bellen', zei Meeks en hij liep resoluut terug naar het kantoor.

Serena en Pemberton begonnen langzaam diezelfde kant op te lopen, arm in arm. De vlammen zetten het hele kamp in een trillende weerschijn, waarin het licht zich bundelde en als oplichtende schaduwen uiteenviel. Pemberton maakte een snelle inventarisatie van wat er in het huis was verbrand dat niet vervangen kon worden. Niets. Er kwam een voorman op Serena af, zijn gezicht gemarmerd met roet en zweet.

'Ik heb er mannen opuit gestuurd om ervoor te zorgen dat het vuur zich niet verspreidt', zei hij. 'Als we de boel geblust hebben, wilt u dan dat ik de ploegen aan het werk zet?'

'Laat ze in de buurt van het kamp blijven, voor het geval dat', antwoordde Serena. 'We laten ze uitrusten, dan kunnen ze morgen weer een volle dag draaien.'

'U mag van geluk spreken dat u daar uit bent gekomen', zei de voorman met een blik op het huis.

Serena en Pemberton draaiden zich om en zagen dat hij het bij het rechte eind had. Het achterste deel stond nog steeds in brand, maar van het voorste deel restte alleen een ravage van zwart nasmeulend hout, en het enige wat nog overeind stond was de stenen trap, die nu slechts omhoogleidde naar de verschroeide lucht. Pal voor de trap was het silhouet te zien van een man die op een rechte houten stoel zat. De man keek naar de vlammen, zich kennelijk niet bewust van de arbeiders die schreeuwend om hem heen holden. Op de grond naast de stoel stond een leeg petroleumvat van veertig liter. Pemberton hoefde het gezicht van de man niet te zien om te weten dat het McDowell was.

DEEL IV

Drieëndertig

Het duurde tot halverwege de ochtend voordat er voldoende licht door de rooksluier heendrong om meer dan een paar meter ver te kunnen zien. En zelfs toen kreeg iedereen die te lang keek nog tranen in de ogen door al die as in de lucht. Een groot deel van het kapafval en de stronken in het dal was in vlammen opgegaan, samen met de bouwsels van hout en zink, opgetrokken door mensen die daar tijdelijk in hadden gebivakkeerd. Met rook en roet besmeurde mannen liepen door het nasmeulende dal af en aan om emmers modderig water uit de beek te halen waarmee ze de laatste oplaaiende brandjes konden doven. Vanuit de verte zagen ze er niet uit als mannen, maar als donkere wezens die waren verrezen uit de as en de sintels waar ze doorheen liepen. Als het de vorige dag niet had geregend zouden alle gebouwen in het kamp zijn afgebrand.

De ploeg van Snipes zat op het trappetje voor de kampwinkel. Onder hen bevond zich McIntyre, die zich als zager voldoende had bewezen om weer in dienst te worden genomen. De lekenprediker had sinds zijn terugkeer nog geen woord gezegd, en deed dat ook niet nu de ploeg zat te kijken naar het zwarte vierkant dat ooit het huis van de Pembertons was geweest. Snipes stak een pijp op, trok er peinzend aan en liet de rook uit zijn getuite mond kringelen alsof het een noodzakelijke voorbode was van de wijsheid die aanstonds van zijn lippen zou rollen.

'Een ontwikkeld man zoals ik zou wel beter hebben geweten als te proberen ze in hun natuurlijke element om zeep te helpen', mijmerde Snipes.

'Door vuur, bedoel je?' vroeg Henryson.

'Precies. Dat is als een vis verzuipen in water.'

'Wat zou jij dan hebben gedaan?'

'Ik zou hun hart hebben doorboord met een houten staak', zei

Snipes terwijl hij nog wat tabak in zijn pijp stopte. 'Dat is wat bijna alle echte deskundigen aanraden in zo'n situatie.'

'Ik heb daarstraks nog gezien dat sheriff Bowden McDowell z'n vet probeerde te geven', zei Henryson. 'Hij haalde wel naar hem uit, maar het leek wel alsof hij vliegen aan het meppen was. Hoe graag hij ook zou willen, die nieuwe sheriff haalt het nog niet bij die andere drie.'

'Ik denk niet dat er buiten dat stel nog iemand rondloopt die zo van god los is', riep Ross uit.

De mannen zwegen een poosje en toen richtte de een na de ander zijn blik op McIntyre, die vroeger de opmerkingen van de andere mannen steevast zou hebben aangegrepen om er een preek op los te laten. Maar McIntyre bleef strak uitkijken over de woestenij naar de wazige westelijke horizon. Sinds de terugkeer van McIntyre was zijn zwijgen het onderwerp van veel speculatie geweest onder de mannen. Snipes had geopperd dat de ervaring van de lekenprediker hem ertoe had gebracht een gelofte van zwijgen af te leggen zoals monniken dat vroeger deden. Stewart bracht daartegen in dat McIntyre vroeger felgekant was geweest tegen alles wat paaps was, maar hij gaf toe dat de vliegende slang hem wat dat betrof misschien van mening had doen veranderen. Henryson veronderstelde dat McIntyre op een bijzondere openbaring wachtte voordat hij weer ging spreken.

Ross zei dat McIntyre misschien gewoon een zere keel had.

Toch had geen van de mannen moeten lachen of grinniken om de geestigheid van Ross, en Ross zelf leek al spijt van zijn opmerking te hebben zodra die over zijn lippen was gekomen, want ze waren er allemaal van overtuigd, zelfs Ross, die de meest cynische was, dat de lekenprediker een waarachtige en onherroepelijke verandering had ondergaan.

Nadat Serena en Pemberton later die ochtend waren behandeld door de dokter uit Waynesville, gingen ze gekleed in een denimbroek en een katoenen overhemd naar de kampwinkel om wat spullen bij elkaar te zoeken uit het resterende aanbod. Ze stuurden een van de arbeiders naar de stad om kleding en toiletspullen te kopen die in de kampwinkel niet voorradig waren. Serena trommelde wat keukenpersoneel op om het voormalige huis van Campbell voor hen in gereedheid te brengen terwijl Pemberton ging controleren of alle losse brandjes geblust waren. Toen hij de grillige weg van de brand volgde, constateerde Pemberton dat er weliswaar hectaren kapafval en stronken in vlammen waren opgegaan, maar dat er afgezien van het huis niet één ander gebouw aan de vlammen ten prooi was gevallen. Toen die klusjes erop zaten, bleven Serena en hij nog even dralen op het kantoor.

'Ik moet eigenlijk een rit over de bergkam gaan maken,' zei Serena, 'gewoon om na te gaan of de kabels intact zijn gebleven.'

Pemberton wierp een blik op de rekeningen en facturen op het bureau en stond toen op.

'Ik ga met je mee. De papierwinkel kan wel wachten.'

Serena liep om het bureau heen en legde haar verbonden hand op Pembertons nek. Ze boog zich naar hem toe en kuste hem hartstochtelijk.

'Ik wil je bij me hebben,' zei Serena, 'niet alleen vanochtend, maar de hele dag.'

Ze gingen naar de stal en zadelden hun paarden. Serena maakte de arend los van zijn zitblok en ze reden de stal uit. De middagzon scheen op de spoorrails, en zelfs in dit groezelige licht lag er een zachte glans over het gekoppelde metaal. Het werd tijd om de rails weg te halen, wist Pemberton, te beginnen bij de zijsporen en dan terugwerkend. Hij verheugde zich erop zijn overhemd uit te trekken en weer gelijk met de mannen op te werken en zijn kracht te doen gelden. Het leek langgeleden dat hij dat had gedaan, aangezien hij tegenwoordig al zijn dagen op kantoor sleet en als een loonslaaf bij een bank naar cijfers zat te turen. Nu Meeks was ingewerkt, kon hij er weer vaker op uit trekken, zeker straks in het nieuwe kamp.

De hoeven en voorbenen van de paarden werden zwart van de warme as toen Pemberton en Serena door het dal reden. Ze kwamen langs uitgeputte arbeiders die het roet van hun gezicht en armen wasten, mannen die er niet uitzagen als houthakkers, maar als variétéartiesten die als neger hadden opgetreden en zich na een voorstelling afschminkten. De mannen spraken niet, alleen hun droge hoest was te horen. De laatste vlammen werden geblust op de begraafplaats, waar rookpluimen opstegen alsof zelfs de zielen van de overledenen het geblakerde dal voor een gastvrijer oord verruilden.

Pemberton en Serena volgden Rough Fork Creek naar Shanty Mountain en waren halverwege toen ze achter zich iemand hoorden roepen en zagen dat Meeks hun kant uit kwam. De boekhouder had voordat hij naar het kamp kwam nog nooit op een paard gezeten en hield zijn rug gebogen en zijn hoofd dicht bij de hals van de merrie. Toen hij bij de Pembertons was aangekomen, tilde Meeks het hoofd op en sprak zacht, ongetwijfeld bang dat het paard op hol zou kunnen slaan als hij zijn stem verhief.

'Galloway heeft gebeld', zei hij tegen Serena.

Serena keek naar Pemberton.

'Ik haal je zo wel in.'

'Nee', zei Pemberton. 'Ik wacht wel.'

Serena keek Pemberton onderzoekend aan alsof ze in zijn gezicht iets zocht dat met zijn woorden in tegenspraak was. Tevredengesteld knikte ze.

'Zeg het maar', zei ze tegen Meeks.

'Galloway is "ze", wie dat ook mogen zijn, in Knoxville op het spoor gekomen, maar daar hebben ze geen kaartje gekocht', zei Meeks enigszins geërgerd. 'Hij zei dat ik ook moest vertellen dat er geen goederentrein was vertrokken voordat hij daar aankwam, dus dat "ze" er blijkbaar nog zijn.'

Meeks ging voorzichtig wat rechter in het zadel zitten om een papiertje uit zijn zak te kunnen halen.

'Hij heeft me een telefoonnummer gegeven en zei dat u hem moest bellen om te zeggen wat hij nu moet doen.'

'Bel jij hem maar', zei Serena zonder acht te slaan op het papiertje dat hij haar voorhield. 'Zeg hem dat ik heb gezegd dat ze daar vermoedelijk niemand hebben bij ze kunnen logeren en geen geld hebben en dat hij daarom in Knoxville moet gaan zoeken.'

'Ik had niet begrepen dat ik ook receptionist was', mopperde Meeks en hij begon aan zijn aarzelende afdaling naar het kamp.

Pemberton en Serena hielden pas weer halt toen ze op de bergtop waren aangekomen. Rook verduisterde de zon tot de kleur van dof koper en ook het hen omringende licht had de tint van een daguerreotype aangenomen. Serena maakte de arend los, hief haar arm en wierp hem de lucht in. De vogel steeg op en klapte met zijn grote vleugels alsof hij niet alleen lucht wegduwde, maar ook de aarde zelf. Hij beschreef een bocht naar links, liet zich even meedrijven met een opwaartse luchtstroom en klom toen nog hoger.

Pemberton keek achterom naar het kamp, naar de zwartgeblakerde leegte waar het huis had gestaan. De schoorsteen was bezweken, maar de traptreden waren intact gebleven en zagen er niet zozeer uit als de laatste overblijfselen van een huis, maar eerder als traptreden naar een galg. De stoel met de rechte rugleuning waar McDowell op had gezeten stond er nog steeds tegenover.

Serena stuurde haar paard dichter naar Pemberton toe en haar been streek langs het zijne. Hij stak zijn hand uit en streelde Serena's bovenbeen. Ze legde haar hand op de zijne en drukte er stevig op, alsof ze wilde dat Pembertons hand zijn afdruk op haar huid zou achterlaten.

'Wat zullen we met onze voormalige sheriff doen?' vroeg ze.

'Ombrengen', zei Pemberton. 'Ik kan het doen als je wilt.'

'Nee, laat Galloway het maar doen,' zei Serena, 'zodra hij terug is uit Tennessee.'

Pemberton keek omhoog en zag dat de arend in steeds krappere kringen rondvloog. Hij had een prooi ontdekt.

'Waar zou hij in Zuid-Amerika op gaan jagen?'

'Op een slang die door de mensen daar een *fer de lance* wordt genoemd', zei Serena. 'Veel dodelijker nog dan een ratelslang.'

'Wat mijn eigen jacht betreft, het ziet er niet naar uit dat ik mijn poema te pakken krijg,' mijmerde Pemberton, 'maar een jaguar is ongetwijfeld een even grote uitdaging.'

'Een uitdaging die jou nog waardiger is', zei Serena.

Pemberton staarde in haar tingrijze irissen, naar de spikkeltjes goud daarbinnen, toen naar de pupillen zelf. Hoelang was het niet geleden dat hij daarnaar had gekeken, vroeg Pemberton zich af, dat hij de moed had gehad om een dergelijke klaarheid te accepteren.

'Je bent meer de man met wie ik trouwde dan je in lange tijd bent geweest', zei Serena.

'Door die brand heb ik me gerealiseerd wat echt belangrijk is.'

'En wat is dat?'

'Alleen jij', zei Pemberton.

De schaduw van de arend trok over hen heen. Toen dook de vogel omlaag en landde vijftig meter onder hen. De vogel hield een steekspel met zijn prooi en aanvankelijk was het onafgebroken woedende gonzen van de ratels van de slang te horen, maar algauw nog slechts met tussenpozen.

'Dat is de tweeënveertigste die hij sinds begin april heeft gedood', zei Serena. 'Ik zou met hem naar Jackson County moeten gaan, dan kan hij er daar nog een paar vangen voordat de slangen door de kou naar hun schuilplaats worden gedreven.'

Serena pakte het metalen fluitje uit de zadeltas, blies erop en draaide de loer door de lucht. De vogel steeg op, zweefde met twee grote vleugelslagen naar hen omhoog, streek naast de paarden neer en liet de aardekleurige ratelslang als een stuk hout op de grond vallen. Pembertons paard hinnikte en galoppeerde achteruit, zodat Pemberton de teugels moest aantrekken, maar de arabier was zo gewend aan de vogel en zijn prooi dat hij op- noch omkeek. De slang kronkelde zich op zijn buik en Pemberton zag waar de snavel van de vogel het middengedeelte van de slang had doorboord en strengen paarskleurige ingewanden had losgetrokken. De staart van de slang ratelde nog even zwakjes na, toen verstilde hij.

Twee dagen later hoorde Pemberton 's middags Galloways auto aankomen die hotsend en rammelend het kamp binnenreed. Hij ging naar het raam van het kantoor en zag Galloway stijfjes uit de auto stappen, de linkerhelft van zijn gezicht overdekt met een paarse bloeduitstorting. De linkeroogkas was bijna zwart en het oog niet meer dan een spleetje. Galloway liep over het kaalgekapte terrein en speurde met zijn goede oog rond tot hij Serena zag. Aan het eind van de werkdag kwam ze te paard terug naar het kamp. Galloway liep haar strompelend tegemoet. Door zijn ontbrekende hand en gehavende gezicht zag hij eruit als een man die zijwaarts in een gevaarlijke machine was gevallen.

Pemberton ging weer zitten. Hij wilde er niet over nadenken wat Galloways gezicht zou kunnen zeggen over het lot van het kind. In plaats daarvan dwong hij zichzelf terug te denken aan de brand, aan de momenten waarop Serena en hij door de vlammen ingesloten waren geweest en hij niet had geweten of ze het zouden overleven of zouden doodgaan, maar dat niets ertoe deed, behalve of ze het samen zouden overleven of samen zouden doodgaan. Na enkele minuten startte Galloway de auto en reed weg uit het dal. Serena kwam het kantoor binnen.

'Galloway gaat een bezoekje brengen aan onze voormalige sheriff', zei ze, maar ze bood geen verklaring voor Galloways verwondingen, en Pemberton vroeg er ook niet naar.

Serena bleef even staan en keek naar de dozen vol dossiers die in een hoek opgestapeld stonden voor de naderende verhuizing.

'We hebben hier goed geboerd', zei Serena.

Vierendertig

Er zijn gelukkig wel bergen. Dat hield Rachel zichzelf voor toen ze met Jacob het pension verliet en Madison Street in liep. Ze stapte om een plas heen. Het had al de hele dag geregend en ook nu het donker werd in de stad bleef de regen gestaag vallen. Door een ruimte tussen de gebouwen ving Rachel een glimp op van de met sneeuw bedekte piek van Mount Rainier. Ze talmde even om het uitzicht in zich op te nemen als was het slok koel bronwater op een warme dag.

Ze dacht terug aan de vlakke uitgestrektheid van het Midwesten, en vooral aan een station in het plaatsje Kearney in Nebraska, waar ze twee uur op de volgende trein hadden moeten wachten. Ze had met Jacob een wandelingetje gemaakt door de enige straat die het stadje rijk was. Al snel werden de huizen minder talrijk en lagen er onder een weidse hemel alleen nog kale akkers waar de tarwe en de maïs geoogst waren. Een landschap waar geen enkele koesterende berg uit oprees om je te beschutten. Ze had zich afgevraagd hoe mensen op zo'n plek konden wonen. Hoe kon je niet het gevoel hebben dat alles, zelfs je eigen hart, blootlag?

Rachel was op weg naar het café waar ze van vijf uur tot middernacht voor twintig cent per uur afwaste en de tafels afruimde. Meneer en mevrouw Bjorkland vonden het goed dat ze Jacob op een gewatteerde deken in de hoek van de keuken neerlegde, en als Rachel klaar was met haar werk gaf mevrouw Bjorkland haar grote porties eten mee naar huis. Rachel passeerde elke dag genoeg berooide mannen en vrouwen op straat om te weten hoe gelukkig ze zich mocht prijzen dat ze een baantje had gevonden, geen honger hoefde lijden of in lompen hoefde rond te lopen, en dat na nog geen maand in Seattle.

Ze schrok van een autoclaxon en besefte dat ze, zelfs als ze hier de rest van haar leven zou blijven, nooit gewend zou raken aan de drukte van het stadsleven, aan het aanhoudende komen en gaan van dingen die, wát het ook waren, voortdurend geluid voortbrachten. Niet geruststellend, zoals het geluid van een beek, regen op een zinken dak of het koeren van een duif in de ochtend, maar hard en irritant, zonder ritme en zonder iets wat rust in je hoofd gaf. Behalve vroeg in de ochtend, op de momenten voordat de stad met al zijn vuil en lawaai ontwaakte. Dan kon ze door het raam naar de bergen kijken en de stille roerloosheid daarvan als een helende balsem in zich neer laten dalen.

Rachel stak de straat over. Aan de overkant deed een agent met een wapenstok zijn ronde. Een stukje verderop stond een groep mistroostige mannen in de rij voor het gebouw van het Leger des Heils te wachten om naar binnen te gaan voor een maaltje bonen met witbrood, en voor een matras met een smoezelige tijk op de keldervloer van het gebouw. Haar aandacht werd getrokken door een bos rode krullen vooraan in de rij. Rachel keek wat beter en zag het lange, slungelige lichaam, geen grijze pet, maar wel de blauw met zwart geruite jas. Ze hees Jacob wat hoger op haar arm en liep sneller door, maar toen ze bij het gebouw aankwam, was hij al naar binnen gegaan. *Als hij het was*, want Rachel begon al te twijfelen aan wat haar ogen hadden gezien, of meenden te hebben gezien. Ze overwoog naar binnen te gaan, maar toen ze dichter bij de ingang kwam, keken sommige mannen in de rij haar boos aan.

'Het vrouwenhuis is in Pike Street', zei een man zonder voortanden bars.

Rachel keek naar de grote klok boven de ingang van de bioscoop aan de overkant van de straat en zag dat ze voort moest maken als ze niet te laat op haar werk wilde komen. Toen ze over de stoep terugliep in de richting van het café, hield Rachel zichzelf voor dat ze het zich alleen maar had verbeeld. Ze kwam langs het Essotankstation en stapte over een plas waarin de menging van benzine en water een olieachtige regenboog vormde.

Het begon harder te regenen en Rachel versnelde haar pas. Ze liep juist het café binnen toen er een wolkbreuk losbarstte en het zo hard begon te regenen dat ze de overkant van de straat niet meer kon zien.

'Geef mij Jacob maar even, dan kun jij jas uittrekken', zei meneer Bjorkland toen ze binnenkwam.

Meneer Bjorkland en zijn vrouw spraken de naam van het kind uit met een extra nadruk op de eerste lettergreep, net als Rachels eigen naam. De namen klonken vriendelijker zo en het kwam Rachel normaal voor dat de Bjorklands zo spraken omdat het paste bij het soort mensen dat ze waren.

'Hier, dan kun je je afdrogen', zei mevrouw Bjorkland, die een handdoek over Rachels schouder legde.

Rachel liep de keuken in en legde Jacob op de gewatteerde deken. Ze deed haar handtas open en zette het speelgoedlocomotiefje naast het kind neer. Toen ze de tas weer wilde dichtknippen, zag Rachel het opgevouwen papiertje met een telefoonnummer en adres. Ze vouwde het papiertje open en keek naar het kleine, zorgvuldige handschrift dat je niet zou verwachten van zo'n man. Hoeveel kon je voelen voor iemand met wie je maar zes of zeven uur had doorgebracht, vroeg ze zich af. Je kon het geen liefde noemen, maar Rachel wist dat ze meer voelde dan alleen maar dankbaarheid. Rachel dacht terug aan hoe ze avond aan avond opnieuw dat nummer had gebeld maar er nooit iemand had opgenomen, totdat ze uiteindelijk de telefoniste aan de lijn had gekregen, die Rachel had verteld dat de persoon die ze probeerde te bereiken was overleden. Ze hield het briefje nog even in haar hand en gooide het toen in de vuilnisbak. Ze keek naar Jacob. Als ik dood ben, hield ze zichzelf voor, zal er tenminste nog één andere persoon op aarde zijn die weet wat sheriff McDowell voor ons heeft gedaan.

Ze verschoonde Jacob en gaf hem zijn flesje, dat algauw uit zijn mond zou glijden, wist ze. Rachel pakte het stoffen schort van de spijker aan de muur en bond het om. Ze bleef nog even staan, voelde de warmte van de keuken en liet de vreedzaamheid daarvan tot zich doordringen. Een droge, warme plek op een koude, regenachtige dag, de geur van voedsel en de langzame, zachte ademhaling van een kind dat bijna in slaap viel. *Een veilige haven*, dacht Rachel bij zichzelf, en terwijl ze in haar hoofd die woorden vormde, herinnerde ze zich dat juffrouw Stephens Seattle had beschreven en daarbij naar de linkerkant van de brede, bontgekleurde landkaart had gewezen.

Meneer Bjorkland kwam binnen door de klapdeuren.

'Zorg maar dat je afwaswater klaarstaat', zei hij. 'De zaterdagavonden zijn het drukst, dus vanavond zul je je loon dubbel en dwars waard zijn.'

Er klonk gerammel van potten en pannen toen meneer Bjorkland de keuken gereedmaakte voor de eerste bestelling. Rachel keek even naar Jacob, wiens ogen al dicht waren gevallen. Nog even en hij zou slapen, ondanks de herrie van potten en pannen, de geschreeuwde bestellingen en alle andere drukte.

Vijfendertig

Het was de kapploeg van Snipes die de laatste boom velde. Toen een ruim negen meter hoge hickory bezweek onder de trekzaag van Ross en Henryson, deden het dal en de berghellingen denken aan de afgestroopte huid van een reusachtig dier. De mannen vergaarden hun zagen en wiggen, de takelblokken, bijlen en doordouwers. Ze bleven even staan en daalden toen over een kronkelpaadje Shanty Mountain af. Het was oktober, en de bontgekleurde overalls van de arbeiders leken te zijn opgelapt met de laatste bladeren in het dal.

Eenmaal op vlak terrein rustten de mannen even uit bij Rough Fork Creek voordat ze de driekwart kilometer terugsjokten naar het kamp. Stewart knielde bij de beek en bracht een handvol water naar zijn lippen, maar spuugde die meteen weer uit.

'Smaakt naar modder.'

'En dit was de beek met het lekkerste water uit de hele omgeving', zei Ross. 'Door die kastanjebomen bij de bron smaakte het bijna zo zoet als honing.'

'Binnenkort is er hier in de bergen geen kastanje meer te vinden,' merkte Henryson op, 'en zal er nooit meer een druppel water zijn die zo lekker smaakt.'

Een poosje lang zei niemand iets. Er kwam een zwerm goudvinken in zicht, waarvan de veren fel afstaken tegen het dal toen ze naar het zuiden vlogen. Ze maakten een diepe duikvlucht en de zwerm drong dichter opeen, misschien als een laatste eerbetoon. Een paar tellen leken ze daar te blijven zweven, toen waaierde de zwerm uit als rafelend goudlaken. Nog een laatste keer cirkelden ze boven het dal voordat ze over Shanty Mountain verdwenen, hun vlucht door het zwartgeblakerde dal even kortstondig als een kaarsvlam boven een peilloze diepte.

'Sheriff McDowell, dat was pas een goeie vent', zei Stewart.

Ross knikte. Hij haalde zijn vloeitjes en tabak tevoorschijn en begon een sjekkie te draaien.

'Een betere zullen we niet gauw krijgen.'

'Wis en waarachtig niet', beaamde Snipes. 'Hij liet het er nooit bij zitten, zelfs als ieder ander er allang de brui aan had gegeven. Hij heeft ze tot het eind bevochten.'

Er verscheen een verwonderd lachje op het gezicht van Henryson. Hij knikte naar het westen, in de richting van Tennessee, en sprak zacht: 'En dan te bedenken dat de enigste twee die ze niet te pakken hebben gekregen een achttienjarig meisje was met haar kind. Dat mag toch een mirakel heten.'

Ross keek op van zijn sigaret.

'Daardoor zou je toch bijna denken dat God af en toe nog weleens deze kant op kijkt.'

'Dus dat staat vast, dat ze weg zijn gekomen?' vroeg Stewart.

'Galloway is niet meer achter ze aangegaan', zei Henryson. 'Er brandt al twee weken licht in zijn hutje en ik heb hem gisteravond met eigen ogen in de kampwinkel gezien.'

'Hij was zeker niet van zins om uit te leggen hoe zijn gezicht zo toegetakeld kwam?' vroeg Snipes.

'Nee, en de mensen stonden ook niet in de rij om het hem te vragen.'

Henryson staarde een poos naar de dichtgeslibde beek en zei toen tegen Ross: 'Het zat ook barstensvol met forel, hier in de beek. Jij en ik hebben hier toch menig keer ons avondeten vandaan gehaald. Nou zul je er nog geen knotskopje meer vangen.'

'Er zat ook wild,' zei Ross, 'herten, konijnen en wasberen.'

'Eekhoorns en beren, bevers en rode lynxen', vulde Henryson aan.

'En poema's', zei Ross. 'Tien jaar geleden heb ik er eentje gezien, hier bij deze beek, maar die tijd komt nooit meer terug.'

Ross zweeg en stak zijn sigaret op. Hij nam een stevige trek en liet de rook langzaam uit zijn mond kringelen.

'En daar heb ik aan meegewerkt.'

'Er moest brood op de plank komen voor ons gezin', zei Henryson.

'Ja, dat is waar', beaamde Ross. 'Wat ik me afvraag is hoe we voor brood op de plank gaan zorgen als alle bomen gekapt zijn en er geen werk meer is.'

'De beesten die nog over zijn hebben tenminste nog een plek waar ze naartoe kunnen', zei Henryson.

'Het park, bedoel je?' vroeg Stewart.

'Ja, precies. Het probleem is alleen dat wij er niet in mogen.'

'Mijn oom op Horsetrough Ridge heeft te horen gekregen dat hij het volgend voorjaar weg moet van zijn land,' zei Stewart, 'en hij zit dichter bij North Carolina dan waar wij nu staan.'

'Mensen eruit jagen om de beesten erin te kunnen jagen', zei Ross. 'Dat is toch godgeklaagd.'

Snipes, die zonder iets te zeggen aandachtig had geluisterd, zette zijn bril op en keek uit over het dal.

'Het ziet eruit als dat gebied in Frankrijk toen we van die hoge omes eindelijk mochten stoppen met vechten. Daar kreeg ik net zo'n gevoel bij.'

'Wat voor gevoel?' vroeg Henryson.

'Dat er zo veel dood en kapot is gemaakt dat er nooit meer leven zal zijn. Zelfs voor de mensen die nog niet geboren waren toen het gebeurde, zou het zwaar worden. Alsof je wou proberen om op een begraafplaats te wonen.'

Ross knikte. 'Ik was er pas drie maanden toen er een eind aan kwam, maar je hebt gelijk. Er hangt een bepaald gevoel op een plek waar mensen zijn doodgegaan, en waar het land samen met die mensen is doodgegaan.'

'Die ben ik misgelopen', zei Henryson. 'Die oorlog, bedoel ik.'

'Maak je maar geen zorgen', zei Snipes. 'Er is altijd wel een nieuwe in aantocht. Dat is iets waar alle geschiedkundigen en filosofen het over eens zijn. Het ziet ernaar uit dat een kerel in Duitsland binnenkort heel Europa in de hens gaat zetten, en zodra ze met hem korte metten hebben gemaakt, komt er wel weer een ander voor in de plaats.'

'Zo gaat dat nou eenmaal', zei Ross.

Stewart keek McIntyre aan.

'Wat vind jij ervan, prediker?'

De anderen keken ook naar McIntyre, niet omdat ze een antwoord verwachtten, maar om te zien of aan zijn gezicht viel af te lezen dat hij had gehoord dat hij werd aangesproken. McIntyre sloeg zijn blik op en overzag de woestenij die voor hem lag, waar al het leven uit verdreven was. Ook de andere mannen keken uit over wat deels door hun hand was aangericht en werden stil. Toen McIntyre sprak, klonk er geen schrilheid in zijn stem door, alleen een plechtigheid die zo diep en nederig was dat iedereen aandachtig luisterde.

'Ik denk dat zo het einde van de wereld er zal uitzien', zei McIntyre, en geen van hen verhief zijn stem om daartegen in te gaan.

Zesendertig

De volgende avond kleedden Pemberton en Serena zich voor het feest ter ere van Pembertons dertigste verjaardag. De meeste meubels waren nu weg, ingepakt en overgebracht naar Jackson County. Toen Pemberton door de kamer naar de klerenkast liep, galmden zijn voetstappen door alle vertrekken van het huis. Er waren nog maar een stuk of tien arbeiders in het kamp – Galloway, een paar keukenhulpen en de mannen die de rails verwijderden die in Jackson County opnieuw gebruikt zouden worden. Het dal ademde een bijna hoorbare stilte.

'Waar heeft Galloway de afgelopen paar ochtenden uitgehangen?' vroeg Pemberton.

'Aan het werk, maar je mag niet weten waarom of waar.'

Serena liep naar de klerenkast en pakte er de groene jurk uit die ze ook op het diner van de Cecils had gedragen.

Pemberton glimlachte. 'Ik dacht dat we geen geheimen voor elkaar hadden.'

'Hebben we ook niet', zei Serena. 'Vanavond kom je alles te weten.'

'Op het feest?'

'Ja.'

Serena liet de jurk over haar hoofd glijden en langzaam omlaaggolven tot hij soepel over haar huid viel, die niet bedekt was met onderkleding. Ze streek de stof met een snelle beweging glad zodat hij zich naar de rondingen van haar lichaam voegde.

Pemberton ging voor de spiegel staan en knoopte zijn stropdas. Terwijl hij stond te kijken hoe de knoop was uitgevallen zag hij Serena's reflectie in de spiegel. Ze stond links achter hem toe te kijken. Hij trok de das recht en liep naar de toilettafel om zijn manchetknopen te pakken. Serena bleef staan waar ze was en keek naar zichzelf, nu alleen in het ovaal van de spiegel. Ze had haar haar het afgelopen jaar laten groeien en het viel nu tot op haar schouders, maar vanavond droeg ze het strak ingevlochten op haar hoofd zodat haar lelieblanke nek zichtbaar was. Pemberton keek op de klok en zag tot zijn spijt dat het bijna tijd was om hun gasten te ontvangen. Strakjes, dacht hij en hij ging achter haar staan. Hij legde zijn linkerhand tegen Serena's taille en beroerde het wit van haar nek met zijn lippen.

'Nog maar twee weken, dan ben jij aan de beurt,' zei Pemberton, 'dan word jij ook dertig, bedoel ik. Dat heb ik altijd leuk gevonden, dat onze verjaardagen zo dicht bij elkaar liggen.'

Pemberton ging wat dichter bij haar staan om hun beider gezichten in de spiegel te kunnen zien. De groene stof voelde koel aan.

'Zou je ook nog hebben gewild dat we op dezelfde dag jarig waren?' vroeg Serena.

Pemberton liet glimlachend zijn hand omhooggaan en omvatte haar rechterborst. Ze mochten best een paar minuten te laat komen. Het was tenslotte zijn feest.

'Waarom zou ik nog meer wensen', zei Pemberton. 'Samenzijn is genoeg.'

'Is dat zo, Pemberton?'

Hij werd verrast door de kille, sceptische toon waarop ze dat zei. Even leek Serena op het punt te staan nog iets te zeggen, maar ze bedacht zich. Ze glipte weg uit zijn greep en liet hem alleen voor de spiegel staan.

'Het is tijd om onze gasten te ontvangen', zei ze.

Pemberton dronk zijn glas whisky leeg en schonk zich er nog een in, dat hij in één teug leegdronk. Hij zette het lege glas op het bedtafeltje en ze liepen naar buiten, de vroege herfstavond in. Iets verderop langs het spoor waren arbeiders met een koevoet de spoorspijkers aan het lostrekken, en ze kreunden en steunden wanneer ze de driehonderdvijftig pond wegende spoorstaven twee aan twee op een platte wagon tilden. Achter de mannen resteerden alleen nog houten bielzen, sommige zwartgeblakerd door het vuur, andere niet. Ze vormden zo'n harmonieus geheel met het landschap dat ze nauwelijks te onderscheiden waren. Pemberton dacht terug aan hoe hij had geholpen de rails over diezelfde bielzen te leggen en kreeg ineens het gevoel dat hij de tijd achteruit zag lopen. De wereld werd wazig en het leek niet ondenkbaar dat de bielzen op stronken zouden springen en weer bomen zouden worden, dat het kapafval omhoog zou wervelen om weer in takken te veranderen. Zelfs een donkere asstorm kon teruggaand in de tijd verbleken en veranderen in groene bladeren, grijze en bruine takjes.

'Wat heb je?' vroeg Serena, toen Pemberton licht wankelde.

Ze greep hem bij de arm en de tijd herstelde zich, verstreek weer zoals het hoorde.

'Ik geloof dat ik die laatste whisky te snel heb gedronken.'

De trein kwam over de bergkam. Serena en hij liepen dichter naar het spoor toe en verwelkomden hun gasten, die uit de passagierswagon stapten. Er werd gekust en er werden handen geschud en met zijn allen liepen ze het kantoor binnen. Onder de gasten bevond zich, tegen alle verwachtingen in, ook mevrouw Lowenstein. Het viel Pemberton op hoe bleek en mager ze was, hoe diep haar ogen in hun kassen lagen, waardoor de schedel onder de strakke huid nog extra geaccentueerd werd. Er waren tien stoelen rond de tafel gezet. De Salvatores en de De Mans zaten tegenover de Lowensteins en de Calhouns; Serena en Pemberton elk aan een uiteinde van de tafel.

'Wat een indrukwekkende tafel', zei mevrouw Salvatore. 'Hij lijkt wel uit één enkel stuk hout. Is dat mogelijk?'

'Ja, uit één kastanje,' antwoordde Pemberton, 'die we nog geen anderhalve kilometer hiervandaan hebben gekapt.'

'Ik had nooit gedacht dat er zulke grote bomen bestonden', zei mevrouw Salvatore.

'In Brazilië gaat Houtbedrijf Pemberton nóg grotere bomen kappen', zei Serena.

'Ja, dat hebt u ons laten zien', stemde Calhoun in en hij

spreidde zijn armen ten teken dat hij daarmee iedereen aan tafel bedoelde. 'En wel op een zeer overtuigende manier, moet ik zeggen.'

'Inderdaad', zei meneer Salvatore. 'Ik ben een voorzichtig man, vooral in deze aanhoudende depressie, maar uw onderneming in Brazilië is de beste investeringsmogelijkheid die ik ben tegengekomen sinds Zwarte Vrijdag.'

De overgebleven keukenhulpen van het kamp kwamen het vertrek binnen en moesten zowel de bar bemannen als aan tafel bedienen. Ze hadden pasgewassen kleren aan, maar niets anders dan wat ze normaal droegen. Investeerders zagen liever dat het geld werd uitgegeven aan het kappen van hout dan aan mooie kleren voor de arbeiders, had Serena geredeneerd. Het eten was al even sober, rosbief met aardappels, pompoen en brood. Pemberton had die middag een kapploeg uitgerust met vishengels om forel te vangen voor een hors-d'oeuvre, maar de mannen waren zonder vis van de beken teruggekeerd, omdat er, beweerden ze, in het dal en in de bergen geen forel meer te vinden was. Alleen de Franse chardonnay en de Glenlivet-whisky getuigden van rijkdom, en een kistje Casamontez-sigaren dat in het midden van de tafel stond.

'We gaan een toost op uw verjaardag uitbrengen', kondigde Calhoun aan toen de glazen waren volgeschonken.

'Eerst een toost op ons nieuwe compagnonschap', zei Pemberton.

'Steek maar van wal, Pemberton', zei Calhoun.

'Dat laat ik aan mijn vrouw over', zei Pemberton. 'Haar welsprekendheid overtreft de mijne.'

Serena hief haar wijnglas.

'Op compagnonschappen en op alles wat mogelijk is', zei Serena. 'De wereld is rijp en wij zullen haar plukken als een appel van een boom.'

'Pure poëzie', riep Calhoun uit.

Ze gingen eten. Pemberton had de afgelopen weken met mate

gedronken, maar vanavond verlangde hij naar de grotere uitbundigheid die alcohol teweegbracht. Afgezien van de whisky die hij thuis had gedronken, had hij al zeven glazen scotch achterovergeslagen toen zijn verjaardagstaart voor hem werd neergezet, een chocoladetaart van vier etages met dertig brandende kaarsjes erop, die door twee hulpen moest worden binnengedragen. Pemberton was verbaasd over de buitensporigheid van Serena's geste. Rechts van de taart zetten de keukenhulpen tien schoteltjes gereed en legden er een mes bij. Nadat de koffie was ingeschonken en de sigaren waren rondgegaan, stuurde Serena beide hulpen weg.

'Die taart is een koning waardig', zei Lowenstein bewonderend toen het flakkerende licht van de taart Pembertons gezicht in een gouden gloed zette.

'Doe een wens voordat u de kaarsjes uitblaast', zei Calhoun.

'Dat is niet nodig', zei Pemberton. 'Ik heb niets meer te wensen.'

Hij staarde naar de kaarsjes en voelde zich heel even misselijk worden door de deinende beweging van de vlammetjes. Pemberton haalde diep adem en blies, wat hij nog twee keer moest herhalen voordat het laatste kaarsje gedoofd was.

'Nog een toost,' zei Calhoun, 'op de man die alles heeft.'

'Ja, een toost', zei Lowenstein.

Ze hieven allemaal het glas en dronken, behalve Serena.

'Daar ben ik het niet mee eens', zei Serena toen de anderen hun glazen weer neerzetten. 'Er is één ding dat mijn man niet heeft.'

'En wat mag dat dan wel zijn?' vroeg mevrouw De Man.

'De poema die hij in deze bergen hoopte te schieten.'

'Tja, daarvoor is het te laat', zei Pemberton en hij keek met gespeelde spijt naar de uitgedoofde kaarsjes.

'Misschien niet', zei Serena tegen Pemberton. 'Galloway is de afgelopen week op zoek geweest naar je poema en hij heeft hem gevonden.'

Serena knikte naar de open kantoordeur, waar Galloway was verschenen.

'Dat klopt toch, Galloway?'

De man knikte en Pemberton stopte even met het snijden van de taart.

'Waar?' vroeg Pemberton.

'In Ivy Gap', zei Serena. 'Galloway heeft een tijdlang hertenkarkassen neergelegd in een weiland net buiten de parkgrens. Drie avonden geleden is de panter er geweest en heeft van eentje gegeten. Morgen zou hij weer honger moeten krijgen en ditmaal zul je hem opwachten.'

Serena keerde zich om naar Galloway. Terwijl ze dat deed, zag Pemberton achter Galloway een nietige gedaante met een zwartsatijnen bonnet op in de hal staan.

'Laat haar maar binnen komen', zei Serena.

Toen moeder en zoon het vertrek binnenkwamen, omklemde de rimpelige hand van de oude vrouw Galloways linkerpols, zodat de stomp werd afgedekt, alsof ze de illusie koesterde dat de hand die aan de arm van haar zoon vastzat misschien wel de zijne was in plaats van die van haar. Mevrouw Galloways cederhouten klompschoenen klosten hol op de planken vloer. Ze droeg dezelfde zwarte jurk waarin Pemberton haar twee zomers geleden ook al had gezien.

'Vermaak voor onze gasten', zei Serena.

Toen de oude vrouw moeizaam de kamer binnenkwam, ging iedereen gedraaid aan tafel zitten om naar haar te kijken. Serena zette een stoel naast Pemberton neer en gaf Galloway met een gebaar te kennen dat die voor zijn moeder was. Galloway hielp zijn moeder in de stoel. Ze maakte haar bonnet los en gaf hem aan haar zoon, die naast haar bleef staan. Het was voor het eerst dat Pemberton het gezicht van de oude vrouw duidelijk kon zien. Door de dorre huid met zijn diepe, golvende rimpels deed het hem denken aan de dop van een walnoot. Haar ogen staarden recht vooruit, nog even melkachtig blauw en troebel als voorheen. Met de satijnen bonnet in zijn hand stapte Galloway achteruit en ging tegen de muur staan leunen.

Calhoun, die een rood gezicht had van de alcohol, verbrak ten slotte de stilte.

'Wat voor vermaak? Ik zie geen hakkebord of banjo. Een a-capella-ballade uit het oude land? Een volkssprookje?'

Calhoun boog zich fluisterend naar zijn vrouw toe. Ze keken allebei naar de oude vrouw en begonnen te lachen.

'Ze kan in de toekomst kijken', zei Serena.

'Geweldig', zei Lowenstein en hij wendde zich tot zijn echtgenote. 'Dan hebben we onze effectenmakelaar niet meer nodig, schat.'

Iedereen aan tafel moest lachen, behalve de oude vrouw en Serena. Toen het gelach wegstierf, drukte mevrouw Lowenstein een paarse zakdoek tegen haar lippen.

'Mevrouw Galloways talenten liggen meer op het persoonlijke vlak', zei Serena.

'Kijk maar uit, Lowenstein', grapte Calhoun. 'Zo meteen voorspelt ze nog dat je de gevangenis in moet wegens belastingontduiking.'

Opnieuw klonk er gelach op in het vertrek, maar de oude vrouw leek ongevoelig voor de grappen. Galloways moeder vouwde haar handen ineen en legde ze voor zich op tafel. De losse huid was overdekt met een web van blauwe adertjes en de nagels waren gebarsten en vergeeld, maar keurig geknipt. Pemberton glimlachte bij de gedachte dat Galloway zich over de oude heks boog om zorgvuldig al haar nagels te knippen.

'Wie wil er eerst?' vroeg Serena.

'O, ik graag', zei mevrouw Lowenstein. 'Moet ik mijn handpalm laten zien of heeft ze een glazen bol?'

'Stel uw vraag maar', zei Serena met een steeds zuiniger glimlachje.

'Goed dan. Gaat mijn dochter binnenkort trouwen?'

De oude vrouw draaide zich in de richting van mevrouw

Lowensteins stem en knikte langzaam.

'Gelukkig', zei mevrouw Lowenstein. 'Dan word ik toch nog de moeder van de bruid. Ik was zo bang dat Hannah zou wachten tot ik onder de groene zoden lag.'

Mevrouw Galloway staarde eerst nog een paar tellen in de richting van mevrouw Lowenstein voordat ze iets zei.

'Ik zei alleen dat ze binnenkort zal trouwen.'

Er daalde een ongemakkelijke stilte neer over de tafel. Pemberton probeerde wanhopig iets geestigs te bedenken om de luchtige sfeer te herstellen, maar de alcohol vertroebelde zijn gedachten. Serena keek hem aan, maar schoot hem niet te hulp. Uiteindelijk was het meneer De Man, die de hele avond nog niet veel gezegd had, die nu een poging deed om de gênante situatie op te lossen.

'En Pemberton dan? We zijn hier om zijn verjaardag te vieren. Hij moet zich maar de toekomst laten voorspellen.'

'Ja', zei Serena. 'Nu is Pemberton aan de beurt. Ik heb zelfs de perfecte vraag voor hem.'

'En hoe luidt die, mijn liefste?' vroeg Pemberton.

'Vraag haar hoe je zult sterven.'

Mevrouw Salvatore slaakte een zacht *oh* en haar ogen bewogen heen en weer tussen haar man en de deur waar ze kennelijk het liefst door naar buiten wilde vluchten. Lowenstein pakte de hand van zijn vrouw vast en trok een frons. Hij leek op het punt te staan iets te gaan zeggen, maar Serena was hem voor.

'Toe dan, Pemberton. Voor het vermaak van onze gasten.'

Salvatore stond op uit zijn stoel.

'Misschien wordt het tijd dat we terugkeren naar Asheville', zei hij, maar Pemberton stak zijn hand op en beduidde hem weer te gaan zitten.

'Goed dan', zei Pemberton terwijl hij met een geruststellende grijns zijn glas hief naar zijn gasten. 'Maar ik drink eerst mijn glas leeg. Een man hoort een straffe borrel te drinken voordat hij zijn dood onder ogen ziet.'

'Goed gesproken,' zei Calhoun, 'door een man die weet hoe hij zijn noodlot tegemoet moet treden, met een buik vol goede whisky.'

De anderen glimlachten om Calhouns opmerking, ook Salvatore die zich weer in zijn stoel liet zakken. Pemberton dronk het glas leeg en zette het zo hard neer dat mevrouw Salvatore ervan schrok.

'Zeg eens, hoe zal ik sterven, mevrouw Galloway?' vroeg Pemberton, inmiddels met een dikke tong. 'Zal het door een geweerschot zijn? Misschien door een mes?'

Galloway, die uit het raam had staan kijken, vestigde zijn blik nu op zijn moeder.

'Een touw ligt meer voor de hand voor zo'n schurk als u, Pemberton', zei Calhoun, en dat lokte van alle kanten gegrinnik uit.

De oude vrouw draaide haar hoofd in de richting van Pemberton.

'Geen geweer en geen mes', antwoordde ze. 'Noch een touw rond uw nek.'

'Dat is een opluchting', zei Pemberton.

Afgezien van de Salvatores lachten de gasten beleefd.

'Mijn vader is gestorven aan zijn lever', zei Pemberton.

'Uw lever zal het ook niet zijn', zei mevrouw Galloway.

'Maar vertel dan alstublieft, waaraan zal ik sterven?'

'Er is niet één enkel ding dat een man als u kan doden', antwoordde mevrouw Galloway terwijl ze haar stoel naar achteren schoof.

Galloway hielp zijn moeder overeind en op dat moment besefte Pemberton dat het allemaal maar een grap was. Ook de anderen realiseerden zich dat toen mevrouw Galloway de arm van haar zoon vastpakte, langzaam klepperend door het vertrek liep en in de donkere gang verdween. Pemberton hief zijn glas naar Serena.

'Een geweldig antwoord en het mooiste waar een man op kan

hopen', zei hij. 'Een toost op mijn vrouw, die van een goede grap houdt.'

Pemberton keek over tafel glimlachend naar Serena, terwijl de anderen lachten en klapten. Door de alcohol zag Pemberton alle anderen in het vertrek in een waas, maar Serena om de een of andere reden niet. Integendeel, ze leek zelfs helderder, de jurk levendig en glanzend. *Immergroen*. Dat woord kwam ineens bij hem op, al kon hij niet zeggen waarom. Hij herinnerde zich hoe zijn lippen de bleke naaktheid van haar nek hadden beroerd en zou willen dat de gasten al uren geleden waren vertrokken. Als ze weg waren, zou hij er geen gras over laten groeien, maar Serena op de tafel tillen en haar uitkleden op het harthout van de kastanje. Even overwoog hij om het nu al te doen en mevrouw Salvatore écht een reden te geven om in zwijm te vallen.

Iedereen hief het glas en dronk. Calhoun, die bijna evenveel ophad als Pemberton, veegde wat whisky van zijn kin voordat hij zichzelf nog een glas inschonk.

'Ik moet toegeven,' zei mevrouw Calhoun, 'dat die oude vrouw het zo goed deed dat ik bijna geloofde dat ze écht de toekomst kon zien.'

'Ze speelde haar rol goed', stemde haar man in. 'Zonder ook maar één keer te lachen.'

Pemberton haalde zijn horloge uit zijn zak en opende het zonder enige moeite te doen om zijn bedoeling te verhullen. De wijzers deinden heen en weer als kompasnaalden, zodat Pemberton het horloge dichter bij zijn gezicht moest houden.

'Het was een prachtige avond,' zei hij, 'maar als jullie op het station willen zijn voordat de trein naar Asheville vertrekt, zullen we toch een eind moeten maken aan de pret.'

'Maar eerst moet je je cadeau nog openmaken', zei Serena. 'Galloway kan het station in Waynesville bellen en zeggen dat ze de trein moeten laten wachten.'

Serena haalde een lange kartonnen koker tevoorschijn die onder de tafel had gelegen. Ze gaf hem aan Pemberton en hij opende de klep en haalde er langzaam een geweer uit. Pemberton plaatste zijn handen onder de lade en legde het wapen voor zich op tafel zodat de anderen het konden zien.

'Een Winchester 1895,' zei Serena, 'zij het dat deze speciaal voor jou gemaakt is, zoals je kunt zien aan het hout en het goud van de trekker en het beslag. En het krulwerk, natuurlijk. In de Rocky Mountains is dit het favoriete wapen voor de jacht op poema's.'

Pemberton pakte het geweer op en liet zijn hand over de glanzende lak van het hout glijden.

'Ik ken dit geweer', zei hij. 'Roosevelt noemde het "Groot Medicijn".'

'Jammer dat Teddy zichzelf er niet mee overhoop heeft geschoten', zei Calhoun.

'Ja, maar wie weet', zei Pemberton, terwijl hij het geweer op het raam richtte en teleurstelling veinsde toen hij de trekker overhaalde en er slechts een klik klonk. 'Misschien dat die neef van hem zich hier nog eens vertoont, dan kan ik op hém schieten.'

Pemberton gaf het geweer door aan meneer Salvatore. Het geschenk ging langzaam de hele tafel rond en de vrouwen gaven het als op een presenteerblaadje door met hun handpalmen eronder, behalve mevrouw De Man, die het geweer net als de mannen in haar handen ronddraaide en waarderend knikte toen ze voelde hoe zwaar en stevig het was.

'Dat krulwerk, mevrouw Pemberton', zei meneer Lowenstein. 'Het is prachtig gedaan, maar ik herken de afbeelding niet.'

'Het schild van Achilles.'

'Zo'n geweer zouden we in Quebec goed kunnen gebruiken voor onze bruine beren', merkte mevrouw De Man op toen ze het geweer doorgaf aan haar man.

Pemberton vulde zijn glas nog eens en morste onder het schenken whisky op tafel. Toen het geweer bij hem terugkwam, zette hij het rechtop tegen de tafel.

'Eerst ga ik mijn poema afschieten,' pochte Pemberton, 'en dan een jaguar.'

'Brazilië', mijmerde Lowenstein. 'Wat een avontuur voor jullie beiden.'

'Zeg dat wel', zei Calhoun. 'Meer bos dan je in één leven kunt vellen.' Pemberton stak zijn hand op en wuifde de opmerking weg.

'Geef ons tijd van leven, dan zullen mevrouw Pemberton en ik alle bomen omhakken, niet alleen in Brazilië, maar in de hele wereld.'

In Pembertons hoofd waren de woorden heel helder, maar hij wist dat hij te veel had willen zeggen. Klinkers en medeklinkers sleepten en haperden als een raderwerk dat niet goed in elkaar greep, de woorden een hopeloos gebrabbel.

Salvatore knikte naar zijn vrouw en stond op.

'We moesten maar eens gaan. Onze trein naar Chicago vertrekt nogal vroeg morgenochtend.'

Ook de andere gasten kwamen nu overeind, namen afscheid en begonnen naar buiten te lopen. Pemberton probeerde uit zijn stoel overeind te komen, maar het vertrek helde over. Hij ging weer zitten, stelde zijn blik scherp en zag Serena nog steeds tegenover hem zitten, terwijl de tafel tussen hen langer werd.

'Moeten we ze naar de trein brengen?' vroeg Pemberton. 'Ik weet niet of dat me nog lukt.'

Serena keek hem met een vaste blik aan.

'Ze kennen de weg, Pemberton', zei Serena.

Het vertrek deinde langzaam heen en weer, niet zo erg als toen hij was opgestaan, maar genoeg om hem de rand van de tafel te doen vastgrijpen en het gladde hout tegen zijn handpalmen te voelen. Hij greep de tafel steviger vast. Er kwam een beeld bij hem op, bijna als een droom – hij alleen in een weidse zee terwijl hij zich vastklampte aan een stuk hout en de golven tegen hem aan klotsten – toen liet hij los.

Zevenendertig

De volgende ochtend werd Pemberton wakker met de ergste kater die hij ooit had gehad. Het was nog vroeg, maar het beetje licht dat door het raam naar binnen viel, deed hem pijn aan de ogen. Hij had een vieze smaak in zijn mond, en zijn maag was van streek. De vorige avond trok in een reeks wazige beelden aan zijn geestesoog voorbij als goederenwagons die een vracht afleverden waar hij niet op zat te wachten.

Serena sliep nog, dus draaide hij zich op zijn zij en sloot zijn ogen, maar hij kon de slaap niet meer vatten. Hij wachtte en zonder het te zien voelde hij dat de zon de kamer langzaam begon te verlichten. Na een poosje bewoog Serena naast hem en haar blote heup streek langs de zijne. Pemberton kon zich niet herinneren of ze vannacht de liefde hadden bedreven, of zelfs maar hoe hij thuis was gekomen. Hij draaide zich om en keek Serena met een wazige blik aan.

'Het spijt me', zei hij.

'Wat spijt je?'

'Dat ik gisteravond te veel heb gedronken'.

'Het was je verjaardag en die heb je gevierd', zei Serena. 'Zo erg is dat niet.'

'Maar misschien heeft het ons wel een paar investeerders gekost.'

'Dat betwijfel ik, Pemberton. Winst is belangrijker dan goede omgangsvormen.'

Serena ging rechtop zitten. Het laken viel van haar af en hij zag haar lange, slanke rug en de lichte versmalling voordat de welving van haar heupen begon. Ze zat naar het raam toegekeerd en het zonlicht speelde over haar profiel. Er was zo veel licht dat hij er zijn bloeddoorlopen ogen voor moest samenknijpen, maar hij draaide zijn hoofd niet weg. Hoe kon iets anders ooit van enig belang zijn geweest, vroeg Pemberton zich af. Hij strekte zijn hand uit en hield Serena's pols vast toen ze uit bed wilde stappen.

'Nog niet', zei hij zachtjes.

Pemberton schoof dichter naar Serena toe om zijn andere arm rond haar middel te leggen. Hij drukte zijn gezicht tegen haar taille, sloot zijn ogen en ademde haar geur in.

'Je moet opstaan', zei Serena, die zich losmaakte en uit bed stapte.

'Waarom?' vroeg Pemberton terwijl hij zijn ogen opendeed. 'Het is zondag.'

'Galloway zei dat je om elf uur klaar moest staan', antwoordde Serena die haar broek en rijjasje aantrok. 'Je poema wacht op je.'

'Helemaal vergeten', zei Pemberton en hij ging langzaam rechtop zitten, waardoor de kamer een paar tellen overhelde.

Hij stond op, nog steeds duizelig toen hij naar de klerenkast liep. Hij pakte zijn werkbroek en wollen sokken van de plank en haalde zijn jagersjas van de kleerhanger. Pemberton gooide ze op het bed en pakte eerst zijn zware, hoge veterschoenen uit de gangkast voordat hij naast Serena ging zitten, die haar rijlaarzen zat aan te trekken. Hij deed zijn ogen dicht in een poging de hoofdpijn te temperen die door het ochtendlicht nog verergerd werd.

'En jij redt je wel in je eentje?' vroeg Pemberton, zijn ogen nog steeds gesloten.

'Ja, ik hoef alleen maar te zorgen dat wat er nog in de keuken en in de kampwinkel staat op een wagon wordt geladen. Maar eerst ga ik er met de arend opuit, een laatste jacht voordat we hier weggaan.'

Serena stond op en hield haar blik op de deur gericht terwijl ze sprak.

'Ik moet gaan.'

Pemberton pakte haar hand en hield die even vast.

'Bedankt voor het geweer en het verjaardagsfeest.'

'Graag gedaan', zei Serena, haar hand terugtrekkend. 'Ik hoop dat je je poema vindt, Pemberton.'

Toen Serena weg was, overwoog hij naar de kantine te gaan om te ontbijten, maar zijn maag voelde daar niets voor. Hij kleedde zich op zijn schoenen na aan, ging weer op bed liggen en deed zijn ogen dicht. Een paar minuten maar, hield Pemberton zichzelf voor, maar hij werd pas weer wakker toen Galloway aanklopte.

Pemberton riep dat hij over tien minuten buiten zou staan en ging naar de badkamer. Hij vulde de waskom met koud water en dompelde zijn hele hoofd erin onder, zo lang als hij kon. Hij kwam omhoog en deed het toen nog een keer. Het koude water hielp. Hij droogde zich af, kamde zijn haar plat over zijn schedel en poetste vervolgens ook maar zijn tanden om de misselijkmakende lucht van zijn eigen adem te verminderen. Hij pakte het flesje aspirine uit het medicijnkastje en haalde er twee tabletjes uit, deed de dop weer op het flesje en stak het in zijn zak. Pemberton wilde zich net omdraaien, toen hij zichzelf in de spiegel zag. Zijn ogen waren bloeddoorlopen en hij zag nog behoorlijk bleek, maar het feit dat hij rondliep was al een hele triomf als je naging hoe hij zich eerder had gevoeld. Pemberton pakte zijn jasje van het bed en liep naar de voorkamer, waar zijn nieuwe geweer op de schoorsteenmantel lag. Hij kon zich niet herinneren het daar gisteravond te hebben gezien en ook niet dat hij de doos met .35 kaliber kogels had gekregen die ernaast stond.

'Ik hoorde dat u het nog behoorlijk bont hebt gemaakt gisteravond', zei Galloway toen Pemberton op de veranda verscheen met een grimas tegen de heldere, wolkeloze dag.

Pemberton negeerde Galloways opmerking en richtte zijn blik op de pick-up van Frizzell die naast de kampwinkel stond. De fotograaf had zijn statief op het railloze spoor gezet, waar ooit de laadboom had gestaan, zijn camera niet gericht op een levende of dode arbeider, maar op het kaalgekapte dal. Frizzell stond gebukt onder zijn zwarte doek zonder in de gaten te hebben dat Serena te paard, met de arend op de zadelknop, zijn kant op kwam rijden.

'Wat doet die hier in godsnaam?' vroeg Pemberton.

'Geen idee, maar het ziet ernaar uit dat uw vrouw het hem gaat vragen', zei Galloway, die een blik op de lucht wierp. 'We moeten gaan. We zijn nu al laat.'

'Ga maar vast naar de auto', zei Pemberton en hij gaf het geweer en de doos met kogels aan Galloway. 'Ik wil eerst weten wat er aan de hand is.'

Pemberton liep naar de kampwinkel op het moment dat Frizzell onder zijn doek vandaan kwam, met knipperende ogen alsof hij net wakker was geworden toen hij met Serena sprak. Pemberton passeerde het kantoor, dat nu leeg was en waarvan zelfs de ramen naar het andere kamp waren overgebracht. De deur stond op een kier en een paar losse bladeren waren al door de wind naar binnen geblazen.

'Minister Albright heeft een foto besteld van de verwoesting die wij het land hebben toegebracht', zei Serena tegen Pemberton toen hij bij haar aankwam. 'Nog een manier om zijn park te rechtvaardigen.'

'Dit land is nog een week van ons', zei Pemberton tegen Frizzell. 'Zonder onze toestemming mag u hier niet komen.'

'Maar zij zei net dat ik zo veel foto's mag maken als ik wil', wierp Frizzell tegen.

'Waarom niet, Pemberton', zei Serena. 'Ik ben tevreden over wat we hier hebben gedaan. Jij niet?'

'Ja,' zei Pemberton, 'maar dan vind ik wel dat meneer Frizzell ons als tegenprestatie een foto moet geven.'

Frizzell keek verbaasd op.

'Hiervan?' vroeg de fotograaf met een handgebaar naar het dal.

'Nee, een foto van ons', antwoordde Pemberton.

'Ik dacht dat ik mijn opvattingen over dat soort dingen duidelijk had gemaakt op het landgoed van Vanderbilt', zei Serena.

'Geen portret, alleen een foto.'
Serena zei niets.
'Geef me nu maar één keer mijn zin', zei Pemberton. 'We hebben geen enkele foto van ons samen. Beschouw het maar als een laatste verjaardagscadeau.'
Een paar tellen lang reageerde Serena niet. Toen veranderde er iets in haar gezicht en werd haar uitdrukking niet zozeer zachter, maar toegeeflijker, alsof ze erin berustte, dacht Pemberton eerst, maar vervolgens leek het meer op bedroefdheid. Hij dacht aan de foto's die ze in het huis in Colorado had achtergelaten en die verbrand waren, en hij vroeg zich af of ze ondanks de loochening van haar verleden er misschien toch nog niet helemaal afstand van had gedaan.
'Goed dan, Pemberton.'
Frizzell schoof de lichtgevoelige plaat van zijn laatste foto in de beschermende metalen hoes en plaatste een nieuwe in zijn camera.
'We hebben een minder naargeestige achtergrond nodig, dus ik moet eerst mijn spullen ergens anders neerzetten', zei Frizzell geërgerd.
'Nee', zei Pemberton. 'De achtergrond is prima. Zoals mevrouw Pemberton al zei, wij zijn heel tevreden over wat we hier gedaan hebben.'
'Zoals u wilt,' zei Frizzell en toen keek hij naar Serena, 'maar u blijft toch zeker niet op uw paard zitten?'
'Jawel', zei Serena. 'Ik blijf waar ik ben.'
'Nou,' zei Frizzell getergd, 'als de foto wazig is, is het uw eigen schuld.'
Frizzell verdween onder zijn doek en de foto werd genomen. Toen Galloway langdurig claxonneerde, begon de fotograaf zijn spullen in te pakken.
'Ik stuur morgen wel een van mijn mannen naar Waynesville om hem op te halen', zei Pemberton, die naast Serena bleef talmen.

'Je moet gaan', zei Serena.

Ze boog zich voorover in het zadel en legde haar hand tegen zijn gezicht. Pemberton pakte de hand vast en drukte hem even tegen zijn lippen.

'Ik hou van je', zei hij.

Serena knikte en wendde zich af. Ze reed weg in de richting van Noland Mountain en rond de hoeven van het paard stegen zwarte pluimpjes op van de as waarmee de grond nog steeds bedekt was. Pemberton keek haar even na en liep toen naar de auto, maar hij wachtte even voordat hij het portier aan de passagierskant opendeed.

'Wat is er?' vroeg Galloway.

'Ik probeer te bedenken of ik misschien nog iets vergeten ben dat ik nodig kan hebben.'

'Ik heb eten voor ons bij me', zei Galloway. 'Ik heb ook uw jachtmes. Uw vrouw zei dat ik het moest halen. Het zit in mijn draagbuidel.'

Toen ze het kamp uit reden, keek Pemberton even omhoog naar de woonkeet van Galloway op de helling, een van de weinige die nog niet naar het nieuwe kamp was overgebracht. De oude vrouw stond niet op de veranda, maar zat waarschijnlijk binnen aan tafel. Pemberton glimlachte bij de gedachte aan haar voorspelling, hoe ze allemaal voor de gek waren gehouden door haar optreden. Ze reden naar het noorden en Galloway gebruikte zijn stomp om te sturen wanneer hij schakelde. Pemberton deed zijn ogen dicht en wachtte tot het aspirientje zijn hoofdpijn zou verlichten.

Na een poosje minderde de Packard vaart en nam Galloway een afslag. Pemberton deed zijn ogen open. Ze werden nu omringd door bomen en reden hobbelend omlaag naar Ivy Gap, een strook privéterrein iets ten oosten van het parkgebied. Toen de auto over een houten brug reed, kwam Pembertons sluimerende hoofdpijn door het gehots weer in alle hevigheid terug.

'Verdomme,' zei Pemberton, 'waarom zorg je er niet voor dat

er spatbordsteunen op dit ding komen, of rij wat langzamer.'

'Misschien helpt dat gehobbel wel tegen uw kater', antwoordde Galloway, die uitweek om een diepe kuil in de weg te omzeilen.

Ze passeerden een maïsveld dat geoogst was en waar een vogelverschrikker uit oprees, de armen wijdgespreid alsof hij zich in de steek gelaten voelde. Er fladderden twee duiven op uit de wirwar van geknakte stelen en maïslies, die meteen weer neerstreken. Pemberton wist dat er op duiven gejaagd werd, maar kon zich niet voorstellen dat het voldoening gaf om iets te doden wat nauwelijks groter was dan de kogel waarmee je het afschoot. Het bos werd zo dicht dat de weg niet zozeer ophield, als er de brui aan gaf, capituleerde voor dwergeiken en bezemzegge. Galloway stopte en trok de handrem aan.

'De rest van de weg wordt het lopen.'

Ze stapten uit. Galloway pakte de draagbuidel van de achterbank en Pemberton zijn geweer en hij opende de doos met kogels, haalde er een handvol uit en stopte die in zijn jaszak. Galloway zwaaide de draagbuidel over zijn schouder.

'Hebben we alles?' vroeg Pemberton.

'Ja', zei Galloway, die het smalle paadje begon af te lopen. 'We hebben niks anders nodig dan wat er in deze zak zit.'

'Heb je de autosleutels?'

'Ja, hier', zei Galloway met een klopje op zijn rechterbroekzak.

'Geef me mijn mes eens.'

Galloway deed de zak open en gaf Pemberton het mes.

'Waar is de schede?'

'Die zal nog wel in de la liggen', zei Galloway.

Pemberton vloekte zachtjes om Galloways onnadenkendheid en stopte het jachtmes in de zijzak van zijn jas.

Pemberton en Galloway liepen dieper de kloof in, staken een stuk moerasland over en vervolgens een beek. Ze liepen door een opstand tulpenbomen, waarvan de pasgevallen felgele bladeren de bosgrond deden oplichten. Het land liep nog een laatste keer steil omlaag en toen liepen ze het weiland in, waar pollen bezemzegge het open landschap een luister verleenden die de omringende bomen naar de kroon stak. In het midden van het weiland lag een hert, waar weinig meer van over was dan wat flarden vacht en botten. Galloway deed zijn draagbuidel open en haalde er een stuk of tien maïskolven uit die hij in een kring om het karkas heen legde alsof hij het wilde insluiten. Pemberton vroeg zich af of Galloway een of ander primitief jachtritueel uitvoerde, iets wat hij geleerd had van de Cherokee of wat eeuwen geleden gangbaar was geweest in Albion, typisch iets wat Buchanan zo fascinerend had gevonden.

'Die poema heeft behoorlijk geschransd van dat hert, hè?' zei Galloway.

'Daar lijkt het wel op.'

'Dat had ik wel verwacht', zei Galloway terwijl hij een knipmes uit zijn rechterzak haalde.

Galloway liep naar de rand van het weiland, waar aan een tak van een kornoelje een beddelaken hing waarvan de vier hoeken bijeen waren geknoopt en dat doorzakte onder het gewicht van wat erin zat. Hij vouwde het mes langzaam en bedachtzaam open en sneed vervolgens het laken los. Er viel een dood reekalf op de grond. Galloway pakte het kalf bij een achterpoot en sleepte het naar het midden van het weiland tot naast het andere karkas.

'Dan heeft die poema toch nog iets om zijn tanden in te zetten als de maïs geen herten aantrekt', zei Galloway en hij wees naar het midden van de bergrug in de verte, waar een granieten uitstulping als een enorme vuist uit het hellende land stak. 'Die grootste rots daarginds heeft een vlak stuk en aan de voorkant zit zelfs een behoorlijk diepe grot. Als je daar zit, kun je het hele weiland hier overzien en het is zo hoog dat die poema je niet kan ruiken. Ik denk dat er in de vooravond wel wat herten op de maïs afkomen en dan komt die poema daar vast achteraan.'

Pemberton keek weifelend naar de bergrug. Er was geen andere manier om boven te komen dan dwars door de lepelstruiken en over de rotsen.

'Is er geen pad?'

'Dat zullen we zelf moeten banen', zei Galloway. 'Die struiken groeien zo hard terug dat je je eigen voetafdrukken niet meer kunt zien als je niet snel genoeg achterom kijkt.'

'Is er geen betere route?'

'Voor zover ik weet niet', antwoordde Galloway. 'Als u wilt, neem ik het geweer wel van u over. Dat is misschien makkelijker voor u.'

'Jezus, ik ben heus mans genoeg om mijn eigen geweer te dragen', zei Pemberton.

Galloway stapte het kreupelhout in. Algauw reikte het tot borsthoogte. Pemberton volgde, met zijn hand net onder de trekker van het geweer, de loop omhoog zodat alleen de lade langs de planten streek. Galloway stapte door de wirwar zonder te kijken waar hij zijn voeten neerzette. Naarmate het land steeg, werd de begroeiing minder dicht. Ze hadden de zon, die op de kale rotsen brandde, in de rug. Pembertons jachtkleding was in het bos niet te warm geweest, maar hier groeiden alleen wat lage dennen, niets wat enige schaduw bood. Ze klauterden om de reusachtige rots heen. De aarde was los, verschraald door het graniet waar de hele berghelling uit bestond, realiseerde Pemberton zich nu. Galloway deed voorzichtig een paar stappen opzij om te zien waar hij het beste zijn voeten neer kon zetten. Pemberton hijgde ervan. Toen hij moest stoppen om uit te rusten, keek Galloway om.

'Als je niet in deze ijle lucht geboren bent, raak je hierboven gauw buiten adem.'

Ze bleven even staan in de schaduw van de overhangende rots. Galloway bekeek hem eens goed en wees naar rechts.

'Volgens mij ben ik verleden herfst langs die kant gegaan.'

Galloway stapte zijwaarts en schuifelde met gebogen rug weg uit de schaduw van de rots. Geen aarde meer onder hun voeten, alleen graniet. De laatste paar meter leunde Pemberton voorover en gebruikte zijn vrije hand om niet weg te glijden. Het graniet voelde heet aan onder zijn hand. De gedachte kwam bij hem op dat dit best weer eens zo'n grap van Serena kon zijn. Toen ze bijna op gelijke hoogte waren met de uitstulping, deed Galloway nog een paar stappen naar rechts en hield halt bij een natuurlijk waterbekken dat door het water van een bron was uitgesleten. De oudere man ging bij het water zitten en legde de draagbuidel naast zich neer. Ook Pemberton ging zitten en probeerde op adem te komen. Onder hen ontvouwde zich het hele weiland met daarachter in het westen Sterling Mountain, waar het parkland begon. Galloway haalde twee boterhammen uit de zak, sloeg het vetvrije papier open en bekeek er een.

'Dit is kalkoen', zei hij en hij bood Pemberton de andere aan. 'Uw vrouw zei dat u graag rundvlees op uw brood hebt. Ze heeft de kok er ook flink wat mosterd op laten smeren.'

Pemberton nam de boterham aan en begon te eten. Erg lekker was het niet; er zat te veel mosterd op en het brood smaakte oudbakken, maar ondanks zijn kater had hij toch honger gekregen van de wandeling en de klimpartij. Hij at de boterham op en schepte in de holte van zijn handen water uit de poel dat hij opdronk, niet alleen om de smaak van de boterham weg te spoelen, maar ook omdat hij dorst had.

'Uit die bron daarboven komt zelfs op de heetste dagen nog koud water', zei Galloway. 'Lekkerder water vind je niet.'

'Het is in elk geval stukken lekkerder dan die boterham.'

'Jammer dat het niet gesmaakt heeft,' zei Galloway, die teleurstelling voorwendde, 'uw vrouw heeft hem nog wel speciaal voor u klaargemaakt.'

Pemberton maakte opnieuw een kommetje van zijn handen en dronk nog een keer. De boterham was niet goed gevallen en hij hoopte dat het koude water zou helpen.

Ze zaten pal in de zon en het graniet absorbeerde de middaghitte en hield die vast in de rotsspleten. Pemberton gaapte en zou zo een paar minuten hebben kunnen dutten, maar hij begon darmkrampen te krijgen, gevolgd door misselijkheid. Hij dacht aan hoeveel hij gisteravond had gedronken en wilde dat hij het wat rustiger aan had gedaan.

Hij keek op zijn horloge. Bijna drie uur. Galloway deed de draagbuidel open en haalde er een pluk tabak uit en het knipmes, dat hij openmaakte door zijn voet op het heft te zetten en met duim en wijsvinger het lemmet eruit te trekken. Toen legde hij de tabakspluk op zijn knie, pakte het mes op en drukte het lemmet langzaam in de tabak. Hij stopte de grootste portie terug in de zak, klapte het mes dicht en stopte ook dat terug in de zak. Elke stap werd uitgevoerd met de ernst en precisie van een ritueel.

'Als ik u was, zou ik maar vast op die richel klimmen', zei Galloway.

Pemberton keek naar de uitstulping.

'Hoe kom ik daar?'

'Eerst op die kleinere rots gaan staan', zei Galloway terwijl hij omhoogwees. 'En dan uw voet in de spleet zetten die daarboven zit.'

'En dan?'

'Dan moet u zich optrekken. Met uw linkerhand de richel vastpakken en dan het andere been erop leggen en uzelf omhooghijsen. Het is daarboven zo plat als een pannekoek, dus u kunt er niet af rollen.'

Pemberton speurde de verste rand van het weiland af om te zien of er ergens een verrekijker opglom. Hij keek naar Galloway, die het plukje tabak zat te bekijken alsof hij het inspecteerde op tekortkomingen.

'Heeft mevrouw Pemberton soms gevraagd een geintje met me uit te halen?'

Galloway keek Pemberton recht in de ogen. Hij stopte de zwarte pluk tabak in zijn mond en schoof met zijn wijsvinger de pruim achter zijn kiezen. Toen pas zei hij: 'Het is geen geintje.'

Galloway veegde een paar losse tabakssliertjes van zijn spijkerbroek, maar maakte geen aanstalten om op te staan. Hij keek in het water alsof hij iets zocht.

'Als ik u was, zou ik maar eens naar boven gaan', zei Galloway. 'Het duurt niet lang meer voor het weiland in de schaduw komt te liggen. En zo gauw dat gebeurt, zal die poema uit het park hiernaartoe komen.'

Galloway spuugde een bruine boog tabakssap in de bron en ging staan.

'Ik geef u het geweer wel aan als u boven bent. Dat is makkelijker.'

Pemberton bekeek de uitstekende rots om te zien waar hij zijn handen en voeten moest neerzetten. Er leek niets anders op te zitten. Hij gaf het geweer aan Galloway, klom op de kleinste rots en reikte met zijn linkerhand naar de rand van de richel boven hem. Hij ging met zijn volle gewicht op het rotsblok staan om zich ervan te vergewissen dat die stevig was en zette toen de neus van zijn schoen in de rotsspleet. Terwijl Pemberton zijn andere voet optilde, bracht hij zijn rechterhand omhoog, naast de linker. Hij ademde diep in, zwaaide zijn rechterbeen over de richel en liet zich toen met uitgespreide armen over de rand rollen, zodat hij slechts één keer om zijn as draaide en met zijn gezicht naar de hemel bleef liggen.

De lucht was ineens vervuld van gegons en Pemberton dacht eerst dat hij een wespennest had verstoord. Hij voelde een steek in zijn kuit en toen hij zijn hoofd optilde zag hij dat een ratelslang zich razendsnel oprolde. Op minder dan een meter bij hem vandaan lagen nog drie opgerolde slangen die hun waarschuwingssignaal lieten horen. Een van de slangen deed een uitval en Pemberton voelde hoe de giftanden zich in zijn schoen boorden, even bleven haken en weer losgetrokken werden. Toen liet hij zich van de richel rollen, kwam eerst op de kleine rots en vervolgens op de grond terecht en gleed tuimelend de berghelling af. Pemberton wist zijn val even te onderbreken door een jong boompje vast te grijpen, maar de wortels schoten los uit de dunne aardlaag en hij tuimelde verder omlaag totdat hij op het vlakke land tussen de lepelstruiken belandde.

Pemberton bleef roerloos liggen wachten tot zijn lichaam hem zou vertellen wat voor schade hij had opgelopen. Zijn linkerenkel klopte en hij hoefde slechts één blik te werpen op de vreemde hoek waarin die stond om te weten dat de enkel gebroken was. Twee, misschien drie ribben waren eveneens gebroken. Het jachtmes had een diepe snee in zijn arm gemaakt. Hij hield zichzelf voor dat het wel weer goed zou komen, maar op dat moment liet het gif dat door zijn aderen stroomde zich gelden, en niet alleen in het been. Pemberton kon het gif in zijn mond proeven, al begreep hij niet hoe dat mogelijk was.

Pemberton staarde naar de lucht en heel even had hij het gevoel dat hij viel, niet omlaag, maar van de aarde naar de hemel toe. Hij deed zijn ogen dicht. Toen hij ze weer opende, voelde de aarde onder hem weer solide aan. Pemberton tilde zijn arm op en zag dat de wond nog steeds bloedde. Maar gelukkig is het geen slagader, hield hij zichzelf voor. Pemberton haalde een zakdoek uit zijn achterzak en drukte die tegen de snee. De stof was algauw doorweekt, dus haalde hij een paar wollen sokken uit zijn jasje en drukte die tegen de wond. Ook de sokken waren weldra van bloed doortrokken, maar toen hij ze weghaalde, bloedde de wond wat minder.

Hij voelde voorzichtig aan zijn jaszak. Het mes zat er nog in, maar het blad was tot aan het gevest de voering binnengedrongen. Pemberton stak zijn rechterhand in de zak en pakte het elandbenen heft vast. Het stevige gevest voelde geruststellend aan en hij bleef het omklemmen.

Er verstreek een hele poos voordat Galloway de helling was afgedaald en boven hem stond. De bergbewoner leek het prima te vinden om daar de rest van de middag naar hem te blijven kijken. Pemberton liet het mes los en werkte zich omhoog in een zittende positie.

‘Erger kan een mens haast niet toegetakeld worden’, zei Galloway. ‘Een boel bloed verloren ook, zo te zien.’

‘Help me overeind’, zei Pemberton en hij stak zijn arm naar hem uit.

Galloway hees Pemberton op de been, maar eenmaal overeind bleek hij zich niet staande te kunnen houden vanwege het vergiftigde been en de gebroken enkel. Galloway sloeg zijn arm om Pembertons middel.

‘Breng me naar het weiland.’

Galloway hielp Pemberton door het struikgewas heen naar open terrein en liet hem voorzichtig in een zittende positie zakken tussen de bezemzegge.

‘Ik ben gebeten door een ratelslang’, zei Pemberton.

Hij trok zijn rechterbroekspijp omhoog. Net boven de schoen zaten twee kleine gaatjes in de huid en eromheen was het been opgezwollen en streperig rood. Pemberton had nog steeds de smaak van gif in zijn mond en uit alle poriën van zijn lichaam leek zweet te sijpelen. Hij kreeg een tintelend gevoel in zijn vingers en tenen en vroeg zich af of dat ook door de beet kwam. Galloway hurkte naast hem neer en bekeek de beet aandachtig.

Pemberton haalde het jachtmes uit zijn jas en sneed de broekspijp van boven tot onder open. De stof viel als een losse huidlaag van zijn been.

‘Dat zal niet veel helpen’, zei Galloway. ‘Dat gif zit al lang in uw aderen.’

‘Misschien krijg ik er nog iets uit’, zei Pemberton en hij zette de punt van het mes op de beet.

Galloway legde zijn hand op die van Pemberton.

‘Laat mij snijden. Ik heb het vaker gedaan.’

Pemberton liet het mes los en Galloway haalde het blad van zijn been. Hij bekeek de wond nog eens goed en drukte eromheen met de punt van het mes.

‘Snij nou toch, verdomme’, zei Pemberton.

Galloway sneed langzaam en voorzichtig een kruisje in de

beet. Hij sneed diep. Te diep, vermoedde Pemberton.

'Die slang heeft u goed te pakken gehad', zei Galloway toen hij het mes van Pembertons been haalde. 'Soms willen ze nog weleens bijten zonder gif, maar deze hier heeft u de volle laag gegeven.'

De twee mannen staarden naar het been, dat steeds roder en dikker werd. Pemberton dacht aan Jenkins' been dat eerst zwart was geworden en toen was gaan stinken. Maar zijn lijf was groter dan dat van Jenkins en dat zou helpen om het gif te verdunnen. Voor het eerst sinds hij de slang op de richel had gezien, realiseerde Pemberton zich hoe slecht het met hem had kunnen aflopen. Als hij over een paar van die ratelslangen heen was gerold of zich niet aan die jonge boom had weten vast te grijpen, zou hij nu stervende kunnen zijn, zo niet dood. Pemberton was zich plotseling intens bewust van zijn levenskracht, net als toen hij het jachtmes van Harmon had overleefd, en de tanden en klauwen van de beer. Wat hij het allersterkst had gevoeld op het moment dat Serena en hij elkaar hadden vastgehouden daar buiten het brandende huis. Zelfs de pijn in zijn buik en been en arm kon zijn euforie niet dempen.

Galloway veegde het lemmet af aan zijn draagbuidel. Hij legde het mes erbovenop en hurkte weer neer. Pemberton wist dat sommige mensen zeiden dat je het gif eruit moest zuigen, maar hij kon er zelf niet bij en hij verdomde het om het Galloway met zijn gore mond te laten proberen. In plaats daarvan drukte Pemberton op de huid rond de wond om er zo veel mogelijk bloed uit te persen. Hij trok de leren schoenveter uit de vetergaatjes en bond zijn been af boven de knieschijf. De rechtervoet was zo gezwollen dat hij de schoen, zelfs zonder veter, moest wringen en draaien om hem uit te krijgen. Toen Pemberton de schoen eindelijk uit had, stroopte hij ook de sok van zijn voet. Hij betastte de huid, die als een overrijpe vrucht op het punt leek te staan om open te barsten. Zijn maag voelde aan alsof hij een fles loog had gedronken. Galloway zat gehurkt naast hem, zijn ogen oplettend op Pemberton gericht.

'Lopend kom ik hier niet vandaan', zei Pemberton en hij voelde een golf van koude rillingen door zijn lichaam gaan.

'En ik zou u hier niet vandaan kunnen sjouwen, al zou ik het willen', zei Galloway.

Pembertons slapen voelden aan alsof hij met zijn hoofd in een ijzeren tang zat. De smaak van het gif werd sterker en hij had maagkrampen.

'Verdomme, die rotmaag', steunde Pemberton en zweeg toen even. 'Ik had nooit gedacht dat je dat van een slangebeet kreeg.'

'Dat krijg je daar ook niet van', zei Galloway. 'Ik denk dat het die boterham is waar u buikpijn van hebt.'

Galloway keek niet naar Pemberton toen hij sprak. Hij keek naar het parkland in het westen.

'Voorlopig bent u hier nog niet weg.'

'Waar is mijn geweer?'

'Dat heb ik zeker daarboven op de rots laten liggen', zei Galloway.

Pemberton vloekte.

'Pak de auto en ga een telefoon zoeken', zei Pemberton met geknepen stem toen een nieuwe pijngolf toesloeg. 'Bel Bowden en zeg hem dat hij een dokter moet halen en hiernaartoe moet brengen. Daarna ga je naar het kamp en zoek je Serena. Zij zal je wel vertellen wat je verder moet doen.'

Eerst zei Galloway niets. Hij liep naar de draagbuidel om daar het jachtmes in op te bergen en trok die toen achter zijn riem langs en knoopte hem vast. Hij deed het zo behendig dat het één vloeiende beweging leek.

'Dat heeft ze al gedaan,' zei Galloway, 'me verteld wat ik moet doen, bedoel ik. En daarom laat ik u nu hier.'

Een paar tellen lang begreep Pemberton er niets van. Hij kreeg zulke hevige krampen dat hij naar zijn maag greep en zijn nagels in zijn huid zette alsof hij de pijn eruit wilde klauwen. Hij had vreselijke rillingen en de pijn nam alleen af om onmiddellijk weer in alle hevigheid terug te keren. Pemberton voelde zich licht in het hoofd, bijna alsof hij ging flauwvallen, en hij vroeg zich af of dat niet net zo goed door het bloedverlies als door het gif kon komen.

'Komt vast door de boterham die uw vrouw speciaal voor u heeft gemaakt', zei Galloway. 'Ze heeft wat rattengif door de mosterd gemengd en er toen nog wat van dat Parijs groen bij gedaan voor de smaak. En als hij dat gif nou proeft, vroeg ik haar nog, maar ze zei dat mannen het voor de hand liggende nooit doorhebben. Daar had ze wel gelijk in, denk ik.'

Galloway zweeg en veegde een straaltje tabakssap van zijn kin. Pemberton voelde bloed in zijn mond en wist dat zijn tandvlees bloedde. Hij spoog wat van het bloed uit zodat hij iets kon zeggen, maar Galloway was nog niet uitgesproken.

'Ze zei dat ik tegen u moest zeggen dat ze u beschouwde als de enige man die sterk en oprecht genoeg was om zich met haar te kunnen meten, maar dat u door uw wens om dat kind in leven te laten het tegendeel had bewezen.'

Pemberton sloot zijn ogen even en probeerde zich ondanks de pijn te concentreren. Hij probeerde te begrijpen wat Galloway hem vertelde, maar het leek te veel. Hij probeerde zich tot één ding te beperken.

'Hoe is ze erachter gekomen?'

'Moeder heeft het haar verteld, de dag dat ik in Kingsport was, maar uw vrouw geloofde het niet. Het was sheriff McDowell die haar de ogen heeft geopend. Die dag dat ik hem in de cel ben gaan opzoeken. Hij vertelde me zelfs het exacte bedrag dat u hem had gegeven, zodat zij het kon controleren in de boeken om er zeker van te zijn dat hij niet had gelogen.'

'Heeft hij het alleen aan jou verteld? Niet aan Bowden?'

'Bowden was de achterdeur al uit voordat ik nog maar goed en wel begonnen was. Hij stond buiten over te geven. Hij kwam pas weer binnen toen ik klaar was met hem.'

'Dacht McDowell dat hij zijn leven kon redden door over dat kind te vertellen?' vroeg Pemberton.

'Nee', zei Galloway terwijl hij licht fronsend zijn hoofd schudde. 'Op het moment dat ik die cel binnenkwam wist hij al wat er te gebeuren stond. Hij wist dat hij ten dode opgeschreven was.'

Pemberton keek Galloway in de ogen en wist dat hij dezelfde lege blik zag die McDowell had gezien.

'Wist McDowell waar ze zijn?'

'Volgens mij wel,' zei Galloway, 'hij wist in ieder geval waar ze na Knoxville naartoe zijn gegaan.'

'Maar hij heeft het je niet verteld?'

'Ik wist wel dat McDowell niet zou vertellen waar ze waren. Ik heb hem met mijn mes flink bewerkt, zo erg dat elke andere man zijn eigen moeder zou hebben verraden, maar hij heeft niets losgelaten.'

Galloway zweeg en krabde aan het uiteinde van zijn stomp, bedachtzamer nu.

'Hij had beter verdiend, McDowell. Hij heeft naar zijn eigen waarden geleefd en is ook zo gestorven. Als ik het nog eens over moest doen, zou ik hem sneller afmaken.'

Galloway haalde de tabakspruim uit zijn mond en keek er even naar voordat hij hem in het struikgewas gooide. Pemberton kneep zijn ogen dicht. Het werd steeds moeilijker om woorden te vormen; wat hij met zijn hersens bedacht, rolde niet meer als vanzelfsprekend van zijn tong. Hij vormde een zin en hield die even in gedachten om hem helder te krijgen.

'Waarom heeft McDowell je verteld dat ik hem heb geholpen?'

'Volgens mij dacht hij dat hij er zo voor kon zorgen dat in elk geval één van jullie twee het loodje zou leggen', zei Galloway. 'Het ziet ernaar uit dat hij daar gelijk in had.'

Pemberton zweeg even. Hij dacht aan het kind in het kantoor van de sheriff en probeerde zich nog iets anders te herinneren dan het diepe bruin van zijn ogen. Hij herinnerde zich het haar van het kind. Het was niet blond geweest, maar donker, zoals dat van hem.

'Dus het kind is ongedeerd.'

'Moeder zegt van wel, hij en dat meisje van Harmon allebei, maar meer kan moeder me niet vertellen. Ze zijn ondertussen zo ver weg dat zij ze niet meer voor zich kan zien. Dat spoor is zo koud als een lijk.'

Galloway zweeg en zijn gelaatsuitdrukking leek bijna weemoedig. Hij tilde zijn stomp op en veegde een druppel zweet van zijn voorhoofd. Galloway kwam dichterbij en knielde naast Pemberton. Hij haalde zijn zakmes uit zijn zak en trok het blad eruit met dezelfde trage bedachtzaamheid als waarmee hij een veter zou losmaken. Het blad klikte recht.

'Uw vrouw zei dat ze niet wilde dat u langer moest lijden dan nodig was,' zei Galloway, 'maar ik kan u niet snel doden na wat ik met de sheriff heb gedaan. Dat zou te zwaar op mijn geweten drukken.'

Met één snelle haal sneed hij Pembertons broekzak open; het gouden muntstuk van twintig dollar gleed eruit. Galloway raapte de munt op.

'Maar deze hier neem ik mee', zei hij terwijl hij hem in zijn zak stopte. 'Ik vind dat ik hem verdiend heb.'

'Is er een poema?' vroeg Pemberton.

'Daar komt u over een paar uur vanzelf achter', zei Galloway en hij knikte in de richting van het park. 'Die kat komt straks over die berg daar, links van die overhangende rots. Dan ruikt hij bloed en voor je het weet komt hij hier beneden effe buurten.'

Galloway tilde de draagbuidel op en zwaaide hem over zijn schouder. Hij stak het weiland over met dezelfde sukkelgang als altijd. Ik zal me dat langzame loopje herinneren, hield Pemberton zichzelf voor, ik zal het me herinneren op het moment dat ik hem vermoord. Galloway bleef staan en draaide zich om.

'Nog één ding wat ik van haar moest zeggen. Uw doodskist, moest ik van haar zeggen, gaat ze speciaal bestellen in Birmingham. Uw vrouw zei dat ze u dat verschuldigd was.'

Een paar minuten later liep Galloway het bos in. Pemberton

zag hem nog een paar keer tussen de bomen door en kort daarna, toen Galloway over het pad boven op de helling liep, ving hij nog eenmaal een glimp van hem op. Toen was hij verdwenen.

Pemberton pakte de gouden ketting van zijn zakhorloge. Hij trok eraan tot het horloge tevoorschijn kwam. Toen het gouden deksel openging, vielen er twee halvemaantjes glas op de grond, maar het horloge liep nog. De wijzers stonden op de drie en de zes. Pemberton volgde de bijna onwaarneembare voortgang van de minutenwijzer over de wijzerplaat naar de zeven. Hij hield zijn blik zo strak mogelijk op de minutenwijzer gericht met het idee dat het op de een of andere manier zou schelen als hij de tijd kon zien verstrijken.

De pijn was echter te heftig om langer dan een paar seconden geconcentreerd te blijven. Zijn hele been was nu opgezwollen en de aanhoudende pijn trok helemaal door tot aan zijn heup. Zijn beenspieren sidderden, alsof zijn benen panisch probeerden het gif weg te schudden. Pemberton moest braken en hij was blij daardoor misschien iets van het gif kwijt te raken, maar toen hij naar de grond keek, zag hij dat hij alleen maar bloed had opgegeven. Zijn ribben en zijn enkel deden ook pijn, maar dat waren bijkomstigheden, net als de dorst. Hij zou het gif een paar uur zijn gang moeten laten gaan, het voldoende moeten laten uitwerken om de kloof uit te kunnen strompelen.

Pemberton draaide zich om, zodat hij naar het westen keek. Hij probeerde aan iets anders dan aan de pijn te denken. Hij keek naar de Smoky Mountains, die zich uitstrekten tot aan Tennessee. Hoeveel miljoen kuub hout stond er wel niet in die bergen, vroeg Pemberton zich af. De misselijkheid keerde terug en nog meer bloed kleurde de grond rood toen hij overgaf. Hij had een kopersmaak in zijn mond en dacht aan koperaders en beekbeddingen vol edelstenen in de Smoky Mountains. Hij dacht vooral aan Cade's Cove, waar nog oude tulpenbomen stonden. Het liedje over luilekkerland dat de arbeiders zongen kwam in zijn hoofd op en bleef even hangen voordat het weer vervloog.

Pemberton verloor het bewustzijn en toen de pijn hem wekte, begon het daglicht af te nemen. De zon leunde met zijn schouder in de bergkam en vanuit het bos deden de schaduwen uitvallen naar het weiland. Pemberton rook zijn been, de huid nu vuurrood van de knie tot aan de tenen. Het was aan het afsterven, zou weldra zwart worden en gaan rotten. Pemberton wist dat hij zijn been zou kwijtraken, maar daar kon hij mee leven. Hij zou zijn werkdag te paard kunnen doorbrengen, net als Serena.

Hij zag nog maar wazig en het ademen ging steeds moeizamer. Pemberton besloot dat het tijd werd om het weiland over te steken. Voordat het helemaal donker was, zou hij zo ver mogelijk het pad op gaan en dan uitrusten tot het ochtend werd. Ze waren halverwege de helling een beek overgestoken. Daar zou hij genoeg water drinken om de rest van de weg te kunnen afleggen.

Pemberton zette zich met beide handen af tegen de grond en sleepte zich anderhalve meter vooruit. Zijn gebroken enkel begon weer op te spelen en hij moest even zijn hoofd op de grond laten rusten. Toen hij weer probeerde te bewegen, zakte de wereld onder hem weg, alsof die zich wilde terugtrekken. Pemberton greep een pol bezemzegge beet en bleef die stevig vasthouden. Hij dacht terug aan de middag dat hij McDowells politieauto was gevolgd naar de afslag bij Deep Creek. Hoe hij in de Packard had gezeten, met zijn hand op de harde rubberbal en hoe het even had geleken of hij de wereld in zijn greep had.

Na een half uur had Pemberton het midden van het weiland bereikt. Hij rustte uit en probeerde op krachten te komen. Dat was de enige manier, hield hij zichzelf voor, niet zozeer om te overleven, maar om Serena te bewijzen dat hij wel degelijk sterk genoeg was, haar waardig was. Als hij het kamp maar wist te bereiken, zou alles weer zo kunnen zijn als vroeger.

Er vielen schaduwen over hem heen. Het rottende been liet zich voortslepen als een boomstronk en Pemberton stelde zich voor dat het been er niet meer was, wat een opluchting dat zou zijn, hoe vrij hij zou zijn. Als ik het mes had, zou ik het er onmiddellijk afsnijden, zei Pemberton bij zichzelf, dan zou ik het achterlaten en op weg gaan. Pemberton kokhalsde, maar er kwam niets meer omhoog in zijn keel. De wereld huiverde, probeerde zich opnieuw van hem los te rukken. Hij greep weer een vuistvol bezemzegge beet en bleef zich eraan vastklampen.

Toen hij weer bij bewustzijn kwam, was de schemering ingevallen. Aan de rand van het weiland klonk een kreet als van een zuigeling. Jacob, dacht hij, nog steeds ongedeerd, nog steeds in leven. Pemberton tilde zijn hoofd op in de richting van het geluid, maar zijn gezichtsvermogen was nog maar zo zwak dat hij bijna geen licht meer kon onderscheiden. Een paar minuten later hoorde hij iets langs de bezemzegge strijken, resoluut op hem afkomen, en opeens wist hij, zekerder dan hij ooit iets had geweten, dat Serena was gekomen om hem te halen. Hij herinnerde zich de avond in Boston toen mevrouw Lowell hen aan elkaar had voorgesteld en Serena hem glimlachend haar hand had toegestoken. Een nieuw begin, nu net als toen. Pemberton kon niet zien of spreken, maar hij opende zijn hand en liet de bezemzegge los, liet de aarde zelf los in afwachting van Serena's stevige, eeltige hand die zich om de zijne zou sluiten.

Coda

In het voorjaar van 1975 verscheen er in het tijdschrift Life *een artikel over Serena Pemberton waarin haar lange loopbaan als houtbarones in Brazilië werd beschreven. Gezien haar leeftijd was het artikel elegisch van toon, iets wat door de dame in kwestie bepaald niet werd ontmoedigd. Ze vertelde uit eigen beweging zelfs dat haar notaris al specifieke richtlijnen voor haar teraardebestelling had gekregen (van een begrafenisplechtigheid werd niet gerept), die onder meer inhielden dat ze in een loden doodskist begraven wilde worden in Birmingham, Alabama. Omdat die niet gaat rotten of roesten, antwoordde mevrouw Pemberton op de vraag of ze die keuze wilde toelichten.*

Toen de journalist haar vroeg of ze tijdens haar leven iets had gedaan wat ze nu betreurde, zei mevrouw Pemberton: volstrekt niet, en bracht het gesprek vervolgens op een grondgebied met brazielhout in Pernambuco dat ze met steun van een West-Duits tractorbedrijf hoopte aan te kopen. De foto's bij het tijdschriftartikel waren in kleur en eigentijds, met één uitzondering: een zwart-witfoto die in de woonkamer van de haciënda hing. Een nostalgisch aandenken, vertelde ze de interviewer, helemaal niets voor mij, maar zo zie je maar. Het was een foto van een jonge Serena Pemberton, gezeten op een heel groot wit paard, met een arend op haar rechterarm. Naast haar stond een lange man met een krachtig postuur. Op de achtergrond was een woestenij van stronken en neergevallen grote takken te zien van een uitgestrektheid die niet binnen het kader van de lijst te vangen was. De enige zwakke plek van de foto was het gezicht van Serena Pemberton, dat bewogen was en daardoor vervaagd tot grijze nietszeggendheid.

Het artikel werd in september van datzelfde jaar gelezen door een vrouw die in een ziekenhuis lag in Seattle in de staat Washington, en die in afwachting was van een hartoperatie die misschien levensreddend zou zijn. Het tijdschrift Life *had in een mand met tijdschriften gezeten die een verpleegster haar had gebracht, zodat ze nog iets anders te lezen zou hebben dan een oude familiebijbel. De vrouw had het artikel voorzichtig uit het tijdschrift gescheurd en in de Bijbel gelegd. Ze kreeg elke dag bezoek, onder meer van haar man, maar het was haar zoon die elke avond na zijn werk met de auto uit Tacoma kwam om haar gezelschap te houden, aan wie ze het artikel liet zien.*

Een maand later stapte er in Bertioga in Sao Paulo een man uit de trein. Hij bleef tot middernacht in zijn hotel, verliet toen zijn kamer en begon aan een wandeling door de gekasseide straten van de stad. Eerder die avond was er vanaf de oceaan een onweersbui komen binnendrijven, en het regenwater vormde plassen en stroomde langs de stoepranden en door de goten met hun ijzeren roosters, maar nu stond de maan aan de hemel en was het voor de man licht genoeg om zijn weg te vinden. Een kwartier later liep hij geruisloos over het gazon achter de haciënda van Serena Pemberton en betrad de veranda. De man sneed een gat in een hordeur en stapte een kamer binnen die groter was dan enig huis waar hij ooit in had gewoond. Uit zijn achterzak haalde hij een zaklantaarn tevoorschijn waarvan hij het schijnsel met zijn handpalm afschermde terwijl hij door de woning liep totdat hij de kamer had gevonden die hij zocht. Op een stromatras op de grond naast het bed lag een oude man zacht te snurken. Hij sliep met zijn kleren aan, een pistool vlak naast zijn enige hand. Er was een tijd geweest dat de man door het kleinste gerucht zou zijn gewekt, maar tientallen jaren in de nabijheid van machines hadden hem doof gemaakt voor alles wat niet opgeschreven of geschreeuwd werd.

Hij viel als eerste ten prooi aan het mes dat zijn hals voor de zekerheid tot op de wervels doorsneed. De vrouw in het bed liet zich niet zo gemakkelijk doden. De plaatselijke arts, die tevens lijkschouwer was, trof onder de nagels van beide handen huidsporen aan.

Ze stierf niet in bed. Een bewaker bij de toegangspoort aan de voorkant van het huis hoorde de grote deur van brazielhout open-

gaan. Het licht op de veranda was uitgedaan voor de nacht, maar het was volle maan, zodat de bewaker duidelijk kon zien dat de vrouw des huizes met trage maar zekere stappen over de veranda liep. Aan het eind van de veranda bleef ze staan, bracht haar linkerhand omhoog en trok aan het grote mes dat tot aan zijn parelmoeren heft in haar buik stak. Ze was spiernaakt, hoewel de bewaker in eerste instantie dacht dat ze een donkere zijden onderrok droeg. Haar korte grijze haar ving het licht van de volle maan, en de bewaker, een man die bekendstond om zijn bijgelovige aard, beweerde later dat er enkele seconden een krans van wit vuur om haar hoofd was opgevlamd.

Ze kon het mes niet uit haar buik krijgen. Volgens de bewaker had ze omlaaggekeken naar de traptreden van de veranda en voorzichtig één voet naar voren gebracht en toen snel teruggetrokken, alsof ze de temperatuur van haar badwater testte. Op dat moment zag de bewaker de man achter haar, zijn grote gestalte omlijst door de deuropening. Hij stond zo stil dat de bewaker niet kon zeggen of hij er al die tijd al had gestaan of juist op dat moment was verschenen. Toen was hij weg. Later die ochtend zou de politiecommissaris om een signalement vragen, en de bewaker zou wijzen op de foto aan de muur van de woonkamer en zweren dat de man op de foto de man was die hij had gezien. De politiecommissaris en de dokter deden de woorden van de bewaker af als het zoveelste bewijs van zijn lichtgelovigheid.

Maar wat ze niet afdeden was de getuigenis van de bewaker over wat er was gebeurd nadat hij over het pad was gerend en de brede trap van de haciënda op was gelopen. Serena had daar nog steeds gestaan, maar de bewaker had gezworen dat ze al dood was. De stadgenoten die haar hadden gekend, onder wie de politiecommissaris en de dokter, twijfelden geen moment aan de geloofwaardigheid van dat aspect van de verklaring van de bewaker.

Dankwoord

De schrijver wil de volgende mensen graag bedanken voor hun hulp bij de research voor deze roman: George Frizzell, Charlotte Matthews, Phil Moore, Scott Simpson en Ron Sullivan. Mijn dank gaat ook uit naar mijn uitstekende redacteur, Lee Boudreaux, naar mijn even uitstekende agent, Marly Rusoff, naar Mihai Radulescu en Robert West. En tevens naar Jennifer Barth, James Meader, Sam Douglas, mijn gezin, en de National Endowment for the Arts.

Hoewel sommige bijfiguren in deze roman historisch werkelijk hebben bestaan, is hun weergave fictioneel.